La corde au cou VOL.I

Emile Gaboriau

LA CORDE AU COU

I

Dans la nuit du au juin , vers une heure, le faubourg de Paris, qui est le principal et le plus populeux faubourg de la jolie ville de Sauveterre, fut mis en émoi par le galop frénétique d'un cheval sonnant sur les pavés pointus.

Quantité de bourgeois se précipitèrent à leurs fenêtres. Ils ne virent dans la nuit sombre qu'un paysan en bras de chemise et la tête nue, talonnant et bâtonnant furieusement une grosse jument blanche qu'il montait à cru.

Ce paysan, après avoir longé le faubourg, prit à droite la rue Nationalerue Impériale jadis, traversa la place du Marché-Neuf, tourna la rue Mautrec et s'arrêta court devant la belle maison qui fait l'angle de la rue du Château. C'est là qu'habite le maire de Sauveterre, M. Séneschal, ancien avoué, membre du conseil général.

Ayant mis pied à terre, le campagnard empoigna la sonnette et se mit à la secouer si violemment, qu'à l'instant toute la maison fut debout. La minute d'après, un gros et gras domestique, les yeux encore chargés de sommeil, venait ouvrir, et d'un accent irrité s'écriait tout d'abord:

Qui êtes-vous, l'homme? Que voulez-vous? Avez-vous bu un coup de trop? Ignorez-vous chez qui vous cassez les sonnettes?

Je veux parler à monsieur le maire, répondit le paysan, à l'instant même, réveillez-le...

M. Séneschal était tout réveillé. Drapé dans une ample robe de chambre de molleton gris, un bougeoir à la main, inquiet et dissimulant mal son inquiétude, il venait d'apparaître dans le vestibule et avait entendu.

Le voilà, le maire, prononça-t-il du ton le plus mécontent. Que lui voulez-vous à cette heure où tous les honnêtes gens sont couchés?

Écartant le domestique, le paysan s'avança, et sans la moindre formule de politesse:

Je viens, répondit-il, vous dire de nous envoyer les pompiers.

Les pompiers!

Oui, tout de suite, dépêchez-vous! Le maire hochait la tête.

Hum!... faisait-il, ce qui était chez lui la manifestation d'une vive perplexité, hum! hum!

Et qui n'eût été perplexe à sa place!

Pour réunir les pompiers, faire battre la générale était indispensable; or, en pleine nuit, faire battre la générale, c'était mettre la ville sens dessus dessous, c'était faire bondir d'épouvante dans leur lit les braves Sauveterriens, qui ne l'avaient que trop entendue, depuis un an, cette lugubre batterie, lors de l'invasion prussienne et ensuite pendant la Commune. Aussi:

S'agit-il d'un incendie sérieux? demanda M. Séneschal.

Sérieux! s'écria le paysan; comment ne le serait-il pas, par le vent qu'il fait; un vent à décorner les bœufs!

Hum! fit encore le maire, hum! hum! C'est que ce n'était pas la première fois, depuis qu'il administrait Sauveterre, qu'il était ainsi réveillé par un campagnard venant crier sous ses fenêtres: «Au secours! au feu!...»

À ses débuts, saisi de compassion, il se hâtait de réunir les pompiers, il se mettait à leur tête et on courait au lieu du sinistre. Et quand on arrivait, essoufflé, suant, après cinq ou six kilomètres franchis au pas de course, on trouvait quoi? Quelque méchant pailler valant bien dix écus, achevant de se consumer. On s'était dérangé pour rien.

Les paysans des environs avaient si souvent crié au loup, quand il y en avait à peine l'ombre, que le loup venant pour tout de bon, on devait hésiter à les croire.

Voyons, reprit M. Séneschal, qu'est-ce qui brûle, en définitive?...

En présence de tant de délais, le paysan mordait de rage le manche de son fouet.

Faut-il donc que je vous répète, interrompit-il, que tout est en feu, que tout flambe: granges, métairies, récoltes, maisons, château, tout!... Si vous tardez encore, vous ne trouverez plus pierre sur pierre du Valpinson.

L'effet de ce nom fut prodigieux.

Quoi! demanda le maire d'une voix étranglée, c'est au Valpinson qu'est le feu?

Oui.

Chez le comte de Claudieuse?

Comme de juste, pardi!

Imbécile! que ne le disiez-vous immédiatement! s'écria le maire. (Il n'hésitait plus.) Vite, dit-il à son domestique, viens me donner de quoi m'habiller... C'est-à-dire, non! Madame m'aidera, car il n'y a pas une seconde à perdre. Toi, tu vas courir chez Bolton, tu sais, le tambour, et tu lui commanderas de ma part de battre la générale, à l'instant, partout. Tu passeras ensuite chez le capitaine Parenteau, tu lui expliqueras ce qui en est et tu le prieras de prendre la clef des pompes à la mairie, chez le concierge. Attends!... Cela fait, tu reviendras ici, atteler... Le feu au Valpinson!... J'accompagnerai les pompiers!... Allons, cours, frappe aux portes, crie au feu! On se réunira place du Marché-Neuf!...

Et le domestique s'étant éloigné de toute la vitesse de ses jambes:

Quant à vous, mon brave, reprit M. Séneschal en s'adressant au paysan, enfourchez votre bête et allez rassurer monsieur de Claudieuse, qu'on ne perde pas courage, qu'on redouble d'efforts, les secours arrivent.

Mais le paysan ne bougeait pas.

Avant de retourner au Valpinson, dit-il, j'ai encore une commission à faire en ville.

Hein! vous dites?...

Il faut que j'aille chercher, pour le ramener avec moi, monsieur Seignebos, le médecin...

Le docteur! Y a-t-il donc quelqu'un de blessé?

Oui, le maître, monsieur de Claudieuse.

L'imprudent! Il se sera jeté au danger, selon son habitude...

Oh, non! C'est qu'il a reçu deux coups de fusil.

Peu s'en fallut que le maire de Sauveterre ne laissât échapper son bougeoir.

4/242

Deux coups de fusil! s'écria-t-il. Où? Quand? Comment? De qui?

Ah! je ne sais pas.

Cependant...

Tout ce que je peux vous dire, c'est qu'on l'a porté dans une petite grange, où le feu n'était pas encore. C'est là que je l'ai vu, étendu sur une botte de paille, blanc comme un linge, les yeux fermés et tout couvert de sang.

Mon Dieu! serait-il donc mort?

Il ne l'était pas quand je suis parti.

Et la comtesse?

La dame de Claudieuse, répondit le paysan, avec un accent marqué de vénération, était dans la grange, agenouillée près de monsieur le comte, lavant ses blessures avec de l'eau fraîche. Les deux petites demoiselles étaient là aussi...

M. Séneschal frissonnait.

Un crime aurait donc été commis, murmura-t-il.

Pour cela, oui, sûrement.

Par qui? Dans quel but?

Ah! voilà!...

Monsieur de Claudieuse est très emporté, c'est vrai, très violent, mais c'est le meilleur et le plus juste des hommes, tout le monde le sait.

Tout le monde.

Il n'a jamais fait que du bien dans le pays.

Personne n'oserait dire le contraire.

Quant à la comtesse...

Oh! fit vivement le paysan, c'est la sainte des saintes.

Le maire essayait de conclure.

Le coupable, poursuivit-il, serait donc un étranger. Nous sommes infestés de vagabonds, de mendiants de passage. Il n'est pas de jour qu'il ne se présente à la mairie, pour demander des secours de route, des hommes à figure patibulaire.

De la tête, le paysan approuvait.

C'est bien mon idée, dit-il. Et la preuve, c'est qu'en venant je songeais qu'après avoir averti le médecin, je ferais peut-être bien de prévenir la justice...

Inutile! interrompit M. Séneschal, c'est un soin qui me regarde. Avant dix minutes je serai chez le procureur de la République... Allons, ne ménagez pas votre cheval, et dites bien à madame de Claudieuse que nous vous suivons.

De sa vie administrative, le maire de Sauveterre n'avait été si rudement secoué. Il en perdait la tête, ni plus ni moins que ce fameux jour où il lui était tombé à l'improviste neuf cents mobiles à nourrir et à loger. Jamais, sans l'assistance de sa femme, il n'en eût fini de se vêtir. Pourtant, il était prêt lorsque son domestique reparut.

Ce brave garçon s'était acquitté de toutes ses commissions, et déjà, dans le lointain de la haute ville, retentissaient les roulements sourds de la générale.

Maintenant, attelle, lui dit M. Séneschal. Que la voiture soit devant la maison quand je reviendrai.

Dehors, il trouva tout en rumeur. À chaque fenêtre, une tête s'allongeait, curieuse ou terrifiée. De tous côtés, des portes brusquement refermées claquaient.

Pourvu, mon Dieu! pensait-il, que je trouve Daubigeon chez lui.

Successivement procureur impérial, puis procureur de la République, M. Daubigeon était un des grands amis de M. Séneschal. C'était un homme d'une quarantaine d'années, au regard fin, au visage souriant, qui s'était obstiné à rester célibataire et qui s'en vantait volontiers. On ne lui trouvait à Sauveterre ni le caractère ni l'extérieur de sa sévère profession. Certes, on l'estimait fort, mais on lui reprochait amèrement sa philosophie optimiste, sa bonhomie souriante et surtout sa mollesse à requérir, une mollesse qui, disait-on, dégénérait en une coupable inertie dont le crime s'enhardissait.

Lui-même s'accusait de n'avoir pas le feu sacré, et, selon son expression, de dérober à la froide Thémis le plus de temps qu'il pouvait, pour le consacrer aux Muses familières. Collectionneur éclairé, il avait la passion des beaux livres, des éditions rares, des reliures précieuses, des belles suites de gravures, et le plus clair de ses dix mille francs de rentes passait à ses chers bouquins. Érudit de la vieille école, il professait pour les poètes latins, pour Virgile et pour Juvénal, pour Horace surtout, un culte que trahissaient d'incessantes citations.

Réveillé en sursaut comme tout le monde, ce digne et galant homme se dépêchait de s'habiller pour courir aux renseignements, lorsque sa vieille gouvernante, tout effarée, vint lui annoncer la visite de M. Séneschal.

Qu'il entre! s'écria-t-il, qu'il entre! Et dès que le maire parut:

Car vous allez m'apprendre, continua-t-il, pourquoi tout ce tumulte, ces cris et ces roulements de tambour.

Clamor que virum, clangorque tubarum.

Un épouvantable malheur arrive, prononça M. Séneschal.

Tel était son accent, qu'on eût juré que c'était lui qui était atteint. Et ce fut si bien l'impression de M. Daubigeon que tout aussitôt:

Qu'est-ce, mon cher ami? fit-il. Quid? Du courage, morbleu! du sang-froid!... Souvenez-vous que le poète conseille de garder dans l'adversité une âme toujours égale:

Æquam, memento, rebus in arduis, Servare mentem...

Des malfaiteurs ont mis le feu au Valpinson! l'interrompit le maire.

Que me dites-vous là! grands dieux!

O Jupiter. Quod verbum audio...

Victime d'une lâche tentative d'assassinat, le comte de Claudieuse se meurt peut-être en ce moment.

Oh!...

Le tambour que vous entendez réunit les pompiers, que je vais envoyer combattre l'incendie, et si je me présente chez vous à cette heure, c'est officiellement, pour vous dénoncer le crime et demander bonne et prompte justice!

Il n'en fallait pas tant pour glacer toutes les citations sur les lèvres du procureur de la République.

Il suffit! dit-il vivement. Venez, nous allons prendre nos mesures pour que les coupables ne puissent échapper.

Lorsqu'ils arrivèrent dans la rue Nationale, elle était plus animée qu'en plein midi, car Sauveterre est une de ces sous-préfectures où les distractions sont trop rares pour qu'on n'y saisisse pas avidement tout prétexte d'émotion.

Déjà les tristes événements étaient connus et commentés. On avait commencé par douter, mais on avait été sûr, lorsqu'on avait vu passer au grand galop le cabriolet du docteur Seignebos, escorté d'un paysan à cheval.

Les pompiers, de leur côté, n'avaient pas perdu leur temps.

Dès que le maire et M. Daubigeon furent signalés sur la place du Marché-Neuf, le capitaine Parenteau se précipita à leur rencontre, et portant militairement la main à son casque:

Mes hommes sont prêts, déclara-t-il.

Tous?

Il n'en manque pas dix. Quand on a su qu'il s'agissait de porter secours au comte et à la comtesse de Claudieuse, nom d'un tonnerre! vous comprenez que personne ne s'est fait tirer l'oreille.

Alors, partez et faites diligence, commanda M. Séneschal. Nous vous rattraperons en route. Nous allons, de ce pas, monsieur Daubigeon et moi, prendre monsieur Galpin-Daveline, le juge d'instruction.

Ils n'eurent pas loin à aller. Ce juge, précisément, les cherchait par la ville depuis une demi-heure, il arrivait sur la place et venait de les apercevoir.

Vivant contraste du procureur de la République, M. Galpin-Daveline était bien l'homme de son état, et même quelque chose de plus. Tout en lui, de la tête aux pieds, depuis ses guêtres de drap jusqu'à ses favoris d'un blond risqué, dénonçait le magistrat. Il n'était pas grave, il était l'incarnation de la gravité. Nul, bien qu'il fût jeune encore, ne se pouvait flatter de l'avoir vu sourire ni entendu plaisanter. Et, telle était sa roideur, qu'au dire de M. Daubigeon, on l'eût cru empalé par le glaive même de la loi.

À Sauveterre, M. Galpin-Daveline avait la réputation d'un homme supérieur. Il pensait l'être. Aussi s'indignait-il d'opérer sur un théâtre trop étroit et de dépenser les grandes facultés dont il se croyait doué à des besognes vulgaires, à rechercher les auteurs d'un vol de fagots ou de l'effraction d'un poulailler. C'est que ses démarches désespérées pour obtenir un poste en évidence avaient toujours échoué. Vainement, il avait mis tous ses amis en campagne. Inutilement, il s'était, en secret, mêlé de politique, disposé à servir le parti, quel qu'il fût, qui le servirait le mieux.

Mais l'ambition de M. Galpin-Daveline n'était pas de celles qui se découragent, et en ces derniers temps, à la suite d'un voyage à Paris, il avait donné à entendre qu'un brillant mariage ne tarderait pas à lui assurer les protections qui, jusqu'alors, avaient manqué à ses mérites.

Lorsqu'il rejoignit M. Séneschal et M. Daubigeon:

Eh bien! commença-t-il, voici une terrible affaire, et qui va certainement avoir un immense retentissement.

Le maire voulait lui donner des détails.

Inutile, lui dit-il. Tout ce que vous savez, je le sais. J'ai rencontré et interrogé le paysan qui vous avait été expédié. (Puis, se retournant vers le procureur de la République:) Je pense, monsieur, poursuivit-il, que notre devoir est de nous transporter immédiatement sur le théâtre du crime.

J'allais vous le proposer, répondit M. Daubigeon.

Il faudrait avertir la gendarmerie...

Monsieur Séneschal vient de la faire prévenir. L'agitation du juge d'instruction était grande, si grande qu'elle faisait en quelque sorte éclater son écorce d'impassible froideur.

Il y a flagrant délit, reprit-il.

Évidemment.

De telle sorte que nous pouvons agir de concert, et parallèlement, chacun selon notre fonction, vous requérant, moi statuant sur vos réquisitions...

Un ironique sourire glissait sur les lèvres du procureur de la République.

Vous devez assez me connaître, répondit-il, pour savoir qu'il n'y a jamais avec moi de conflit d'attributions; je ne suis plus qu'un vieux bonhomme, ami du repos et de l'étude.

Sum piger et senior, Pieridumque cornes...

Alors, rien ne nous retient plus! s'écria M. Séneschal, qui bouillait d'impatience, ma voiture est attelée! Partons!

II

De Sauveterre au Valpinson, par la traverse, on ne compte qu'une lieue; seulement c'est une lieue de pays, elle a sept kilomètres.

Mais M. Séneschal avait un bon cheval, le meilleur peut-être de l'arrondissement, affirmait-il, en montant en voiture, à M. Galpin-Daveline et à M. Daubigeon. Le fait est qu'en moins de dix minutes ils eurent rejoint les pompiers, partis bien avant eux.

Ces braves gens, presque tous maîtres ouvriers de Sauveterre, maçons, charpentiers et couvreurs, se hâtaient cependant de toute leur énergie. Éclairés par une demi-douzaine de torches fumeuses, ils allaient, peinant et soufflant, le long du chemin raboteux, poussant leurs deux pompes et le chariot qui contenait le matériel de sauvetage.

Courage, mes amis! leur cria le maire en les dépassant. Bon courage!

À trois minutes de là, galopant dans la nuit du train d'un cavalier de ballade, un paysan à cheval apparut sur la route.

M. Daubigeon lui commanda de s'arrêter. Il obéit. C'était le même homme qui déjà était venu à Sauveterre donner l'alarme.

Vous revenez du Valpinson? lui demanda M. Séneschal.

Oui, répondit le paysan.

Comment va le comte de Claudieuse?

Il a repris connaissance.

Qu'a dit le médecin?

Qu'il s'en tirera probablement. Et moi je cours chez le pharmacien chercher des remèdes.

Pour mieux entendre, M. Galpin-Daveline, le juge d'instruction, se penchait hors de la voiture.

La rumeur publique accuse-t-elle quelqu'un? demanda-t-il.

Personne.

Et l'incendie?

On a de l'eau, répondit le paysan, mais pas de pompes, que voulez-vous qu'on fasse!... Et le vent qui redouble!... Ah! quel malheur, quel malheur!

Et il piqua des deux, pendant que M. Séneschal rouait de coups son pauvre cheval, lequel, sous ce traitement extraordinaire, loin d'avancer plus vite, se cabrait et faisait des bonds de côté.

C'est que l'excellent maire était exaspéré. C'est que ce crime lui paraissait comme un défi à son adresse et la plus cruelle injure qu'on pût faire à son administration.

Car, enfin, répétait-il pour la dixième fois à ses compagnons de route, est-il naturel, je vous le demande, est-il logique qu'un malfaiteur soit allé s'adresser précisément au comte et à la comtesse de Claudieuse, à l'homme le plus considérable et le plus considéré de l'arrondissement, à une femme dont le nom est synonyme de vertu et de charité?

Et intarissable, malgré les cahots de la voiture, M. Séneschal racontait tout ce qu'il savait de l'histoire des propriétaires du Valpinson.

Le comte Trivulce de Claudieuse était le dernier descendant d'une des plus vieilles familles du pays. À seize ans, vers , il s'était embarqué en qualité d'enseigne de vaisseau, et pendant de longues années il n'avait fait à Sauveterre que de rares et de brèves apparitions. Il était capitaine de vaisseau en , et désigné pour l'épaulette de contre-amiral, lorsque tout à coup il avait donné sa démission et était venu s'installer au château de Valpinson, lequel ne gardait plus, de ses antiques splendeurs, que deux tourelles tombant en ruine au milieu d'énormes amas de pierres noircies et moussues. Deux années durant, il y avait vécu seul, se réédifiant tant bien que mal un logis, et, des bribes éparses de la fortune de ses ancêtres, se reconstituant, à force de soin et d'activité, une modeste aisance.

On pensait bien qu'il finirait ses jours ainsi, lorsque le bruit s'était répandu qu'il allait se marier. Et le bruit, chose rare, était vrai. M. de Claudieuse, un beau matin, était parti pour Paris, et par les lettres de faire-part qui étaient arrivées peu après, on avait appris qu'il venait d'épouser la fille d'un de ses anciens camarades de promotion, Mlle Geneviève de Tassar de Bruc.

L'étonnement avait été grand. Le comte avait tout à fait grand air et était encore remarquablement bien de sa personne; mais il venait d'avoir quarante-sept ans, et Mlle de Tassar de Bruc en avait à peine vingt. Ah! si la nouvelle mariée eût été pauvre, on eût compris et même approuvé le mariage. Il est si naturel qu'une fille sans dot sacrifie son cœur à la question du pain quotidien. Mais tel n'était pas le cas. Le marquis de Tassar de Bruc passait pour riche et avait, disait-on, compté à son gendre cinquante mille écus.

Alors, on s'était imaginé que la jeune comtesse devait être laide à faire peur, infirme ou contrefaite pour le moins, idiote peut-être ou d'un caractère impossible. Erreur. Elle était apparue, et on était demeuré saisi de sa noble et calme beauté. Elle avait parlé, et chacun était resté sous le charme. Ce mariage était-il donc, comme on dit à Sauveterre, un mariage d'inclination? On le crut. Ce qui n'empêcha pas quantité de vieilles dames de hocher la tête et de déclarer que vingt-sept ans, c'est trop entre deux époux, et que cette union ne serait pas heureuse.

Les faits n'avaient pas tardé à démentir ces sombres pronostics. À dix lieues à la ronde, il n'existait pas de ménage aussi parfaitement uni que celui de M. et Mme de Claudieuse, et deux enfants, deux filles, qu'ils avaient eues à quatre ans d'intervalle, devaient avoir, pour toujours, fixé le bonheur à leur paisible foyer.

De son ancienne profession, de ce temps où il administrait les possessions lointaines de la France, le comte avait, il est vrai, gardé ses habitudes hautaines de commandement, une attitude sévère et froide, une parole brève. Il était, de plus, d'une si extrême violence que la plus légère contradiction empourprait son visage. Mais la comtesse était le calme et la douceur mêmes, et comme elle savait toujours se jeter entre la colère de son mari et celui qui se l'était attirée, comme ils étaient l'un et l'autre justes, bons jusqu'à la faiblesse, généreux et pitoyables aux malheureux, ils étaient adorés.

Il n'y avait guère que sur l'article chasse que M. de Claudieuse n'entendait pas raison. Chasseur passionné, il veillait toute l'année sur son gibier avec la sollicitude inquiète d'un avare, multipliant les gardes et les défenses, poursuivant les braconniers avec un tel acharnement qu'on disait: «Mieux vaut lui voler cent pistoles que lui tuer un merle.»

M. et Mme de Claudieuse vivaient d'ailleurs assez isolés, absorbés par les soins d'une vaste exploitation agricole et par l'éducation de leurs filles. Ils recevaient rarement, et on ne les voyait pas quatre fois par hiver à Sauveterre, chez les demoiselles de Lavarande ou chez le vieux baron de Chandoré. Tous les étés, par exemple, vers la fin de juillet, ils s'installaient, pour un mois, à Royan, où ils avaient un chalet. Tous les ans, également, à l'ouverture de la chasse, la comtesse allait, avec ses filles, passer quelques semaines près de ses parents qui habitaient Paris.

Pour bouleverser cette paisible existence, il ne fallut pas moins que les catastrophes de . En apprenant que les Prussiens vainqueurs foulaient le sol sacré de la patrie, l'ancien capitaine de vaisseau sentit se réveiller en lui tous ses instincts de Français et de soldat. Quoi qu'on pût faire pour le retenir, il partit. Légitimiste obstiné, il se déclarait prêt à mourir pour la République, pourvu que la France fût sauvée. Sans l'ombre d'une hésitation, il offrit son épée à Gambetta, qu'il détestait. Nommé colonel d'un régiment de marche, il se battit comme un lion, depuis le premier jour jusqu'au dernier, où il fut renversé et foulé aux pieds en essayant d'arrêter l'affreuse débandade d'un des corps d'armée de Chanzy.

Revenu au Valpinson à la signature de l'armistice, personne, hormis sa femme, n'avait pu lui arracher un mot de cette douloureuse campagne. On l'engageait à se présenter aux élections, et certainement il eût été élu; il refusa, disant que s'il savait se battre, il ne savait pas discourir.

Mais c'est d'une oreille distraite que le procureur de la République et le juge d'instruction écoutaient ces détails, qu'ils connaissaient aussi bien que M. Séneschal.

Aussi tout à coup:

N'avançons-nous donc pas? demanda M. Galpin-Daveline; j'ai beau regarder, je n'aperçois aucune apparence d'incendie.

C'est que nous sommes dans un bas-fond, répondit le maire. Mais nous approchons, et lorsque nous serons en haut de cette côte que nous gravissons, soyez tranquille, vous verrez...

Cette côte est bien connue dans le département, et même célèbre sous le nom de montagne de Sauveterre. Elle est si raide et formée d'un granit si dur que les ingénieurs qui ont tracé la route nationale de Bordeaux à Nantes se sont détournés d'une demi-lieue pour l'éviter. Elle domine donc tout le pays, et, parvenus à son sommet, M. Séneschal et ses compagnons ne purent retenir un cri.

Horresco! murmura le procureur de la République.

Le foyer même de l'incendie leur était encore caché par les hautes futaies de Rochepommier, mais les jets de flamme s'élançaient bien au-dessus des grands arbres, illuminant tout l'horizon de sinistres lueurs...

Toute la campagne était en mouvement. Le tocsin sonnait à coups précipités à l'église de Bréchy, dont le clocher tronqué se détachait en noir sur la pourpre du ciel. Dans l'ombre, retentissaient les rauques mugissements de ces conques marines dont on se sert pour appeler les ouvriers des champs. Des pas effarés sonnaient le long des sentiers, et des paysans passaient en courant, un seau de chaque main.

Les secours arriveront trop tard! dit M. Galpin-Daveline.

Une si belle propriété, dit le maire, si savamment aménagée!

Et, au risque d'un accident, il lança son cheval au galop sur le revers de la côte, car le Valpinson est tout au fond de la vallée, à cinq cents mètres de la petite rivière.

Tout y était terreur, désordre, confusion. Et pourtant les bras n'y manquaient pas, ni la bonne volonté. Aux premiers cris d'alarme, tous les gens des environs étaient accourus, et il en arrivait encore à chaque minute, mais personne ne se trouvait là pour diriger.

Le sauvetage du mobilier surtout les préoccupait. Les plus hardis tenaient bon dans les appartements et, en proie à une sorte de vertige, jetaient par les fenêtres tout ce qui leur tombait sous la main. Et dans le milieu de la cour, s'amoncelaient pêle-mêle les lits, les matelas, les chaises, le linge, les livres, les vêtements...

Cependant une immense clameur salua l'arrivée de M. Séneschal et de ses compagnons.

Voilà monsieur le maire! s'écriaient les paysans, rassurés par sa seule présence et prêts à lui obéir.

M. Séneschal, du reste, jugea bien d'un coup d'œil la situation.

Oui, c'est moi, mes amis, dit-il, et je vous félicite de votre empressement, il s'agit, à cette heure, de ne pas gaspiller nos forces. La ferme, les chais et les bâtiments d'exploitation sont perdus, abandonnons-les. Concentrons nos efforts sur le château... Organisons-nous! La rivière est tout proche, formons la chaîne. Tout le monde à la chaîne, hommes et femmes!... Et de l'eau, de l'eau... voilà les pompes.

On les entendait, en effet, rouler comme un tonnerre. Les pompiers parurent. Le capitaine Parenteau prit la direction des secours. Et, enfin, M. Séneschal put s'informer du comte de Claudieuse.

Le maître est là, lui répondit une vieille femme en montrant, à cent pas, une maisonnette à toit de chaume, c'est le médecin qui l'y a fait transporter.

Allons le voir, messieurs, dit vivement le maire au procureur de la République et au juge d'instruction.

Mais ils s'arrêtèrent au seuil de l'unique pièce de cette pauvre demeure. C'était une grande chambre, au sol de terre battue, aux solives noircies et toutes chargées d'outils et de paquets de graines. Deux lits à colonnes torses et à rideaux de serge jaunâtre, deux bons grands lits de Saintonge, occupaient tout le fond. Sur celui de gauche, une petite fille de quatre à cinq ans dormait, roulée dans une couverture, sous la garde de sa sœur, de deux ou trois ans plus âgée. Sur le lit de droite, le comte de Claudieuse était étendu, ou plutôt assis, car on avait entassé sous ses reins tout ce qu'on avait pu arracher d'oreillers à l'incendie.

Il avait le torse nu et ruisselant de sang, et un homme, le docteur Seignebos, en bras de chemise et les manches retroussées jusqu'au coude, s'inclinait vers lui et, une éponge d'une main, un bistouri de l'autre, semblait absorbé par quelque grave et délicate opération. Vêtue d'une robe de mousseline claire, la comtesse de Claudieuse était debout au pied du lit de son mari, pâle, mais sublime de calme et de fermeté résignée. Elle tenait une lampe et en dirigeait la lumière selon les indications du docteur. Dans un coin, deux servantes étaient assises sur un coffre et, leur tablier relevé sur la tête, pleuraient.

Singulièrement ému, le maire de Sauveterre prit enfin sur lui d'entrer. Ce fut le comte de Claudieuse qui le premier l'aperçut :

Eh! c'est ce brave Séneschal! dit-il. Approchez, cher ami, approchez!... L'année , vous le voyez, est une année fatale. De tout ce que je possédais, il ne restera plus, au jour, que quelques pelletées de cendres...

C'est un grand malheur, répondit le digne maire, mais nous en avons craint un bien plus irréparable... Dieu merci, vous vivrez...

Qui sait! Je souffre terriblement... Mme de Claudieuse tressaillit.

Trivulce! murmura-t-elle d'une voix doucement suppliante, Trivulce!

Jamais amant n'arrêta sur l'amie de son âme un regard plus tendre que celui dont M. de Claudieuse enveloppa sa femme.

Pardonne-moi, chère Geneviève, pardonne-moi mon manque de courage...

Un spasme nerveux lui coupa la parole, et tout aussitôt, d'une voix éclatante comme une trompette :

Monsieur! s'écria-t-il, docteur! Tonnerre du ciel!... Vous m'écorchez!

J'ai là du chloroforme, prononça froidement le médecin.

Je n'en veux pas!

Résignez-vous alors à souffrir... Et tenez-vous tranquille, car chacun de vos mouvements augmente la souffrance. (Sur quoi, épongeant un filet de sang qui venait de jaillir sous son bistouri:) Du reste, ajouta-t-il, nous allons prendre quelques minutes de repos. Mes yeux et ma main se fatiguent... Je ne suis plus jeune, décidément.

Le docteur Seignebos avait soixante ans. C'était un petit homme au teint bilieux, maigre, chauve, d'une tenue plus que négligée, et porteur d'une paire de lunettes d'or qu'il passait sa vie à retirer, à essuyer et à remettre.

Sa réputation médicale était grande, on citait de lui, à Sauveterre, des cures merveilleuses; cependant il n'avait que peu d'amis. Les ouvriers lui reprochaient sa morgue dédaigneuse, les paysans son âpreté au gain, et les bourgeois ses opinions politiques.

On rapporte qu'un soir, dans un banquet, il s'était écrié en levant son verre: «Je bois à la mémoire du seul médecin dont j'envie la pure et noble gloire: à la mémoire de mon compatriote le docteur Guillotin, de Saintes!» Avait-il vraiment porté ce toast? Le positif, c'est qu'il se posait en démocrate farouche, et qu'il était l'âme et l'oracle des petits conciliabules socialistes des environs. Il étonnait quand il entamait le chapitre des réformes qu'il rêvait et des progrès qu'il concevait. Et il faisait frémir par le don dont il parlait de «porter le fer et le feu jusqu'au fond des entrailles pourries de la société».

Ces opinions, des théories utilitaires souvent étranges, certaines expériences plus étranges encore qu'il poursuivait au su et vu de tous, avaient fait douter parfois de l'intégrité de l'intellect du docteur Seignebos. Les plus bienveillants disaient: «C'est un original.»

Cet original, comme de raison, n'aimait guère M. Séneschal, un ancien avoué réactionnaire. Il tenait en piètre estime le procureur de la République, un inutile fureteur de bouquins. Mais il détestait cordialement M. Galpin-Daveline.

Pourtant, il les salua tous les trois, et sans se soucier d'être ou non entendu de son malade:

Vous voyez, leur dit-il, monsieur de Claudieuse en très fâcheux état. C'est avec un fusil chargé de plomb de chasse qu'on lui a tiré dessus, et les désordres des blessures de cette origine sont incalculables. J'inclinerais volontiers à croire qu'aucun organe essentiel n'a été atteint, mais je n'en répondrais pas. J'ai vu souvent, dans ma pratique, des lésions minuscules telles qu'en peut produire un grain de plomb, lésions mortelles cependant, ne se révéler qu'après douze ou quinze heures.

Il eût continué longtemps, s'il n'eût été brusquement interrompu:

Monsieur le docteur, prononça le juge d'instruction, c'est parce qu'un crime a été commis que je suis ici. Il faut que le coupable soit retrouvé et puni. Et c'est au nom de la justice que, dès ce moment, je requiers le concours de vos lumières.

III

Par cette seule phrase, M. Galpin-Daveline s'emparait despotiquement de la situation et reléguait au second plan le docteur Seignebos, M. Séneschal et le procureur de la République lui-même. Rien plus n'existait qu'un crime dont l'auteur était à découvrir, et un juge: lui.

Mais il avait beau exagérer sa raideur habituelle et ce dédain des sentiments humains qui a fait à la justice plus d'ennemis que ses plus cruelles erreurs, tout en lui tressaillait d'une satisfaction contenue, tout, jusqu'aux poils de sa barbe, taillée comme les buis de Versailles.

Donc, monsieur le médecin, reprit-il, voyez-vous quelque inconvénient à ce que j'interroge le blessé?

Mieux vaudrait certainement le laisser en repos, gronda le docteur Seignebos, je viens de le martyriser pendant une heure, je vais dans un moment recommencer à extraire les grains de plomb dont ses chairs sont criblées. Cependant, si vous y tenez...

J'y tiens...

Eh bien! dépêchez-vous, car la fièvre ne va pas tarder à le prendre.

M. Daubigeon ne cachait guère son mécontentement.

Daveline! faisait-il à demi-voix, Daveline!

L'autre n'y prenait garde. Ayant tiré de sa poche un calepin et un crayon, il s'approcha du lit de M. de Claudieuse, et toujours du même ton:

Vous sentez-vous en état, monsieur le comte, demanda-t-il, de répondre à mes questions?

Oh! parfaitement.

Alors, veuillez me dire ce que vous savez des funestes événements de cette nuit.

Aidé de sa femme et du docteur Seignebos, le comte de Claudieuse se haussa sur ses oreillers.

Ce que je sais, commença-t-il, n'aidera guère, malheureusement, les investigations de la justice... Il pouvait être onze heures, car je ne saurais même préciser l'heure, j'étais couché, et depuis un bon moment j'avais soufflé ma bougie, lorsqu'une lueur très vive frappa mes vitres. Je m'en étonnai, mais très confusément, car j'étais dans cet état d'engourdissement qui, sans être le sommeil, n'est déjà plus la veille. Je me dis bien: «Qu'est-ce que cela?», mais je ne me levai pas. C'est un grand bruit, comme le fracas d'un mur qui s'écroule, qui me rendit au sentiment de la réalité. Oh! alors, je bondis hors de mon lit, en me disant: «C'est le feu!...» Ce qui redoublait mon inquiétude, c'est que je me rappelais qu'il y avait, dans ma cour et autour des bâtiments, seize mille fagots de la coupe de l'an dernier... À demi vêtu, je m'élançai dans les escaliers. J'étais fort troublé, je l'avoue, à ce point que j'eus toutes les peines du monde à ouvrir la porte extérieure. J'y parvins cependant. Mais à peine mettais-je le pied sur le seuil que je ressentis au côté droit, un peu au-dessus de la hanche, une affreuse douleur et que j'entendis tout près de moi une détonation...

D'un geste, le juge d'instruction interrompit.Votre récit, monsieur le comte, dit-il, est certes d'une remarquable netteté. Cependant, il est un détail qu'il importe de préciser. C'est bien au moment juste où vous paraissiez qu'on a tiré sur vous?

Oui, monsieur.

Donc l'assassin était tout près, à l'affût. Il savait que, fatalement, l'incendie vous attirerait dehors et il attendait...

Telle a été, telle est encore mon impression, déclara le comte.

M. Galpin-Daveline se retourna vers M. Daubigeon.

Donc, lui dit-il, l'assassinat est le fait principal que doit retenir la prévention; l'incendie n'est qu'une circonstance aggravante, le moyen imaginé par le coupable pour arriver plus sûrement à la perpétration du crime... (Après quoi, revenant au comte:) Poursuivez, monsieur, dit le juge d'instruction.

Me sentant blessé, continua M. de Claudieuse, mon premier mouvement, mouvement tout instinctif, d'ailleurs, fut de me précipiter vers l'endroit d'où m'avait paru venir le coup de fusil. Je n'avais pas fait trois pas que je me sentis atteint de nouveau à l'épaule et au cou. Cette seconde blessure était plus grave que la première, car le cœur me faillit, la tête me tourna, et je tombai...

Vous n'aviez pas même entrevu le meurtrier?

Pardonnez-moi. Au moment où je tombais, il m'a semblé voir... j'ai vu un homme s'élancer de derrière une pile de fagots, traverser la cour et disparaître dans la campagne.

Le reconnaîtriez-vous?

Non.

Mais vous avez vu comment il était vêtu, vous pouvez me donner à peu près son signalement?

Non plus. J'avais comme un nuage devant les yeux, et il a passé comme une ombre.

Le juge d'instruction dissimula mal un mouvement de dépit.

N'importe, fit-il, nous le retrouverons... Mais continuez, monsieur.

Le comte hocha la tête.

Je n'ai plus rien à vous apprendre, monsieur, répondit-il. J'étais évanoui, et ce n'est que quelques heures plus tard que j'ai repris connaissance, ici, sur ce lit.

Avec un soin extrême, M. Galpin-Daveline notait les réponses du comte. Lorsqu'il eut terminé:

Nous reviendrons, reprit-il, et minutieusement, sur les circonstances du meurtre. Pour le moment, monsieur le comte, il importe de savoir ce qui s'est passé après votre chute. Qui pourrait me l'apprendre?

Ma femme, monsieur.

Je le pensais. Madame la comtesse a dû se lever en même temps que vous?

Ma femme n'était pas couchée, monsieur. Vivement le juge se retourna vers la comtesse, et il lui suffit d'un coup d'œil pour reconnaître que le costume de la comtesse n'était pas celui d'une femme éveillée en sursaut par l'incendie de sa maison.

En effet, murmura-t-il.

Berthe, poursuivit le comte, la plus jeune de nos filles, celle qui est là sur ce lit, enveloppée d'une couverture, est atteinte de la rougeole et sérieusement souffrante. Ma femme était restée près d'elle. Malheureusement, les fenêtres de nos filles donnent sur le jardin, du côté opposé à celui où le feu a été mis...

Comment donc madame la comtesse a-t-elle été avertie du désastre? demanda le juge d'instruction.

Sans attendre une question plus directe, Mme de Claudieuse s'avança.

Ainsi que mon mari vient de vous le dire, monsieur, répondit-elle, j'avais tenu à veiller ma petite Berthe. Ayant déjà passé près d'elle la nuit précédente, j'étais un peu lasse, et j'avais fini par m'assoupir, lorsque je fus réveillée par une détonation... à ce qui m'a semblé. Je me demandais si ce n'était pas une illusion, quand un second coup retentit presque immédiatement. Plus étonnée qu'inquiète, je quittai la chambre de mes filles. Ah! monsieur, telle était déjà la violence de l'incendie qu'il faisait clair, dans l'escalier, comme en plein jour. Je descendis en courant. La porte extérieure était ouverte, je sortis... À cinq ou six pas, à la lueur des flammes, j'aperçus le corps de mon mari. Je me jetai sur lui, il ne m'entendait plus, son cœur avait cessé de battre, je le crus mort, j'appelai au secours d'une voix désespérée...

M. Séneschal et M. Daubigeon frémissaient.

Bien! approuva d'un air satisfait M. Galpin-Daveline, très bien!

Vous savez, monsieur, continuait la comtesse, combien est profond le sommeil des gens de la campagne... Il me semble que je suis restée bien longtemps seule, agenouillée près de mon mari. À la longue, cependant, les clartés de l'incendie éveillaient nos métayers, les ouvriers de la ferme et nos domestiques. Ils se précipitaient dehors en criant: «Au feu!» M'apercevant, ils vinrent à moi et m'aidèrent à transporter mon mari loin du danger, qui grandissait de minute en minute. Attisé par un vent furieux, l'incendie se propageait avec une effrayante rapidité. Les granges n'étaient plus qu'une immense fournaise, la métairie brûlait, les chais remplis d'eau-de-vie étaient en feu, et la toiture de notre maison s'allumait de tous côtés. Et personne de sang-froid!... Ma tête était à ce point perdue que j'oubliais mes enfants et que leur chambre était déjà pleine de fumée, lorsqu'un honnête et courageux garçon est allé les arracher au plus horrible des périls... Pour me rappeler à moi-même, il m'a fallu l'arrivée du docteur Seignebos et ses paroles d'espoir... Cet incendie nous ruine peut-être; que m'importe, puisque mes enfants et mon mari sont sauvés!

C'est d'un air d'impatience dédaigneuse que le docteur Seignebos assistait à ces préliminaires inévitables. Les autres, M. Séneschal, le procureur de la République, les deux servantes, même, avaient peine à maîtriser leur émotion. Lui haussait les épaules et grommelait entre les dents:

Formalités! Subtilités! Puérilités!

Après avoir retiré, essuyé et remis sur son nez ses lunettes d'or, il s'était assis devant la table boiteuse de la pauvre chambre, et il comptait et alignait, dans une écuelle, les quinze ou vingt grains de plomb qu'il avait extraits des blessures du comte de Claudieuse.

Mais, sur les derniers mots de la comtesse, il se leva et, d'un ton bref, s'adressant à M. Galpin-Daveline:

Maintenant, monsieur, dit-il, vous me rendez mon malade, sans doute?

Offenséon l'eût été à moins, le juge d'instruction fronça le sourcil, et froidement:

Je sais, monsieur, dit-il, l'importance de votre besogne, mais ma tâche n'est ni moins grave ni moins urgente.

Oh!...

Par conséquent, vous m'accorderez bien cinq minutes encore, monsieur le docteur...

Dix si vous l'exigez, monsieur le juge. Seulement, je vous déclare que chaque minute qui s'écoule désormais peut compromettre la vie du blessé.

Ils s'étaient rapprochés et, la tête rejetée en arrière, ils se toisaient avec des yeux où éclatait la plus violente animosité. Allaient-ils donc se prendre de querelle au chevet même de M. de Claudieuse?

La comtesse dut le craindre, car, d'un accent de reproche:

Messieurs, prononça-t-elle, messieurs, de grâce...

Peut-être son intervention n'eût-elle pas suffi, si M. Séneschal et M. Daubigeon ne se fussent entremis, chacun s'adressant en même temps à l'un des adversaires.

Des deux, M. Galpin-Daveline était encore le plus obstiné; car, en dépit de tout, reprenant la parole:

Je n'ai plus, monsieur, dit-il à M. de Claudieuse, qu'une question à vous adresser: où et comment étiez-vous placé? Où et comment pensez-vous qu'était placé l'assassin au moment du crime?

Monsieur, répondit le comte d'une voix évidemment fatiguée, j'étais, je vous l'ai dit, debout, sur le seuil de ma porte, faisant face à la cour. L'assassin devait être posté à une vingtaine de pas, sur ma droite, derrière une pile de fagots.

Ayant écrit la réponse du blessé, le juge se retourna vers le médecin.

Vous avez entendu, monsieur, lui dit-il. C'est à vous maintenant à fixer la prévention sur ce point décisif: à quelle distance était le meurtrier lorsqu'il a fait feu?

Je ne suis pas devin, répondit brutalement le médecin.

Ah! prenez garde, monsieur, insista M. Galpin-Daveline, la justice, dont je suis ici le représentant, a le droit et les moyens de se faire respecter. Vous êtes médecin, monsieur, et la médecine est arrivée à répondre d'une façon presque mathématique à la question que je vous pose...

M. Seignebos ricanait.

Vraiment, la médecine est arrivée à ce prodige! fit-il. Quelle médecine? La médecine légale, sans doute, celle qui est à la dévotion des parquets et à la discrétion des présidents d'assises...

Monsieur!...

Mais le médecin n'était pas d'un naturel à supporter un second échec.

Je sais ce que vous m'allez dire, poursuivit-il tranquillement. Il n'est pas un manuel de médecine légale qui ne tranche souverainement le problème dont il s'agit. Je les ai étudiés, ces manuels, qui sont vos armes à vous autres, messieurs les magistrats instructeurs. Je connais l'opinion de Devergie et celle d'Orfila, et celle encore de Casper, de Tardieu et de Briant et Chaudey... Je n'ignore pas que ces messieurs prétendent décider à un centimètre près la distance d'où un coup de fusil a été tiré. Je ne suis pas si fort. Je ne suis qu'un pauvre médecin de campagne, moi, un simple guérisseur... Et, avant de donner une opinion qui peut faire tomber la tête d'un pauvre diable, la tête d'un innocent, peut-être, j'ai besoin de réfléchir, de me consulter, de recourir à des expériences.

Il avait si évidemment raison quant au fond, sinon quant à la forme, que M. Galpin-Daveline se radoucit.

C'est à titre de simple renseignement, monsieur, dit-il, que je vous demande votre avis. Votre opinion raisonnée et définitive fera nécessairement l'objet d'un rapport motivé.

Ah!... comme cela...

Veuillez donc me communiquer officieusement les conjectures que vous a inspirées l'examen des blessures de monsieur de Claudieuse.

D'un geste prétentieux, M. Seignebos rajusta ses lunettes.

Mon sentiment, répondit-il, sous toutes réserves, bien entendu, est que monsieur de Claudieuse s'est parfaitement rendu compte des faits. Je crois volontiers que l'assassin était embusqué à la distance qu'il indique. Ce que je puis affirmer, par exemple, c'est que les deux coups de fusil ont été tirés de distances différentes, l'un de beaucoup plus près que l'autre, et la preuve, c'est que si l'un d'eux, celui de la hanche, a, comme disent les chasseurs, «écarté» légèrement, l'autre, celui de l'épaule, a presque «fait balle»...

Mais on sait à combien de mètres un fusil fait balle, interrompit M. Séneschal, qu'agaçait le ton dogmatique du docteur.

M. Seignebos salua.

On sait cela? fit-il. Qui? Vous, monsieur le maire? Moi je déclare l'ignorer. Il est vrai que je n'oublie pas, comme vous semblez l'oublier, que nous n'avons plus, comme autrefois, deux ou trois types seulement de fusils de chasse. Avez-vous réfléchi à l'immense variété d'armes françaises, anglaises, américaines et allemandes qui sont aujourd'hui répandues partout? Comment osez-vous, monsieur, vous prononcer si délibérément? Ignorez-vous donc, vous, un ancien avoué et un magistrat municipal, que c'est sur cette grave question que roulera tout le débat de la cour d'assises?

Après quoi, décidé à ne plus rien répondre, le médecin reprenait son bistouri et ses pinces, lorsque tout à coup, au-dehors, des clameurs éclatèrent, si terribles que M. Séneschal, M. Daubigeon et Mme de Claudieuse elle-même se précipitèrent vers la porte.

Et ces clameurs, hélas!, n'étaient que trop justifiées.

La toiture du bâtiment principal venait de s'effondrer, ensevelissant sous ses décombres embrasés le pauvre tambour qui, deux heures plus tôt, avait battu la générale, Bolton, et un pompier, nommé Guillebault, le plus estimé des charpentiers de Sauveterre, un père de cinq enfants. Le capitaine Parenteau semblait près de devenir fou, et c'était à qui se dévouerait pour arracher à la plus horrible des morts ces infortunés, dont on entendait, par-dessus le fracas de l'incendie, les hurlements désespérés.

Toutes les tentatives pour les secourir devaient échouer. Un gendarme et un fermier des environs, qui avaient essayé d'arriver jusqu'à eux, faillirent rester dans la fournaise et ne furent retirés qu'au prix d'efforts inouïs, et dans le plus triste état, le gendarme surtout.

Alors, véritablement, on se rendit compte de l'abominable crime de l'incendiaire... Alors, en même temps que les colonnes de fumée et les tourbillons d'étincelles, montèrent vers le ciel des cris de vengeance:

À mort, l'incendiaire, à mort!...

C'est à ce moment que la plus légitime des fureurs inspira M. Séneschal. Il savait, lui, ce qu'est la prudence des campagnes et combien il est difficile d'arracher à un paysan ce qu'il sait. Se dressant donc sur un monceau de débris, d'une voix claire et forte:

Oui, mes amis, s'écria-t-il, oui, vous avez raison; à mort! Oui, les courageuses victimes du plus lâche des crimes doivent être vengées... Il faut retrouver l'incendiaire, il le faut absolument!... Vous le voulez, n'est-ce pas? Cela dépend de vous... Il est impossible qu'il ne soit pas parmi vous un homme qui sache quelque chose... Que celui-là se montre et parle. Souvenez-vous que le plus léger indice peut guider la justice... Se taire, mes amis, serait se rendre complice. Réfléchissez, consultez-vous...

De rapides chuchotements coururent à travers la foule, puis tout à coup:

Il y a quelqu'un, dit une voix, qui peut parler.

Qui?

Cocoleu! Il était là tout au commencement.

C'est lui qui est allé chercher dans leur chambre les filles de la dame de Claudieuse. Qu'est-il devenu? Cocoleu!... Cocoleu!...

Il faut avoir vécu tout au fond des campagnes, en pleins champs, pour imaginer, pour comprendre l'émotion et la colère de tous ces braves gens qui se pressaient autour des ruines embrasées du Valpinson. L'habitant des villes, lui, n'a nul souci du brigand sinistre qui, pour voler, tue. Il a le gaz, des portes solides, et la police veille sur son sommeil. Il redoute peu l'incendie: à la première étincelle, toujours quelque voisin se trouve pour crier «au feu!» Les pompes accourent, et l'eau jaillit comme par enchantement. Le paysan, au contraire, a la conscience des périls de son isolement. Un simple loquet de bois ferme son huis, et nul n'est chargé d'assurer la sécurité de ses nuits. Attaqué par un assassin, ses cris, s'il appelle, ne seront pas entendus. Que le feu soit mis à sa maison, elle sera en cendres avant l'arrivée des premiers secours, trop heureux s'il se sauve et s'il réussit à sauver sa famille des flammes.

Aussi, tous ces campagnards, que venait de remuer la parole de M. Séneschal, s'employaient fiévreusement à retrouver celui qui, pensaient-ils, savait quelque chose: Cocoleu.

Tous le connaissaient bien, et de longue date. Il n'en était pas un seul, parmi eux, qui ne lui eût donné une beurrée ou une écuellée de soupe, quand il avait faim; pas un seul qui ne lui eût abandonné une botte de paille dans le coin d'une écurie, quand il pleuvait ou qu'il faisait froid et qu'il voulait dormir. C'est que Cocoleu était de ces infortunés qui traînent à travers la campagne le poids de quelque terrible difformité physique ou morale.

Quelque vingt ans plus tôt, un des gros propriétaires de Bréchy, ayant fait bâtir, avait fait venir d'Angoulême une demi-douzaine de peintres-décorateurs qui passèrent chez lui presque tout l'été. Un de ces peintres avait mis à mal une pauvre fille de ferme des environs, nommée Colette, qu'avaient affolée sa longue blouse blanche, ses fines moustaches brunes, sa gaieté, ses chansons et ses propos galants.

Mais les travaux achevés, le séducteur s'était envolé avec ses camarades, sans plus se soucier de la malheureuse que du dernier cigare qu'il avait fumé. Elle était enceinte, pourtant.

Lorsqu'elle ne sut plus dissimuler son état, elle fut jetée à la porte de la maison où elle était employée, et ses parents, qui avaient bien du mal à se suffire, la repoussèrent impitoyablement. Dès lors, hébétée de douleur, de honte et de regrets, elle erra de ferme en ferme, demandant l'aumône, insultée, raillée, brutalisée même quelquefois.

C'est au coin d'un bois, un soir d'hiver, que seule, sans secours, elle mit au monde un garçon. Comment la mère et l'enfant n'étaient-ils pas morts de froid, de faim et de misère!... Il est des grâces d'état incompréhensibles.

Pendant plusieurs années, on les vit traîner leurs haillons autour de Sauveterre, vivant de la générosité, chèrement achetée, des paysans. Puis la mère mourut, abandonnée, comme elle avait vécu. On ramassa son corps un matin, sur le revers d'un fossé. L'enfant restait seul.

Il avait huit ans, il était assez fort pour son âge; un fermier en eut pitié et le prit pour garder ses vaches. Le petit misérable n'en était pas capable.

Tant qu'il avait eu sa mère, on avait attribué à son existence sauvage son mutisme, ses regards effarés, ses allures de bête traquée. Lorsqu'on essaya de s'occuper de lui, on reconnut que nulle intelligence ne s'était éveillée en ce pauvre cerveau déprimé. Il était idiot, et de plus atteint d'une de ces effroyables maladies nerveuses dont les accès agitent tout le corps, et particulièrement les muscles du visage, de mouvements convulsifs. Il n'était pas muet, mais ce n'est qu'avec des efforts inouïs et en bégayant lamentablement qu'il parvenait à articuler quelques syllabes. Parfois, des paysans en belle humeur lui criaient:

Dis-nous comment tu t'appelles, et tu auras un sou.

Il en avait pour cinq minutes à bégayer, avec toutes sortes de contorsions, le nom de sa mère:

Co... co... co... lette. De là son surnom.

On avait constaté qu'il n'était bon à rien; on cessa de s'intéresser à lui; il se remit à vagabonder comme jadis.

C'est vers cette époque que le docteur Seignebos, en allant à ses visites, le rencontra un matin sur la grande route. Cet excellent docteur, entre autres théories surprenantes, soutenait alors que l'imbécillité n'est qu'une façon d'être du cerveau, un oubli de la nature aisément réparable par l'adjonction de certaines substances connues, de phosphore, par exemple. L'occasion d'une expérience mémorable était trop belle pour qu'il ne s'empressât pas de la saisir.

Il fit monter Cocoleu près de lui, dans son cabriolet, l'installa dans sa maison et le soumit à un traitement dont le secret est resté entre lui et un pharmacien de Sauveterre, bien connu pour ses opinions avancées.

Au bout de dix-huit mois, Cocoleu avait considérablement maigri. Il parlait peut-être un peu moins malaisément, mais son intelligence n'avait fait aucun progrès appréciable.

Découragé, M. Seignebos fit un paquet des quelques nippes qu'il avait données à son pensionnaire, les lui mit dans la main et le poussa dehors en lui défendant de revenir jamais.

Le médecin avait rendu un triste service à Cocoleu. Désaccoutumé des privations, déshabitué d'aller de porte en porte demander son pain, le pauvre idiot eût péri de besoin si sa bonne étoile ne l'eût amené au Valpinson. Touchés de sa détresse, le comte et la comtesse de Claudieuse résolurent de se charger de lui.

Seulement, c'est en vain qu'ils essayèrent de le fixer à l'une de leurs métairies, où ils lui avaient fait donner un lit. L'humeur vagabonde de Cocoleu l'emportait sur tout, même sur la faim. L'hiver, par le froid et la neige, on le tenait encore. Mais dès les premières feuilles, il reprenait ses courses sans but à travers les bois et les champs, restant souvent des semaines entières sans reparaître.

À la longue, pourtant, s'était éveillé en lui quelque chose qui ressemblait assez à l'instinct d'un animal domestique patiemment dressé. Son affection pour Mme de Claudieuse se traduisait comme celle d'un chien, par des gambades et des cris de joie dès qu'il l'apercevait. Souvent, quand elle sortait, il l'accompagnait, courant et bondissant autour d'elle, toujours comme un chien. Il aimait aussi les petites filles, et il paraissait souffrir qu'on l'écartât d'elles, car on l'en écartait, redoutant pour des enfants si jeunes la contagion de ses tics nerveux.

Avec le temps aussi, il était devenu capable de rendre quelques petits services. Il était certaines commissions faciles dont on pouvait le charger. Il arrosait les fleurs, il allait appeler un domestique, il savait porter une lettre à la poste de Bréchy. Même, ses progrès avaient été assez sensibles pour inspirer des doutes à quelques paysans défiants, lesquels prétendaient que Cocoleu n'était pas si «innocent» qu'il en avait l'air, que c'était «un malin» au contraire, qui faisait la bête pour bien vivre sans travailler.

Nous le tenons! crièrent enfin quelques voix; le voilà! le voilà!...

La foule s'écarta vivement, et presque aussitôt, maintenu et poussé en avant par plusieurs hommes, un jeune garçon parut.

Il s'était caché là-bas, derrière une haie, disaient ces hommes, et il ne voulait pas venir, le mâtin!

Le désordre des vêtements de Cocoleu attestait en effet une résistance opiniâtre.

C'était un garçon de dix-huit ans, imberbe, très grand, extraordinairement maigre, et si dégingandé qu'il en paraissait contrefait. Une forêt de rudes cheveux roux s'emmêlait au-dessus de son front étroit et fuyant. Et ses petits yeux, sa large bouche meublée de dents aiguës, son nez, largement épaté, et ses immenses oreilles donnaient à sa physionomie une expression étrange d'effarement et d'idiotisme, et aussi, pourtant, de ruse bestiale.

Qu'est-ce que nous allons en faire? demandèrent les paysans à M. Séneschal.

Il faut le conduire au juge d'instruction, mes amis, répondit le maire, là, dans la petite maison où vous avez porté monsieur de Claudieuse...

Et il faudra bien qu'il parle, grondèrent les paysans. Tu entends, n'est-ce pas? Allons! arrive...

IV

Mettant leur amour-propre à lutter de flegme et d'impassibilité, ni le docteur Seignebos, ni M. Galpin-Daveline n'avaient fait un mouvement pour reconnaître ce qui se passait au-dehors.

Le médecin s'apprêtait à reprendre son opération, et méthodiquement, tranquille autant que s'il eût été chez lui, dans son cabinet, il lavait l'éponge dont il venait de se servir et essuyait ses pinces et ses bistouris.

Le juge d'instruction, lui, debout au milieu de la chambre, les bras croisés, semblait suivre de l'œil, dans le vide, d'insaisissables combinaisons. Peut-être songeait-il que sa bonne étoile l'avait enfin guidé vers cette cause retentissante qu'il avait si longtemps et si inutilement appelée de tous ses vœux.

Mais M. de Claudieuse était loin de partager leur indifférence. Il s'agitait sur son lit, et dès que M. Séneschal et M. Daubigeon reparurent, pâles et bouleversés:

Pourquoi tout ce tumulte? interrogea-t-il.

Et lorsqu'on lui eut appris la catastrophe:

Mon Dieu!... s'écria-t-il, et moi qui gémissais de me voir en partie ruiné. Deux hommes morts!... Voilà le vrai malheur!... Pauvres gens, victimes de leur courage! Bolton, un garçon de trente ans! Guillebault, un père de famille, qui laisse cinq enfants sans soutien!...

La comtesse, qui rentrait, avait entendu les derniers mots prononcés par son mari.

Tant qu'il nous restera une bouchée de pain, interrompit-elle, d'une voix profondément troublée, ni la mère de Bolton, ni les enfants de Guillebault ne manqueront de rien!

Elle n'en put dire davantage. Les paysans qui avaient découvert Cocoleu envahissaient la chambre, poussant devant eux leur prisonnier.

Où est le juge? demandaient-ils. Voilà un témoin...

Quoi! Cocoleu! s'écria le comte.

Oui, il sait quelque chose, il l'a dit, il faut qu'il le répète à la justice et que l'incendiaire soit retrouvé.

M. Seignebos avait froncé le sourcil. Il exécrait Cocoleu, ce cher docteur, dont la vue lui rappelait cette fameuse expérience dont on fait encore des gorges chaudes à Sauveterre.

Est-ce que véritablement vous allez l'interroger? demanda-t-il à M. Galpin-Daveline.

Pourquoi non? fit sèchement le juge.

Parce qu'il est complètement imbécile, monsieur, stupide, idiot. Parce qu'il est incapable de saisir la valeur de vos questions et la portée de ses réponses.

Il peut nous fournir un indice précieux, monsieur...

Lui!... un être dénué de raison!... Vous n'y pensez pas! Il est impossible que la justice tienne compte des réponses incohérentes d'un fou!

Le mécontentement de M. Galpin-Daveline se traduisait par un redoublement de roideur.

Je sais ce que j'ai à faire, monsieur, dit-il.

Et moi, riposta le médecin, je connais mon devoir. Vous avez requis le concours de mes lumières, je vous l'apporte. Je vous déclare que l'état mental de ce garçon est tel qu'il ne saurait être entendu, même à titre de renseignements. J'en appelle à monsieur le procureur de la République.

Il espérait un mot d'encouragement de M. Daubigeon. Le mot ne venant pas:

Prenez garde, monsieur, ajouta-t-il, vous vous engagez dans une voie sans issue. Que ferez-vous si ce malheureux répond à vos questions par une accusation formelle? Poursuivrez-vous celui qu'il accusera?

Les paysans écoutaient, bouche béante, cette discussion.

Oh! Cocoleu n'est pas tant innocent qu'on croit, fit l'un d'eux.

Il sait bien dire ce qu'il veut, le mâtin! ajouta un autre.

Je lui dois, en tout cas, la vie de mes enfants, prononça doucement Mme de Claudieuse. Il s'est souvenu d'eux lorsque j'étais comme frappée de vertige et que tout le monde les oubliait. Approche, Cocoleu, approche, mon ami, n'aie pas peur, personne ici ne te veut de mal...

Il était bien besoin de ces bonnes paroles. Effrayé au-delà de toute expression par les brutalités dont il venait d'être l'objet, le pauvre idiot tremblait si fort que ses dents en claquaient.

Je... je n'ai pas... pas... peur..., bégaya-t-il.

Une fois encore, je proteste, insista le médecin.

Il venait de reconnaître qu'il n'était pas seul de son avis.

Je crois, en effet, qu'il est peut-être dangereux d'interroger Cocoleu, dit M. de Claudieuse.

Je le crois aussi, appuya M. Daubigeon. Mais le juge était le maître de la situation, armé des pouvoirs presque illimités que la loi confère au magistrat instructeur.

Je vous en prie, messieurs, fit-il d'un ton qui ne souffrait pas de réplique, laissez-moi agir à ma guise. (Et s'étant assis, et s'adressant à Cocoleu:) Voyons, mon garçon, reprit-il de sa meilleure voix, écoute-moi bien et tâche de me comprendre. Sais-tu ce qu'il y a eu, cette nuit, au Valpinson?

Le feu, répondit l'idiot.

Oui, mon ami, le feu, qui a détruit la maison de tes bienfaiteurs, le feu où viennent de périr deux pauvres pompiers... Et ce n'est pas tout: on a essayé d'assassiner le comte de Claudieuse. Le vois-tu, dans ce lit, blessé et couvert de sang? Vois-tu la douleur de madame de Claudieuse?...

Cocoleu comprenait-il? Sa figure grimaçante ne trahissait rien de ce qui pouvait se passer en lui.

Absurdité! grommelait le docteur. Témérité! Ténacité!

M. Galpin-Daveline l'entendit.

Monsieur! prononça-t-il vivement, ne m'obligez pas à me rappeler qu'il y a là, tout près, des gens chargés de faire respecter mon caractère... (Et revenant au pauvre idiot:) Tous ces malheurs, mon ami, poursuivit-il, sont l'œuvre d'un lâche incendiaire. Tu le détestes, n'est-ce pas, ce misérable, tu le hais?...

Oui, dit Cocoleu.

Tu désires qu'il soit puni...

Oui, oui!

Eh bien! il faut m'aider à le découvrir, pour qu'il soit arrêté par les gendarmes, mis en prison et jugé. Tu le connais, tu as dit toi-même que tu le connaissais...

Il s'arrêta, et au bout d'un instant, Cocoleu se taisant toujours:

Dans le fait, demanda-t-il, à qui ce pauvre diable a-t-il parlé?

C'est ce que pas un paysan ne put dire. On s'informa, on n'apprit rien. Peut-être Cocoleu n'avait-il pas tenu le propos qu'on lui attribuait.

Ce qui est sûr, déclara un des métayers du Valpinson, c'est que ce pauvre sans cervelle ne dort autant dire jamais, et que toutes les nuits il rôde comme un chien de garde autour des bâtiments...

Ce fut pour M. Galpin-Daveline un trait de lumière. Changeant brusquement la forme de l'interrogatoire:

Où as-tu passé la soirée? demanda-t-il à Cocoleu.

Dans... dans... la cour...

Dormais-tu, quand l'incendie s'est déclaré?

Non.

Tu l'as donc vu commencer?

Oui.

Comment a-t-il commencé?

Obstinément, l'idiot tenait ses regards rivés sur Mme de Claudieuse, avec l'expression craintive et soumise du chien qui cherche à lire dans les yeux de son maître.

Réponds, mon ami, insista doucement la comtesse, obéis, parle...

Un éclair brilla dans les yeux de Cocoleu.

On... on a mis le feu, bégaya-t-il.

Exprès?

Oui.

Qui?

Un monsieur...

Il n'était pas un des témoins de cette scène qui, pour mieux entendre, ne retînt sa respiration. Seul le docteur se dressa.

Cet interrogatoire est insensé! s'écria-t-il. Mais le juge d'instruction ne parut pas l'entendre, et se penchant vers Cocoleu, d'une voix qu'altérait l'émotion:

Tu l'as vu, ce monsieur? demanda-t-il.

Oui.

Et tu le connais?

Très... très bien.

Tu sais son nom?

Oh, oui!

Comment s'appelle-t-il?

Une expression d'affreuse angoisse contracta la figure blême de Cocoleu; il hésita, puis enfin, avec un violent effort, il répondit:

Bois... Bois... Boiscoran.

Des murmures de mécontentement et des ricanements incrédules accueillirent ce nom. D'hésitation, de doute, il n'y en eut pas l'ombre.

Monsieur de Boiscoran, un incendiaire? disaient les paysans; à qui jamais fera-t-on accroire ça?

C'est absurde! déclara M. de Claudieuse.

Insensé! approuvèrent M. Séneschal et M. Daubigeon.

Le docteur Seignebos avait retiré ses lunettes et les essuyait d'un air de triomphe.

Qu'avais-je annoncé! s'écria-t-il. Mais monsieur le juge d'instruction n'a pas daigné tenir compte de mes observations...

M. le juge d'instruction était de beaucoup le plus ému de tous. Il était devenu excessivement pâle, et les efforts étaient visibles qu'il faisait pour garder son impassible froideur.

Le procureur de la République se pencha vers lui.

À votre place, murmura-t-il, j'en resterais là, considérant comme non avenu ce qui vient de se passer.

Mais M. Galpin-Daveline était de ces gens qu'aveugle l'opinion exagérée qu'ils ont d'eux-mêmes, et qui se feraient hacher en morceaux plutôt que de reconnaître qu'ils ont pu se tromper.

J'irai jusqu'au bout, répondit-il.

Et s'adressant de nouveau à Cocoleu, au milieu d'un silence si profond qu'on eût entendu le bruissement des ailes d'une mouche:

Comprends-tu bien, mon garçon, lui demanda-t-il, ce que tu dis? Comprends-tu que tu accuses un homme d'un crime abominable?

Que Cocoleu comprît ou non, il était en tout cas agité d'une angoisse manifeste. Des gouttes de sueur perlaient le long de ses tempes déprimées, et des secousses nerveuses secouaient ses membres et convulsaient sa face.

Je... je dis la vérité, bégaya-t-il.

C'est monsieur de Boiscoran qui a mis le feu au Valpinson?

Oui.

Comment s'y est-il pris?

L'œil égaré de Cocoleu allait incessamment du comte de Claudieuse, qui semblait indigné, à la comtesse, qui écoutait d'un air de douloureuse surprise.

Parle! insista le juge d'instruction.

Après un moment d'hésitation encore, l'idiot entreprit d'expliquer ce qu'il avait vu, et il en eut pour cinq minutes d'efforts, de contorsions et de bégaiements à faire comprendre qu'il avait vu M. de Boiscoran, qu'il connaissait bien, sortir des journaux de sa poche, les enflammer avec une allumette et les placer sous une meule de paille qui était tout proche de deux énormes piles de fagots, lesquelles piles s'appuyaient au mur d'un chai plein d'eau-de-vie.

C'est de la démence! s'écria le docteur, traduisant certainement l'opinion de tous.

Mais M. Galpin-Daveline avait réussi à maîtriser son trouble. Promenant autour de lui un regard méchant:

À la première marque d'approbation ou d'improbation, déclara-t-il, je requiers les gendarmes et je fais retirer tout le monde. (Après quoi, revenant à Cocoleu:) Puisque tu as si bien vu monsieur de Boiscoran, interrogea-t-il, comment était-il vêtu?

Il avait un pantalon blanchâtre, répondit l'idiot, toujours en bredouillant affreusement, une veste brune et un grand chapeau de paille. Son pantalon était rentré dans ses bottes.

Deux ou trois paysans s'entre-regardèrent comme si enfin ils eussent été effleurés d'un soupçon. C'était avec le costume décrit par Cocoleu qu'ils avaient l'habitude de rencontrer M. de Boiscoran.

Et quand il eut mis le feu, poursuivit le juge, qu'a-t-il fait?

Il s'est caché derrière les fagots.

Et ensuite?

Il a préparé son fusil, et, quand le maître est sorti, il a tiré.

Oubliant la douleur de ses blessures, M. de Claudieuse bondissait d'indignation sur son lit.

Il est monstrueux, s'écria-t-il, de laisser ce misérable idiot salir un galant homme de ses stupides accusations! S'il a vu monsieur de Boiscoran mettre le feu et se cacher pour m'assassiner, pourquoi n'a-t-il pas donné l'alarme, pourquoi n'a-t-il pas crié!

Docilement, à la grande surprise de M. Séneschal et de M. Daubigeon, M. Galpin-Daveline répéta la question.

Pourquoi n'as-tu pas appelé? demanda-t-il à Cocoleu.

Mais les efforts qu'il faisait depuis une demi-heure avaient épuisé le malheureux idiot. Il éclata d'un rire hébété et, presque aussitôt pris d'une crise de son mal, il tomba en se débattant et en criant, et il fallut l'emporter.

Le juge d'instruction s'était levé et, pâle, ému, les sourcils froncés, la lèvre contractée, il semblait réfléchir.

Qu'allez-vous faire? lui demanda à l'oreille le procureur de la République.

Poursuivre! dit-il à voix basse.

Oh!

Puis-je faire autrement, dans ma situation? Dieu m'est témoin qu'en poussant ce malheureux idiot, mon but était de faire éclater l'absurdité de son accusation. Le résultat a trompé mon attente...

Et maintenant...

Il n'y a plus à hésiter: dix témoins ont assisté à l'interrogatoire, mon honneur est en jeu, il faut que je démontre l'innocence ou la culpabilité de l'homme accusé par Cocoleu... (Et tout aussitôt, s'approchant du lit de M. de Claudieuse:) Voulez-vous, à cette heure, monsieur, m'apprendre ce que sont vos relations avec monsieur de Boiscoran?

La surprise et l'indignation enflammaient les joues du comte.

Est-il possible, monsieur, s'écria-t-il, que vous croyiez ce que vous venez d'entendre!

Je ne crois rien, monsieur, prononça le juge. J'ai mission de découvrir la vérité, je la cherche...

Le docteur vous a dit quel est l'état mental de Cocoleu...

Monsieur, je vous prie de me répondre.

M. de Claudieuse eut un geste de colère, et vivement:

Eh bien! répondit-il, mes relations avec monsieur de Boiscoran ne sont ni bonnes ni mauvaises; nous n'en avons pas.

On prétend, je l'ai entendu dire, que vous êtes fort mal ensemble...

Ni bien, ni mal. Je ne quitte pas le Valpinson. Monsieur de Boiscoran vit à Paris les trois quarts de l'année. Il n'est jamais venu chez moi, je n'ai jamais mis les pieds chez lui.

On vous a entendu vous exprimer sur son compte en termes peu mesurés...

C'est possible. Nous n'avons ni le même âge, ni les mêmes goûts, ni les mêmes opinions, ni les mêmes croyances. Il est jeune, je suis vieux. Il aime Paris et le monde, je n'aime que ma solitude et la chasse. Je suis légitimiste, il était orléaniste et est devenu démocrate. Je crois que seul le descendant de nos rois légitimes peut sauver notre pays, il est persuadé que la République est le salut de la France. Mais on peut être ennemis politiques sans cesser de s'estimer. Monsieur de Boiscoran est un galant homme. Il est de ceux qui, pendant la guerre, ont fait bravement leur devoir, il s'est bien battu, il a été blessé.

Soigneusement, M. Galpin-Daveline notait les réponses du comte. Ayant fini:

Il ne s'agit pas seulement de dissentiments politiques, reprit-il. Vous avez eu avec monsieur de Boiscoran des conflits d'intérêts...

Insignifiants.

Pardon, vous avez échangé du papier timbré.

Nos terres se touchent, monsieur. Il y a entre nous un malheureux cours d'eau qui est pour les riverains un éternel sujet de contestations.

M. Galpin-Daveline hochait la tête.

Vous n'avez pas eu que ces différends, monsieur, dit-il. Vous avez eu, au su et vu de tout le pays, des altercations violentes.

Le comte de Claudieuse paraissait désolé.

C'est vrai, nous avons échangé quelques propos... Monsieur de Boiscoran avait deux maudits bassets qui toujours s'échappaient de leur chenil et venaient chasser sur mes terres. C'est incroyable ce qu'ils détruisaient de gibier...

Précisément... Et un jour que vous avez rencontré monsieur de Boiscoran, vous l'avez menacé de donner un coup de fusil à ses chiens...

J'étais furieux, je le reconnais; mais j'avais tort, mille fois tort, je l'ai menacé.

C'est bien cela. Vous étiez armés l'un et l'autre, vous vous êtes animés, vous menaciez, il vous a couché en joue... Ne le niez pas; dix personnes l'ont vu, je le sais, il me l'a dit.

V

Il n'était personne dans le pays qui ne sût de quel mal affreux était atteint le pauvre Cocoleu, personne qui ne fût bien persuadé qu'il n'y avait pas de soins à lui donner. Les deux hommes qui l'avaient emporté avaient donc cru faire assez en le déposant sur un tas de paille humide. L'abandonnant ensuite à lui-même, ils s'étaient mêlés à la foule pour raconter ce qu'ils venaient d'entendre.

C'est une justice à rendre aux quelques centaines de paysans qui se pressaient autour des décombres fumants du Valpinson, que leur premier mouvement fut d'accabler de quolibets ou de malédictions l'être sans cervelle qui venait d'attribuer l'incendie à M. de Boiscoran.

Malheureusement, les premiers mouvements, les bons, sont de courte durée. Un de ces mauvais drôles, paresseux, ivrognes et bassement jaloux, comme il s'en trouve au fond des campagnes aussi bien que dans les villes, s'écria: «Pourquoi donc pas?» Et ces seuls mots devinrent le point de départ des suppositions les plus hasardées.

Les querelles du comte de Claudieuse et de M. de Boiscoran avaient été publiques. Il était bien connu que presque toujours les premiers torts étaient venus du comte et que toujours son jeune voisin avait fini par céder. Pourquoi M. de Boiscoran, humilié, n'aurait-il pas eu recours à ce moyen de se venger d'un homme qu'il devait haïr, pensait-on, et surtout craindre?

«Est-ce parce qu'il est noble et qu'il est riche?» ricanait le garnement.

De là à chercher des circonstances à l'appui des affirmations de Cocoleu, il n'y avait qu'un pas et il fut vite franchi. Des groupes se formèrent, et bientôt deux hommes et une femme donnèrent à entendre qu'on serait peut-être bien surpris s'ils racontaient tout ce qu'ils savaient. On les pressa de parler, et comme de raison, ils refusèrent. Mais déjà ils en avaient trop dit. Bon gré mal gré ils furent conduits à la maison où, dans le moment même, M. Galpin-Daveline interrogeait le comte de Claudieuse.

Telle était l'animation de la foule et le tapage qu'elle menait, que M. Séneschal, frémissant à l'idée d'un nouvel accident, se précipita vers la porte.

Qu'est-ce encore? s'écria-t-il.

Des témoins! voilà d'autres témoins! répondirent les paysans.

M. Séneschal se retourna vers l'intérieur de la chambre, et après un regard échangé avec M. Daubigeon:

On vous amène des témoins, monsieur, dit-il au juge.

Sans nul doute M. Galpin-Daveline maudit l'interruption. Mais il connaissait assez les paysans pour savoir qu'il était important de profiter de leur bonne volonté et qu'il n'en tirerait rien s'il laissait à leur cauteleuse prudence le temps de reprendre le dessus.

Nous reviendrons plus tard à notre... entretien, monsieur le comte, dit-il à M. de Claudieuse. (Et répondant à M. Séneschal:) Que ces témoins entrent, dit-il, mais seuls et un à un...

Le premier qui se présenta était le fils unique d'un fermier aisé du bourg de Bréchy, nommé Ribot. C'était un grand gars de vingt-cinq ans, large d'épaules, avec une tête toute petite, un front très bas et de formidables oreilles d'un rouge vif. Il avait à deux lieues à la ronde la réputation d'un séducteur irrésistible et n'en était pas médiocrement fier.

Après lui avoir demandé son nom, ses prénoms et son âge:

Que savez-vous? poursuivit M. Galpin-Daveline.

Le gars Ribot se redressa, et d'un air de fatuité qui fut si bien compris que les paysans éclatèrent de rire:

J'avais, ce soir, répondit-il, une affaire... très importante, de l'autre côté du château de Boiscoran. On m'attendait, j'étais en retard, je pris donc au plus court, par les marais. Je savais que par suite des pluies de ces jours passés, les fossés seraient pleins d'eau, mais pour une affaire comme celle que j'avais, on trouve toujours des jambes...

Épargnez-nous ces détails oiseux, prononça froidement le juge.

Le beau gars parut plus surpris que choqué de l'interruption.

Comme monsieur le juge voudra, fit-il. Pour lors, il était un peu plus de huit heures, et le jour commençait à baisser quand j'arrivai aux étangs de la Seille. Ils étaient si gonflés que l'eau passait de plus de deux pouces par-dessus les pierres du déversoir. Je me demandais comment traverser sans me mouiller, quand, de l'autre côté, venant en sens inverse de moi, j'aperçus monsieur de Boiscoran.

Vous êtes bien sûr que c'était lui?

Pardi! puisque je lui ai parlé!... Mais attendez. Il n'eut pas peur, lui, de se mouiller. Sans faire ni une ni deux, il releva son pantalon, le fourra dans les tiges de ses grandes bottes jaunes et passa. C'est alors seulement qu'il me vit, et il parut étonné. Je ne l'étais pas moins que lui. «Comment! c'est vous, notre monsieur!» lui dis-je. Il me répondit: «Oui, j'ai quelqu'un à voir à Bréchy.» C'était bien possible; cependant je lui dis encore: «Tout de même, vous prenez un drôle de chemin!» Il se mit à rire. «Je ne savais pas que les étangs fussent débordés, répondit-il, et je comptais tirer des oiseaux d'eau...» Et en disant cela, il me montrait son fusil. Sur le moment, je ne vis rien à répliquer, mais maintenant, après ce qui s'est passé, je trouve que c'est drôle...

Cette déposition, M. Galpin-Daveline l'avait écrite mot pour mot. Ensuite:

Comment était vêtu monsieur de Boiscoran? interrogea-t-il.

Attendez... il avait un pantalon grisâtre, un veston de velours marron et un panama à larges bords.

La stupeur et l'inquiétude se peignaient sur les traits du comte et de la comtesse de Claudieuse, de M. Daubigeon et même du docteur Seignebos. Une circonstance de la déposition de Ribot les frappait surtout: il avait vu M. de Boiscoran rentrer son pantalon dans ses bottes pour passer le déversoir...

Vous pouvez vous retirer, dit M. Galpin-Daveline au gars Ribot: qu'un autre témoin se présente.

Cet autre était un vieil homme d'assez fâcheux renom, qui habitait seul une masure à une demi-lieue du Valpinson. On l'appelait le père Gaudry.

Autant le fils Ribot avait montré d'assurance, autant ce bonhomme vêtu de haillons malpropres et puants semblait humble et craintif.

Après avoir donné son nom:

Il pouvait être onze heures du soir, déposa-t-il, et je traversais les bois de Rochepommier par un des petits sentiers...

Vous alliez voler des fagots! fit sévèrement le juge.

Jour du bon Dieu! geignit le vieux en joignant les mains, est-il bien possible de dire une chose pareille! Voler des fagots, moi!... Non, mon bon monsieur, j'allais tout simplement coucher au fin fond du bois pour y être tout rendu au lever du soleil et chercher des champignons, des cèpes, que j'aurais été vendre à Sauveterre... Donc, je suivais le routin, quand voilà que tout à coup, derrière moi, j'entends les pas d'un homme. Naturellement, la peur me prend...

Parce que vous voliez!

Oh, non! mon bon monsieur; seulement, la nuit, vous comprenez... Enfin, je me cache derrière un arbre, et presque aussitôt je vois passer monsieur de Boiscoran, que je reconnais très bien, malgré l'obscurité, et qui devait être très en colère, car il parlait tout haut, il jurait, il gesticulait, et par moments il arrachait aux branches des poignées de feuilles.

Avait-il un fusil?

Oui, mon bon monsieur, puisque même c'est à cause de ce fusil qu'il m'avait fait peur, je l'avais pris pour un garde...

Le troisième et le dernier témoin était une bonne et brave métayère, maîtresse Courtois, dont la métairie était située de l'autre côté du bois de Rochepommier.

Interrogée, après un moment d'indécision:

Je ne sais pas grand-chose, répondit-elle; mais je vais toujours le dire: comme nous comptions avoir beaucoup d'ouvriers ces jours-ci, et que je voulais faire une fournée demain, j'étais allée avec mon âne au moulin de la montagne de Sauveterre pour chercher de la farine. Il n'y en avait pas de prête, mais le meunier me dit qu'il m'en donnerait si je voulais attendre, et je restai à souper avec lui. Vers dix heures, on me livra un sac que les garçons attachèrent sur mon âne, et je me mis en route. J'avais déjà fait plus de la moitié du chemin, et il devait être onze heures, quand, en arrivant au bois de Rochepommier, mon âne fait un faux pas, et le sac tombe. J'étais bien en peine, n'étant pas de force à le recharger seule, lorsqu'à dix pas de moi, un homme sort du bois. Je l'appelle, il vient. C'était monsieur de Boiscoran. Je lui demande de m'aider, et aussitôt, sans se faire prier, il pose son fusil à terre, prend le sac et le remet sur l'âne. Je le remercie, il me dit qu'il n'y a pas de quoi, et... voilà tout.

Toujours debout sur le seuil de la chambre dont il disputait l'accès à l'avide curiosité des paysans, le maire de Sauveterre se résignait aux humbles fonctions d'appariteur.

Lorsque maîtresse Courtois se retira toute confuse, et déjà peut-être regrettant ce qu'elle venait de dire:

Est-il encore quelqu'un qui sache quelque chose? cria-t-il. (Et, comme nul ne se présentait, il ferma sans façon la porte en ajoutant:) Alors, éloignez-vous, mes amis, et laissez la justice se recueillir en paix.

La justice, en la personne du juge d'instruction, était alors en proie aux plus cruelles perplexités.

Consterné jusqu'à ce point de n'essayer pas même de réagir, M. Galpin-Daveline demeurait accoudé à la table devant laquelle il s'était assis pour écrire, le front entre les mains, semblant chercher une issue à l'impasse où il se trouvait engagé.

Tout à coup il se dressa, et, oublieux de sa morgue accoutumée, laissant tomber son masque de glaciale impassibilité:

Eh bien! fit-il comme si dans la détresse de son esprit il eût espéré un secours ou imploré un conseil, eh bien!...

On ne lui répondit pas.

Sa stupeur avait gagné tous ceux qui l'entouraient: le comte et la comtesse de Claudieuse, M. Séneschal, le procureur de la République, et même le docteur Seignebos. Chacun d'eux en était encore à se débattre contre ce résultat invraisemblable, inconcevable, inouï!

Enfin, après un moment de silence:

Vous le voyez, messieurs, reprit le juge avec une amertume étrange, j'avais raison d'interroger Cocoleu. Oh! n'essayez pas de le nier: vous partagez maintenant mes doutes et mes soupçons. Qui de vous oserait soutenir que, sous l'empire d'une émotion terrible, ce malheureux n'a pas recouvré durant quelques minutes la plénitude de sa raison! Lorsqu'il vous a dit avoir vu le crime et qu'il vous a nommé le coupable, vous avez haussé les épaules. Mais d'autres témoins sont venus, et de l'ensemble de leurs dépositions résulte un faisceau de présomptions terribles... (Il s'animait. L'habitude professionnelle, plus forte que tout, reprenait le dessus:) Monsieur de Boiscoran, poursuivait-il, est venu ce soir au Valpinson. C'est désormais incontestable. Or, comment y est-il venu? En se cachant. Du château de Boiscoran au Valpinson, il y a deux chemins fréquentés, celui de Bréchy et celui qui tourne les étangs. Monsieur de Boiscoran prend-il l'un ou l'autre? Non. Pour venir, il coupe droit à travers les marais, au risque de s'embourber et d'être forcé de se mettre à l'eau jusqu'aux épaules. Pour retourner, il se jette dans les bois de Rochepommier, en dépit de l'obscurité, et malgré le danger évident de s'y perdre et d'y errer jusqu'au jour. Qu'espérait-il donc? N'être pas vu, cela tombe sous le sens. Et, de fait, qui rencontre-t-il? Un coureur de femmes, Ribot, qui lui-même se cache pour se rendre à un rendez-vous d'amour. Un voleur de fagots, Gaudry, dont l'unique souci est d'éviter les gendarmes. Une fermière, enfin, maîtresse Courtois, attardée par une circonstance toute fortuite. Toutes ses précautions étaient bien prises, mais la Providence veillait...

Oh! la Providence!... gronda le docteur Seignebos, la Providence!...

Mais M. Galpin-Daveline n'entendit même pas l'interruption. Et toujours plus vite:

Peut-on, du moins, continua-t-il, invoquer en faveur de monsieur de Boiscoran certaines discordances de temps?... Non. À quel moment est-il aperçu venant de ce côté? À la tombée de la nuit. Il était huit heures et demie, déclare Ribot, quand monsieur de Boiscoran traversait le déversoir des étangs de la Seille. Donc, il pouvait être au Valpinson vers neuf heures et demie. Alors, le crime n'était pas commis encore. À quelle heure le rencontre-t-on, regagnant son logis? Gaudry et la femme Courtois l'ont dit: après onze heures. Monsieur de Claudieuse était blessé alors, et le Valpinson brûlait. Savons-nous quelque chose des dispositions d'esprit de monsieur de Boiscoran? Oui, encore. En venant, il a tout son sang-froid. Il est fort surpris de rencontrer Ribot, et cependant il lui explique sa présence en cet endroit presque dangereux, et aussi pourquoi il a un fusil sur l'épaule. Il a, prétend-il, quelqu'un à voir à Bréchy, et il se proposait de tirer des oiseaux d'eau. Est-ce admissible? Est-ce même vraisemblable? Cependant, examinons son attitude au retour. Il marchait très vite, dépose Gaudry; il semblait furieux et arrachait aux branches des poignées de feuilles. Que dit-il à maîtresse Courtois? Rien. Quand elle l'appelle, il n'ose fuir, ce serait un aveu, mais c'est en toute hâte qu'il rend le service qu'elle lui demande. Et après? Son chemin, pendant un quart d'heure, est le même que celui de cette femme. Marche-t-il avec elle? Non. Il la quitte précipitamment, il prend les devants, il se hâte de rentrer chez lui, car il croit que monsieur de Claudieuse est mort, car il sait que le Valpinson est en flammes, car il tremble d'entendre sonner le tocsin et crier au feu!...

Ce n'est pas d'ordinaire avec ce laisser-aller familier que procède la justice, et ceux qui la représentent s'estiment, en général, trop au-dessus du commun des mortels pour expliquer leurs impressions, rendre compte de leurs agissements, et, en quelque sorte, demander conseil. Cependant, lorsqu'il s'agit d'une enquête, il n'est pas, à proprement parler, de règles fixes. Du moment où un juge d'instruction est saisi d'un crime, toute latitude lui est laissée pour arriver jusqu'au coupable. Maître absolu, ne relevant que de sa conscience, armé de pouvoirs exorbitants, il procède à sa guise...

Mais en cette affaire du Valpinson, M. Galpin-Daveline avait été emporté par la rapidité des événements. Entre la première question adressée à Cocoleu et le moment présent, il n'avait pas eu le temps de se reconnaître. Et sa procédure ayant été publique, il était fatalement amené à l'expliquer.

Décidément, c'est un réquisitoire en règle! s'écria le docteur Seignebos. (Il avait retiré et essuyait furieusement ses lunettes d'or.) Et basé sur quoi? poursuivait-il avec trop de véhémence pour qu'on pût espérer l'interrompre; basé sur les réponses d'un malheureux que moi, médecin, je déclare inconscient de ses paroles. C'est que l'intelligence ne s'allume pas et ne s'éteint pas dans un cerveau comme le gaz dans un réverbère. On est ou on n'est pas idiot, il l'a toujours été, et toujours il le sera. Mais, dites-vous, les autres dépositions sont concluantes. Dites qu'elles vous paraissent telles. Pourquoi? Parce que les accusations de Cocoleu vous ont influencé. Est-ce que sans cela vous vous occuperiez de ce qu'a fait ou non monsieur de Boiscoran? Il s'est promené toute la soirée! N'est-ce pas son droit? Il a traversé les marais! Qui l'en empêchait? Il a passé les bois! Est-ce défendu? On l'a rencontré! N'est ce pas naturel? Mais non, un idiot l'accuse, tous ses gestes sont suspects. Il parle! C'est le sang-froid du scélérat endurci. Il se tait! Remords d'un coupable tremblant de peur. Au lieu de nommer monsieur de Boiscoran, Cocoleu pouvait me nommer, moi, Seignebos. C'est alors mes démarches qu'on incriminerait, et, soyez tranquille, on y découvrirait mille preuves de ma culpabilité. On aurait beau jeu, d'ailleurs. Mes opinions ne sont-elles pas plus avancées encore que celles de monsieur de Boiscoran! Car voilà le grand mot lâché: monsieur de Boiscoran est républicain, monsieur de Boiscoran ne reconnaît d'autre souveraineté, d'autre magistrature que celles du peuple...

Docteur, interrompit le procureur de la République, docteur, vous ne pensez pas ce que vous dites...

Je le pense, morbleu! et même...

Mais il fut de nouveau interrompu, et par M. de Claudieuse, cette fois:

Pour moi, déclara le comte, je reconnais la force des probabilités qu'invoque monsieur le juge d'instruction. Mais, au-dessus des probabilités, je place un fait positif: le caractère de l'homme accusé. Monsieur de Boiscoran est un galant homme et un homme de cœur, incapable d'un crime lâche et odieux...

Les autres approuvaient.

Et moi, prononça M. Séneschal, je dirai: pourquoi ce crime? Ah! si monsieur de Boiscoran n'avait rien à perdre!... Mais est-il ici-bas un homme plus heureux que lui, qui est jeune, bien de sa personne, doué d'une santé admirable, immensément riche, estimé et recherché de tous! Enfin, il est un fait, qui est encore un secret de famille, mais que je puis vous dire et qui seul écarterait tout soupçon: monsieur de Boiscoran aime éperdument mademoiselle Denise de Chandoré, il est aimé d'elle à la folie, et depuis avant-hier leur mariage est fixé au du mois prochain.

Le temps passait, cependant. La demie de quatre heures tintait au clocher de Bréchy. Le jour était venu, faisant pâlir la lumière des lampes. Dégagé des brumes matinales, le soleil frappait les vitres de ses gais rayons. Mais nul ne le remarquait, de ces hommes que de si puissantes considérations réunissaient autour du lit de M. de Claudieuse.

Sans un mot, sans un geste, M. Galpin-Daveline avait écouté les objections qui lui étaient présentées, et il était redevenu assez maître de soi pour qu'il fût difficile de discerner l'impression qu'il en ressentait. À la fin, hochant gravement la tête:

Plus que vous, messieurs, prononça-t-il, j'ai besoin de croire à l'innocence de monsieur de Boiscoran. Monsieur Daubigeon, qui sait ce que je veux dire, peut vous l'affirmer... Mon cœur, avant le vôtre, plaidait sa cause. Mais je suis le représentant de la loi; mais, au-dessus de mes affections, il y a mon devoir... Dépend-il de moi d'anéantir, si stupide, si absurde qu'elle paraisse, l'accusation de Cocoleu! Puis-je faire que trois dépositions inattendues ne soient pas venues donner à cette dénonciation un caractère de vraisemblance inquiétant! Le comte de Claudieuse se désolait:

Ce qu'il y a d'affreux, disait-il, c'est que monsieur de Boiscoran me croit son ennemi. Pourvu qu'il n'aille pas imaginer que ces soupçons indignes ont été suggérés par ma femme ou par moi. Que ne puis-je me lever!... Du moins, messieurs, que monsieur de Boiscoran sache bien que j'ai déclaré répondre de lui comme de moi-même!... Cocoleu, détestable idiot!... Ah! Geneviève, chère femme aimée, pourquoi l'avoir engagé à parler! Il se fût tu obstinément sans ton insistance!

Mme de Claudieuse succombait alors aux angoisses de cette affreuse nuit. Pendant les premières heures, elle avait été soutenue par cette exaltation qui suit les grandes crises; mais, depuis un moment, elle s'était affaissée sur un escabeau, près du lit où reposaient ses deux filles; et, la tête enfoncée dans l'oreiller, elle paraissait dormir. Elle ne dormait pas, pourtant.

Au reproche de son mari, elle se redressa, pâle, les traits gonflés, les yeux rouges, et, d'une voix pénétrante:

Quoi!... s'écria-t-elle, on a tenté d'assassiner Trivulce, nos enfants ont failli mourir au milieu des flammes, et j'aurais laissé échapper un moyen de découvrir le misérable assassin, le lâche incendiaire!... Non! ce que j'ai fait, je devais le faire. Quoi qu'il advienne, je ne regrette rien...

Mais monsieur de Boiscoran n'est pas coupable, Geneviève, il est impossible qu'il le soit. Comment un homme qui a ce bonheur immense d'être aimé de Denise de Chandoré, qui compte les jours qui le séparent de son mariage, eût-il pu combiner un crime si abominable?

Qu'il démontre donc son innocence! fit durement la comtesse.

Le plus impertinemment du monde, le docteur faisait claquer ses lèvres.

Voilà pourtant la logique des femmes, grommelait-il.

Certes, reprit M. Séneschal, on ne tardera pas à reconnaître l'innocence de monsieur de Boiscoran. Il n'en aura pas moins été soupçonné. Et, tel est l'esprit de notre pays, que ce soupçon fera ombre à sa vie entière. Dans vingt ans d'ici, en parlant de monsieur de Boiscoran, on dira encore: «Ah! oui, celui qui a mis le feu au Valpinson...»

Ce fut non M. Galpin-Daveline, mais le procureur de la République qui répondit.

Je ne saurais, fit-il tristement, partager la manière de voir de monsieur le maire, mais peu importe. Après ce qui s'est passé, monsieur le juge d'instruction ne peut plus reculer, son devoir le lui interdit, et plus encore l'intérêt de l'homme accusé. Que diraient tous ces paysans, qui ont entendu la déclaration de Cocoleu et la déposition des témoins, si l'enquête était abandonnée? Ils diraient que monsieur de Boiscoran est coupable et que, si l'on ne le poursuit pas, c'est qu'il est noble et très riche. Sur mon honneur, je crois à son innocence absolue. Mais précisément parce qu'elle est ma conviction, je soutiens qu'il faut le mettre à même de la démontrer victorieusement. Il doit en avoir les moyens. Quand il a rencontré Ribot, il lui a dit qu'il se rendait à Bréchy pour voir quelqu'un...

Et s'il n'y était pas allé? objecta M. Séneschal. Et s'il n'eût vu personne? Si ce n'eût été là qu'un prétexte pour satisfaire l'indiscrète curiosité de Ribot?

Eh bien! il en serait quitte pour dire la vérité à la justice. Je ne suis pas inquiet. Et, tenez, il est une preuve matérielle qui, mieux que tout, disculpe monsieur de Boiscoran. Est-ce que si, par impossible, il eût eu dessein de tuer monsieur de Claudieuse, il n'eût pas chargé son fusil à balle au lieu d'y laisser du plomb de chasse...

Et il ne m'eût point manqué à dix pas..., fit le comte.

Des coups précipités, frappés à la porte, les interrompirent.

Entrez! cria M. Séneschal.

La porte s'ouvrit, et trois paysans parurent, effarés, mais visiblement satisfaits.

Nous venons, dit l'un d'eux, de trouver quelque chose de singulier.

Quoi? interrogea M. Galpin-Daveline.

On dirait, ma foi, un étui, mais Pitard prétend que c'est l'enveloppe d'une cartouche.

M. de Claudieuse s'était haussé sur ses oreillers.

Montrez! fit-il vivement. J'ai tiré, ces jours passés, plusieurs coups de fusil autour de la maison, pour écarter les oiseaux qui mangeaient nos fruits; je verrai si cette enveloppe vient de moi.

Le paysan la lui tendit.

C'était une enveloppe de plomb, très mince, comme en ont les cartouches de deux ou trois systèmes de fusils de chasse américains. Fait singulier, elle avait été noircie par l'inflammation de la poudre, mais elle n'avait été ni déchirée, ni même faussée par l'explosion. Elle était si parfaitement intacte qu'on y pouvait lire encore, en lettres repoussées, le nom du fabricant: Klebb.

Cette enveloppe ne m'a jamais appartenu, fit le comte.

Mais il était devenu fort pâle en disant cela, si pâle que sa femme se rapprocha de lui, l'interrogeant d'un regard où se lisait la plus horrible angoisse.

Eh bien?...

Il ne répondit pas. Et telle était en ce moment l'éloquence décisive de ce silence, que la comtesse parut sur le point de se trouver mal et murmura:

Cocoleu avait donc toute sa raison!

Pas un détail de cette scène rapide n'avait échappé à M. Galpin-Daveline. Sur tous les visages, autour de lui, il avait pu surprendre l'expression d'une sorte d'épouvante. Pourtant, il ne fit aucune remarque. Il prit des mains de M. de Claudieuse cette enveloppe métallique, qui pouvait devenir une pièce à conviction de la plus terrible importance, et durant plus d'une minute il la retourna en tous sens, l'examinant au jour avec une scrupuleuse attention. Ensuite de quoi, s'adressant aux paysans, debout et respectueusement découverts à l'entrée:

Où avez-vous trouvé ce débris de cartouche, mes amis? interrogea-t-il.

Tout près de cette vieille tour, qui reste du vieux château, où l'on serre des outils et qui est toute couverte de lierre.

Déjà M. Séneschal avait maîtrisé la stupeur dont il avait été saisi en voyant blêmir et se taire le comte de Claudieuse.

Assurément, fit-il, ce n'est pas de là que l'assassin a tiré. De cette place, on ne voit même pas l'entrée de la maison.

C'est possible, répondit le juge, mais l'enveloppe d'une cartouche ne tombe pas nécessairement à l'endroit d'où l'on fait feu. Elle tombe quand on ouvre le tonnerre de l'arme pour recharger...

C'était si exact que le docteur Seignebos lui-même n'osa pas protester.

Maintenant, mes amis, reprit M. Galpin-Daveline, lequel de vous a trouvé ce débris de cartouche?

Nous étions ensemble quand nous l'avons aperçu et ramassé.

Eh bien! dites-moi tous trois votre nom et votre domicile, pour que je puisse, au besoin, vous faire citer régulièrement.

Ils obéirent, et cette formalité remplie, ils se retiraient, après force salutations, quand le galop d'un cheval retentit sur l'aire qui précédait la maison.

L'instant d'après, l'homme qui avait été expédié à Sauveterre pour chercher des médicaments entrait. Il était furieux.

Gredin de pharmacien! s'écria-t-il, j'ai cru que jamais il ne m'ouvrirait!

Le docteur Seignebos s'était emparé des objets qu'on lui rapportait.

S'inclinant alors devant le juge d'instruction, d'un air d'ironique respect:

Je n'ignore pas, monsieur, dit-il, combien il est urgent de faire couper le cou de l'assassin, mais je crois aussi pressant de sauver la vie de l'assassiné. J'ai interrompu le pansement de monsieur de Claudieuse plus peut-être que ne le permettait la prudence. Et je vous prie de vouloir bien me laisser seul faire en paix mon métier...

VI

Rien, désormais, ne retenait plus le juge d'instruction, le procureur de la République ni M. Séneschal. À coup sûr, M. Seignebos eût pu s'exprimer plus convenablement, mais on était fait aux façons brutales de ce cher docteur, car elle est inouïe, la facilité avec laquelle, en notre pays de courtoisie, les êtres les plus grossiers se font accepter, sous prétexte qu'ils sont comme cela et qu'il faut bien les prendre tels qu'ils sont.

Donc, après avoir salué la comtesse de Claudieuse, après avoir serré la main du comte en lui promettant de promptes et sûres informations, ils sortirent.

Faute d'aliments, l'incendie s'éteignait. Quelques heures avaient suffi pour anéantir le fruit de longues années de soins et de travaux incessants. De ce domaine charmant et tant envié du Valpinson, rien ne restait plus que des pans de murs calcinés et croulants, des amas de cendres noires et des monceaux de décombres d'où montaient encore des spirales de fumée.

Grâce au capitaine Parenteau, tout ce qu'on avait pu arracher aux flammes avait été transporté à une certaine distance et mis à l'abri vers les ruines du vieux château. Là s'entassaient les meubles et les effets sauvés. Là se voyaient les charrettes et les instruments d'agriculture, des harnais, des barriques vides, des sacs d'avoine ou de blé. Là étaient attachés les bestiaux qu'on était parvenu, au prix de mille dangers, à tirer de leurs écuries: des chevaux, des bœufs, quelques moutons et une douzaine de vaches qui meuglaient lamentablement.

Peu de gens s'étaient éloignés. Avec plus d'acharnement que jamais, les pompiers, aidés des paysans, continuaient à inonder les restes du bâtiment principal. Ils n'avaient rien à redouter du feu, mais ils conservaient le vague espoir de préserver d'une carbonisation complète les corps de Bolton et de Guillebault, ces deux infortunés qui avaient péri victimes de leur courage.

Quel fléau que le feu!... murmura M. Séneschal.

Ni M. Daubigeon ni M. Galpin-Daveline ne répondirent. Eux aussi, même après tant d'émotions violentes, ils se sentaient le cœur serré par le sinistre spectacle qui s'offrait à leurs regards.

C'est qu'un incendie n'est rien, sur le moment même, tant que dure la fièvre du péril et l'espoir du salut, tant que les flammes éclairent l'horizon de leurs rouges reflets! Le lendemain seulement, quand tout est fini, éteint, on mesure l'horreur du désastre.

Mais les pompiers venaient d'apercevoir le maire de Sauveterre et ils le saluaient de leurs acclamations. Rapidement il se dirigea vers eux, et pour la première fois depuis que l'alarme avait été donnée, le juge d'instruction et le procureur de la République se trouvèrent seuls.

Ils étaient debout, très rapprochés, et pendant un bon moment ils gardèrent le silence, chacun cherchant à surprendre dans les yeux de l'autre le secret de ses pensées.

Enfin:

Eh bien?... demanda M. Daubigeon.

M. Galpin-Daveline tressaillit.

C'est une épouvantable affaire! murmura-t-il.

Quelle est votre opinion?

Eh! le sais-je moi-même!... J'ai la tête perdue, il me semble que je suis le jouet d'un infernal cauchemar!

Croiriez-vous donc à la culpabilité de monsieur de Boiscoran?

Je ne crois rien. Ma raison me crie qu'il est innocent, qu'il ne peut pas ne pas l'être, et cependant je vois s'élever contre lui des charges accablantes.

Le procureur de la République était consterné.

Hélas! murmura-t-il, pourquoi vous êtes-vous obstiné, envers et contre tous, à interroger Cocoleu, un malheureux idiot!...

Mais le juge d'instruction se révolta.

Me reprocheriez-vous donc, monsieur, interrompit-il violemment, d'avoir obéi aux inspirations de ma conscience?

Je ne vous reproche rien.

Un crime abominable a été commis; tout ce qui était humainement possible, mon devoir me commandait de le tenter pour en découvrir l'auteur.

Oui!... Et l'homme qu'on accuse est votre ami, et hier encore vous mettiez son amitié au nombre de vos meilleures chances d'avenir...

Monsieur!

Cela vous étonne que je sois si exactement informé? Allez, rien n'échappe à la curiosité désœuvrée des petites villes... Je sais que votre espoir le plus cher était d'entrer dans la famille de monsieur de Boiscoran, et que vous comptiez sur son appui pour obtenir la main d'une de ses cousines...

Je ne le nie pas.

Malheureusement, vous avez été séduit par la perspective d'une affaire retentissante; vous avez oublié toute prudence, et voilà vos projets à vau-l'eau. Que monsieur de Boiscoran soit innocent ou coupable, jamais sa famille ne vous pardonnera votre intervention. Coupable, elle vous reprochera de l'avoir livré à la cour d'assises; innocent, elle vous reprochera plus cruellement encore de l'avoir soupçonné.

Peut-être pour cacher son trouble, M. Galpin-Daveline baissait la tête.

Que feriez-vous donc à ma place, monsieur? interrogea-t-il.

Je me récuserais, répondit M. Daubigeon, quoiqu'il soit déjà bien tard.

Ce serait compromettre ma carrière.

Cela vaudrait mieux que de vous charger d'une affaire où vous n'apporterez ni le calme, ni la froide impartialité qui sont les premières et les plus indispensables vertus d'un magistrat instructeur.

Le juge peu à peu s'irritait.

Monsieur! s'écria-t-il, me croyez-vous donc homme à me laisser détourner de mon devoir par des considérations d'amitié ou d'intérêt personnel?

Je ne dis pas cela.

Ne venez-vous pas de me voir à l'œuvre! Ai-je bronché, quand le nom de monsieur de Boiscoran est tombé des lèvres de Cocoleu? S'il se fût agi d'un autre, peut-être en serais-je resté là. Mais monsieur de Boiscoran est mon ami, mais j'ai beaucoup à attendre de lui, et, pour cela précisément, j'ai insisté et persisté, et j'insiste et je persiste encore.

Le procureur de la République haussait les épaules.

C'est bien cela, fit-il. Parce que monsieur de Boiscoran est votre ami, de peur d'être taxé de faiblesse, vous allez être dur avec lui, impitoyable, injuste même... Parce que vous aviez beaucoup à attendre de lui, vous voudrez absolument le trouver coupable! Et vous vous dites impartial!

M. Galpin-Daveline se redressait de toute sa roideur accoutumée.

Je suis sûr de moi! prononça-t-il.

Prenez garde!

Mon parti est arrêté, monsieur.

Il était temps. M. Séneschal revenait, accompagné du capitaine Parenteau.

Eh bien! messieurs, demanda-t-il, qu'avez-vous résolu?

Nous allons partir pour Boiscoran, répondit le juge d'instruction.

Quoi! tout de suite?

Oui. Je tiens à trouver monsieur de Boiscoran encore couché. J'y tiens si fort que je me passerai de mon greffier.

Le capitaine Parenteau s'inclina.

Votre greffier est ici, monsieur, dit-il, et même il vous demandait, il n'y a qu'un instant...

Sur quoi, de sa plus belle voix, il se mit à appeler:

Méchinet! Méchinet!

Un petit homme grisonnant, jovial et joufflu, accourut presque aussitôt et, bien vite, se mit à raconter comment un voisin était venu le prévenir des événements et du départ du juge d'instruction, et comment, n'écoutant que son zèle, il s'était mis en route, seul, à pied.

Comment allez-vous, monsieur, vous rendre à Boiscoran? demanda le maire à M. Galpin-Daveline.

Je l'ignore, Méchinet va se mettre en quête d'un moyen de locomotion.

Prompt comme l'éclair, le greffier s'élançait déjà, M. Séneschal le retint.

Ne cherchez pas, dit-il, je vais mettre à votre disposition mon cheval et ma voiture. Le premier paysan venu vous conduira. Le capitaine Parenteau et moi profiterons, pour rentrer à Sauveterre, du cabriolet d'un fermier de Bréchy. Car il nous faut y rentrer au plus tôt. Je viens de recevoir des nouvelles inquiétantes. Je crains du désordre. Les paysannes, qui se rendaient au marché, y ont raconté, avec toutes sortes d'exagérations, les malheurs déjà si grands de cette nuit. Elles ont assuré que dix ou douze hommes avaient été tués et blessés, et que l'incendiaire, monsieur de Boiscoran, était arrêté. La foule s'est portée chez la veuve du malheureux Guillebault, et il y a une manifestation devant la maison des demoiselles de Lavarande, où demeure la fiancée de monsieur de Boiscoran, mademoiselle Denise de Chandoré.

Pour rien au monde, en des temps ordinaires, M. Séneschal n'eût consenti à confier à des mains étrangères son bon chevalCaraby, le meilleur peut-être de l'arrondissement. Mais il était affreusement bouleversé, on le voyait bien, malgré ses efforts pour conserver cette impassible dignité qui sied si bien à l'autorité.

Il fit un signe, et en un moment sa voiture fut prête. Seulement, lorsqu'il demanda quelqu'un pour conduire, personne ne se présenta. Tous ces braves campagnards qui venaient de passer la nuit dehors avaient hâte de regagner leur logis, où les réclamaient les soins à donner à leur bétail. Voyant l'hésitation des autres:

Eh bien! c'est moi qui mènerai la justice, déclara le fils Ribot, ce gars avantageux qui avait rencontré M. de Boiscoran au déversoir de la Seille.

Et s'emparant du fouet et des guides, il s'installa sur la banquette de devant, pendant que prenaient place le procureur de la République, le juge d'instruction et le greffier Méchinet.

Surtout, ménage Caraby, recommanda M. Séneschal, qui sentit à cet instant suprême se réveiller toute sa sollicitude.

N'ayez pas peur, monsieur le maire, répondit le gars en enlevant vigoureusement le cheval, si je tapais trop fort, monsieur Méchinet me retiendrait...

C'était presque une puissance à Sauveterre que ce Méchinet, greffier du juge d'instruction, et les plus huppés comptaient avec lui. Ses fonctions officielles étaient humbles et peu rétribuées, mais il avait eu l'art d'y adjoindre, sans que le tribunal y trouvât rien à redire, quantité d'occupations parasites qui grandissaient singulièrement son importance et sextuplaient ses revenus.

Lithographe distingué, c'était lui qui faisait toutes les cartes de visite que l'on commandait à M. Serpin, le premier imprimeur de la ville et le propriétaire et gérant responsable de L'Indépendant de Sauveterre. Comptable expérimenté, il tenait les livres et débrouillait les comptes chez plusieurs négociants. Il donnait aussi des consultations de droit aux paysans processifs et rédigeait habilement des actes sous seing privé. Depuis longtemps il était chef de la musique des pompiers et directeur de l'orphéon.

Correspondant de la société des auteurs dramatiques, dont il percevait les droits, il devait à ce titre ses entrées au théâtre, non seulement dans la salle, par la porte du public, mais dans les coulisses, par le couloir étroit et malpropre réservé aux artistes. Enfin, il donnait, selon la volonté des personnes, des leçons d'écriture et de français aux petites filles et des leçons de flûte ou de cornet à pistons aux jeunes amateurs.

Tant de talents divers lui avaient longtemps attiré la sourde inimitié des autres employés de la localité, du secrétaire de la mairie, du factotum de la sous-préfecture, du premier commis des hypothèques et même du fondé de pouvoir de la recette particulière. Mais tous ces ennemis avaient fini par désarmer devant une supériorité universellement reconnue. Et de même que tout le monde, lorsqu'un événement imprévu les prenait sans vert: «Allons consulter Méchinet», disaient-ils.

Lui dissimulait, sous les apparences rassurantes d'une éternelle bonne humeur, l'ambition qui le dévorait de devenir riche et l'un des premiers personnages de Sauveterre. C'est que c'était un diplomate retors que ce Méchinet, fin comme l'ambre et plus délié que la soie. Il l'avait bien prouvé, en réalisant ce problème de remplir la ville du mouvement de sa personnalité remuante, de se mêler de tout et de tous sans se faire un seul ennemi déclaré.

Le fait est qu'on le craignait et qu'on avait une peur terrible de sa langue. Non qu'il eût jamais fait de mal à personneil n'était pas si sot, mais à cause du mal qu'il eût pu faire, pensait-on, étant l'homme le mieux au courant de tous les petits secrets de Sauveterre, et le plus exactement informé de toutes les intrigues, de toutes les vilenies et de tous les tripotages.

Cela tenait à sa situation particulière. Célibataire, il vivait chez ses sœurs, les demoiselles Méchinet, qui étaient les premières couturières de la ville, et de plus des dévotes célèbres affiliées à toutes les congrégations religieuses. Par elles, il avait l'œil et l'oreille dans la belle société, et il savait le fin et le dernier mot des cancans dont il recueillait l'écho, soit à son imprimerie, soit au Palais.

Il disait plaisamment: «Comment m'échapperait-il quelque chose, à moi, qui ai pour me renseigner l'église et le journal, le tribunal et le théâtre?...»

Un tel homme eût failli à son rôle s'il n'eût pas connu sur le bout du doigt tout ce qu'on pouvait connaître dans le pays des antécédents de M. de Boiscoran. Aussi, tandis que roulait la voiture, sur la route bien unie, par la plus belle matinée de juin, débitait-il ce qu'il appelait le casier judiciaire du prévenu.

M. de BoiscoranJacques de son prénomn'était pas fixé à sa propriété et rarement y séjournait plus d'un mois de suite. Il vivait à Paris, où sa famille possédait, rue de l'Université, un confortable hôtel. Car il avait encore ses parents.

Son père, le marquis de Boiscoran, maître d'une belle fortune territoriale, député sous Louis-Philippe, représentant en , s'était retiré des affaires à l'avènement du Second Empire et dépensait, depuis, tout ce qu'il avait d'activité et de capitaux à collectionner toutes sortes de bibelots artistiques, des porcelaines spécialement et des faïences, dont il avait écrit une monographie.

Sa mère, une Chalusse, avait eu la réputation d'une des plus charmantes et des plus spirituelles femmes de la cour du roi-citoyen. Même, à une certaine époque, la médisance ne l'avait pas épargnée, et vers ou , elle avait été, prétendait-on, l'héroïne d'une aventure un peu vive, dont le héros était un galant substitut devenu depuis le plus austère des magistrats.

En vieillissant, la marquise de Boiscoran avait incliné vers la politique comme d'autres se jettent dans la dévotion. Et tandis que son mari se vantait de n'avoir pas ouvert un journal depuis dix ans, elle avait fait de son salon un petit centre parlementaire qui n'était pas sans influence.

Ayant encore son père et sa mère, Jacques de Boiscoran possédait néanmoins une fortune personnelle assez importante: vingt-cinq ou trente mille livres de rentes. Cette fortune, qui comprenait le château de Boiscoran, ses terres, ses prairies et ses bois, lui avait été léguée par un de ses oncles, le frère aîné de son père, mort veuf et sans enfants en ...

Jacques de Boiscoran était alors un homme de vingt-six à vingt-sept ans, brun, grand, vigoureux, bien découplé, non pas joli garçon précisément, mais ayant, ce qui vaut mieux, une de ces physionomies ouvertes et intelligentes qui préviennent en leur faveur. Son caractère était, à Sauveterre, moins connu que sa personne. Les gens qui avaient eu avec lui des relations le disaient loyal et généreux, grand ami du plaisir, spirituel et gai, de cette bonne et franche gaieté devenue si rare.

Lors de l'invasion prussienne, il avait été nommé capitaine d'une des compagnies de mobiles de l'arrondissement, et mêmechose honteuse à dire, et qu'il faut dire pourtantil s'était trouvé des gens dans le pays pour lui reprocher de n'avoir pas su, comme d'autres chefs, éviter le danger. Il avait vaillamment conduit ses hommes au feu et s'y était si bien comporté que le général Chanzy avait cru devoir appliquer, sur une blessure qu'il avait reçue, un bout de ruban rouge.

Et un tel homme aurait commis le crime si lâche du Valpinson! dit M. Daubigeon au juge d'instruction. Non! ce n'est pas possible, il va, dès les premiers mots, dissiper les doutes affreux qui nous tourmentent...

Et ce sera bientôt, fit le gars Ribot, car nous arrivons...

En Saintonge, pays aisé, mais où les grandes fortunes sont assez rares, on donne carrément le nom de château à la moindre bicoque ayant girouette sur un toit pointu. Mais Boiscoran est bel et bien un château. C'est une construction de la fin du xviie siècle, d'un goût déplorable, mais massive comme une forteresse. L'emplacement en est heureux. Tout autour verdoient des bois et des prairies, et, au bas des jardins en pente, coule sur un lit de cailloux une petite rivière qui doit sans doute à son perpétuel gazouillement son nom: la Pibole, la pie, en patois saintongeois.

VII

Il était sept heures quand la voiture «qui portait la justice» entra dans la cour de Boiscoranune vaste cour plantée de tilleuls et entourée de bâtiments d'exploitation.

Le château était bien éveillé. Devant la porte de son logis, la métayère récurait le chaudron où elle avait fait cuire la soupe du matin; des filles de ferme allaient et venaient, et, près de l'écurie, un robuste gars brossait à tour de bras un cheval de sang. Debout sur le perron, le valet de chambre de M. de Boiscoran, M. Antoine, surveillait tout en fumant son cigare au soleil.

C'était un homme d'une cinquantaine d'années, fort alerte encore, qui avait été légué à Jacques de Boiscoran par son oncle, en même temps que sa fortune. Il avait été marié et il avait perdu sa femme, mais sa fille était au service de la marquise de Boiscoran. Né dans la famille, ne l'ayant jamais quittée, il se considérait comme en faisant partie et ne voyait aucune différence entre son intérêt à lui et celui de ses maîtres. Et de fait, on le traitait moins en serviteur qu'en ami, et il pensait bien ne rien ignorer des affaires de M. de Boiscoran.

Voyant descendre de voiture le juge d'instruction et le procureur de la République, il jeta son cigare, et s'avançant rapidement vers eux en les saluant de son plus accueillant sourire:

Ah! messieurs, fit-il, quelle bonne surprise! Monsieur va être bien content!

Avec des étrangers, Antoine ne se fût point permis cette familiarité, car il était formaliste, mais il avait déjà vu au château M. Daubigeon, et il savait quels projets avaient été agités entre son maître et M. Galpin-Daveline. Aussi fut-il singulièrement étonné de la raideur embarrassée de ces messieurs, et de l'accent dont le juge d'instruction lui demanda:

Monsieur de Boiscoran est-il levé?

Pas encore, répondit-il, et même monsieur m'avait bien recommandé de ne pas le réveiller. Comme il est rentré assez tard, il se proposait de dormir la grasse matinée...

Instinctivement, le juge et le procureur de la République détournèrent la tête, chacun craignant de rencontrer le regard de l'autre.

Ah! Monsieur de Boiscoran est rentré tard? insista M. Galpin-Daveline.

Vers minuit; plutôt après qu'avant.

Et il était sorti?...

Sur les huit heures.

Comment était-il vêtu?

Comme d'ordinaire. Il avait un pantalon gris clair, de velours côtelé, une jaquette de velours marron et un grand chapeau de paille.

Avait-il son fusil?

Oui, monsieur.

Savez-vous où il est allé?

Le respect seul que professait Antoine pour les amis de son maître avait pu le déterminer à répondre à cet interrogatoire, qu'il jugeait à part soi de la plus haute inconvenance. Mais cette dernière question lui parut passer les bornes. Et c'est d'un ton de réserve offensée qu'il répondit:

Je n'ai pas l'habitude de demander à monsieur où il va quand il sort, ni d'où il vient quand il rentre.

À quels honorables sentiments obéissait l'honnête valet de chambre, M. Daubigeon le comprit. Et c'est d'un air dont la conviction s'imposait que, prenant la parole:

Ne croyez pas, mon ami, dit-il, qu'une vaine curiosité nous fasse vous poser toutes ces questions. Répondez. Votre franchise peut servir votre maître plus que vous ne l'imaginez.

C'est d'un regard décidément stupéfait qu'Antoine examinait tour à tour le juge d'instruction et le procureur de la République, le greffier Méchinet et enfin Ribot qui, descendu de son siège, avait déroulé la longe de Caraby et l'attachait à un arbre.

Je vous jure, messieurs, répondit-il, que j'ignore où monsieur de Boiscoran a passé la soirée.

Vous ne le soupçonnez même pas?

Non.

Peut-être était-il à Bréchy, chez un de ses amis?

Je ne lui connais pas d'amis à Bréchy.

Qu'a-t-il fait en rentrant?

L'inquiétude, visiblement, gagnait le digne serviteur.

Attendez! répondit-il. Monsieur, en rentrant, est monté à sa chambre et y est resté quatre ou cinq minutes. Il est redescendu, ensuite, et a mangé une tranche de pâté et bu un verre de vin. Après, il a allumé un cigare et m'a dit d'aller me coucher, qu'il voulait faire un tour et qu'il se déshabillerait seul.

Et vous êtes allé vous coucher?

Naturellement.

De sorte que vous ignorez ce qu'a pu faire votre maître?

Pardonnez-moi: je l'ai entendu ouvrir la porte qui donne sur le jardin.

Il ne vous a pas paru... extraordinaire?

Non... il était comme tous les jours, plus gai, peut-être, il chantait...

Pouvez-vous me montrer le fusil qu'il avait emporté?

Non... Monsieur a dû le déposer dans sa chambre.

M. Daubigeon ouvrait la bouche pour présenter une objection, le juge l'arrêta d'un geste, et vivement:

Y a-t-il longtemps, demanda-t-il au domestique, que monsieur de Boiscoran et monsieur de Claudieuse ne se sont rencontrés?

Antoine tressaillit, comme si un pressentiment eût traversé son esprit.

Très longtemps, répondit-il. À ce que je crois, du moins.

Vous n'ignorez pas qu'ils sont au plus mal?

Oh!...

Ils ont eu ensemble les altercations les plus violentes...

Des fâcheries, tout au plus... Ne se fréquentant pas, comment se seraient-ils haïs? Vingt fois, d'ailleurs, j'ai entendu monsieur dire qu'il tenait le comte de Claudieuse pour le meilleur et le plus loyal des hommes, et qu'il le respectait infiniment.

Durant plus d'une minute, M. Galpin-Daveline se tut, cherchant s'il n'oubliait rien. Puis, tout à coup:

Quelle distance y a-t-il d'ici au Valpinson? interrogea-t-il.

Six kilomètres, monsieur, répondit Antoine.

Si vous aviez à vous rendre chez monsieur de Claudieuse, quel chemin prendriez-vous?

La grande route, celle qui passe par Bréchy.

Vous ne traverseriez pas les marais?

Certes, non...

Pourquoi?

Parce que la Seille est débordée, monsieur, et que les fossés sont pleins d'eau.

Est-ce qu'en coupant à travers bois, on ne s'abrégerait pas?...

On aurait moins de chemin à faire, mais on mettrait plus de temps... les sentiers sont mal tracés et encombrés d'ajoncs.

Le procureur de la République dissimulait mal une réelle douleur. De plus en plus, les réponses d'Antoine lui semblaient fâcheuses.

Maintenant, reprit le juge, si le feu prenait à Boiscoran, apercevrait-on l'incendie de la cour du Valpinson?

Je ne le crois pas, monsieur; nous sommes séparés par des collines et des bois...

D'ici, entendez-vous les cloches de Bréchy?

Quand le vent est au nord, oui, monsieur.

Et hier soir? Et cette nuit?

Le vent était à l'ouest, comme toujours quand il y a tempête.

De sorte que vous ne savez rien, vous n'avez pas entendu parler d'un... accident épouvantable.

Un accident... Je ne sais pas ce que monsieur veut dire.

C'est dans la cour qu'avait lieu cet interrogatoire, et sur ces derniers mots parurent, à cheval, deux gendarmes à qui M. Galpin-Daveline, avant de quitter le Valpinson, avait commandé de venir le rejoindre. Les apercevant:

Mon Dieu!... s'écria le vieil Antoine, qu'est-ce que cela signifie!... Je cours réveiller monsieur!...

Le juge l'arrêta.

Pas un mouvement, lui dit-il durement, pas un mot! (Et montrant Ribot aux gendarmes qui avaient mis pied à terre:) Vous allez garder ce garçon à vue, ajouta-t-il, et l'empêcher de communiquer avec qui que ce soit. (Puis, revenant à Antoine:) Et maintenant, commanda-t-il, conduisez-nous à la chambre de monsieur de Boiscoran!

VIII

Avec ses apparences de demeure féodale, le château de Boiscoran n'était en réalité qu'un pied-à-terre de garçonpied-à-terre passablement négligé, même.

Des quatre-vingts ou cent pièces qui s'y trouvaient, c'est tout au plus si huit ou dix étaient meublées, et encore de la façon la plus rudimentaire. Un salon, une salle à manger, quelques chambres d'amis, c'était tout autant qu'il en fallait pour les séjours de M. de Boiscoran.

Lui-même occupait au premier étage un tout petit appartement, dont la porte ouvrait sur le palier du grand escalier.

Lorsqu'arrivèrent devant cette porte, guidés par le vieil Antoine, le juge d'instruction, le procureur de la République et le greffier Méchinet:

Frappez, commanda M. Galpin-Daveline au valet de chambre.

Le bonhomme obéit, et tout aussitôt de l'intérieur:

Qui est là? cria une voix jeune et forte.

C'est moi, monsieur, répondit le fidèle serviteur, je voudrais...

Va-t'en au diable! interrompit la voix.

Cependant, monsieur...

Laisse-moi dormir, bourreau, je n'ai pu fermer l'œil qu'au jour...

Impatienté, le juge d'instruction écarta le domestique et, saisissant la poignée de la porte, il essaya de l'ouvrir: elle était fermée en dedans.

Mais il eut vite pris un parti.

C'est moi, monsieur de Boiscoran, prononça-t-il, ouvrez...

Eh! c'est ce cher Daveline! fit joyeusement la voix.

Il faut que je vous parle...

Et je suis à vous, magistrat très illustre!... Le temps de voiler d'un inexpressible mes formes apolloniennes et j'apparais.

Presque aussitôt, en effet, la porte s'ouvrit, et M. de Boiscoran se montra, les cheveux ébouriffés, les yeux encore chargés de sommeil, mais rayonnant de jeunesse et de santé, la lèvre souriante et la main largement tendue.

Par ma foi! disait-il, c'est une fameuse inspiration que vous avez eue là, mon cher Daveline, de venir me demander à déjeuner... (Et saluant M. Daubigeon:) Sans compter, ajouta-t-il, que je ne saurais trop vous remercier d'avoir décidé à vous accompagner notre cher procureur de la République. C'est une vraie descente de justice...

Mais il s'arrêta, glacé par l'expression du visage de M. Daubigeon, stupéfait de voir M. Galpin-Daveline se reculer au lieu de prendre et de serrer la main qu'il lui tendait.

Ah çà, qu'est-ce qui arrive, mon cher ami?... Jamais le juge d'instruction n'avait été si roide.

Il nous faut oublier nos relations, monsieur, prononça-t-il. Ce n'est pas l'ami qui se présente chez vous aujourd'hui, c'est le juge.

M. de Boiscoran semblait confondu, mais nulle ombre d'inquiétude n'assombrissait sa franche et loyale physionomie.

Je veux être pendu, commença-t-il, si je comprends...

Entrons! fit M. Daveline.

Ils entrèrent, et au moment de passer la porte:

Monsieur, murmura Méchinet à l'oreille de M. Daubigeon, cet homme est certainement innocent. Jamais un coupable ne nous eût accueillis ainsi...

Silence! monsieur, dit sévèrement le procureur de la République, qui, cependant, était un peu de l'avis du greffier; silence!

Et, grave et attristé, il alla se placer dans l'embrasure d'une fenêtre.

M. Galpin-Daveline, lui, était debout au milieu de la chambre, et il s'efforçait d'en embrasser et d'en fixer, dans son esprit, jusqu'aux moindres détails.

Le désordre de cette chambre disait avec quelle précipitation M. de Boiscoran avait dû se coucher la veille. Ses effets, ses bottes, sa chemise, son gilet, sa jaquette et son chapeau de paille étaient jetés au hasard sur les meubles et à terre. Il avait sur lui ce pantalon gris clair, reconnu et désigné successivement par Cocoleu, par Ribot, par Gaudry et par la femme Courtois.

Maintenant, monsieur, commença M. de Boiscoran, avec cette nuance de mécontentement d'un homme qui se demande si on ne se moque pas de lui, m'expliquerez-vous, puisque vous n'êtes plus mon ami, ce qui me vaut l'honneur matinal de votre visite?

Pas un muscle de la figure de M. Galpin-Daveline ne bougea. Et comme si la question se fût adressée à tout autre qu'à lui:

Veuillez, monsieur, me montrer vos mains, dit-il froidement.

Une vive rougeur colora les joues de M. de Boiscoran, et une perplexité singulière se lut dans ses yeux.

Si c'est une plaisanterie, dit-il, elle a peut-être trop duré!

Il allait s'emporter, c'était évident. M. Daubigeon crut devoir intervenir:

Malheureusement, monsieur, prononça-t-il, jamais situation ne fut plus grave. Faites ce que vous demande monsieur le juge d'instruction.

De plus en plus surpris, M. de Boiscoran promenait autour de lui un rapide regard.

Dans le cadre de la porte, Antoine, le vieux valet de chambre, se tenait debout, l'angoisse peinte sur le front. Près de la cheminée, le greffier Méchinet avait avisé une table, et il s'y était installé avec son papier, ses plumes et son écritoire de corne.

Alors, avec un mouvement d'épaules qui annonçait que, décidément, il renonçait à comprendre, M. de Boiscoran montra ses mains. Elles étaient parfaitement blanches et nettes. Les ongles, assez longs, étaient soigneusement nettoyés.

Quand vous êtes-vous lavé les mains pour la dernière fois? demanda M. Galpin-Daveline, après un minutieux examen.

À cette question, le visage de M. de Boiscoran s'éclaira, et éclatant de rire:

Par ma foi! s'écria-t-il, j'avoue que j'ai été pris. J'allais m'emporter. J'ai eu presque peur...

Et vous aviez raison d'avoir peur, monsieur, prononça M. Galpin-Daveline, car une accusation terrible pèse sur vous. Et de votre réponse à la question que je vous pose, et qui vous semble ridicule, dépendent peut-être votre honneur et votre liberté...

Ah! il n'y avait plus cette fois à s'y méprendre. M. de Boiscoran se sentit saisi de cet effroi que la justice inspire aux plus honnêtes, aux plus sûrs d'eux-mêmes.

Il pâlit, et d'une voix troublée:

Quoi! dit-il, une accusation pèse sur moi, et c'est vous, monsieur Galpin-Daveline, qui vous présentez chez moi pour m'interroger...

Je suis magistrat, monsieur!

Mais vous étiez aussi mon ami. Si quelqu'un devant moi se fût permis de vous accuser d'un crime, d'une lâcheté, d'une infamie, je vous aurais défendu, monsieur, et de toute mon énergie, sans hésitation, sans arrière-pensée... Je vous aurais défendu jusqu'à ce qu'on m'eût fourni des preuves éclatantes, irrécusables, matérielles, de votre culpabilité. Et si, à la fin, il m'eût été démontré que vous étiez coupable, je vous aurais plaint, et je ne m'en serais pas moins rappelé qu'à un certain moment je vous avais assez estimé pour vous faciliter une alliance qui eût fait de vous mon parent. Tandis que vous!... On m'accuse, je ne sais de quoi, faussement, évidemment, et tout de suite vous ajoutez foi à l'accusation absurde, et vous acceptez d'être mon juge... Eh bien! soit! Je me suis lavé les mains hier soir, en rentrant.

C'est avec raison que M. Galpin-Daveline avait vanté son sang-froid et sa puissance sur soi. Il ne sourcilla pas à cette rude apostrophe, et toujours du même ton:

Qu'est devenue l'eau dont vous vous êtes servi? demanda-t-il.

Elle doit encore être là, dans mon cabinet de toilette.

Le juge d'instruction y courut.

Sur la table de marbre était une cuvette de porcelaine pleine d'eau. Cette eau était noire et sale. Au fond, on voyait distinctement des résidus de charbon. À la surface, mêlés à de la mousse de savon, surnageaient quelques fragments d'une extrême ténuité, mais cependant appréciables, de papier brûlé.

Avec des précautions infinies, le juge d'instruction apporta lui-même la cuvette sur la table où écrivait Méchinet, et la montrant à M. de Boiscoran:

Est-ce bien là, interrogea-t-il, l'eau dans laquelle vous vous êtes lavé les mains en rentrant?

D'un ton d'insouciance dédaigneuse:

Oui, répondit M. de Boiscoran.

Vous aviez donc manié du charbon, touché des matières enflammées?

Vous le voyez bien!

Placés presque en face l'un de l'autre, le procureur de la République et le greffier Méchinet échangèrent un rapide coup d'œil. Ils avaient, en même temps, ressenti la même impression.

Si M. de Boiscoran n'était pas innocent, c'était à coup sûr un homme d'une audace et d'une énergie extraordinaires, et qui obéissait à quelque plan longuement médité, car ses réponses, comme autant d'aveux, semblaient le livrer pieds et poings liés à la prévention.

Le juge d'instruction lui-même parut frappé de stupeur. Mais ce ne fut qu'un éclair, et se retournant vers son greffier:

Écrivez! lui commanda-t-il.

Et il lui dicta le procès-verbal de cette scène, exactement, minutieusement, se reprenant même parfois pour arriver à l'expression juste et châtier son style.

Ayant terminé:

Reprenons, monsieur, dit-il à M. de Boiscoran. Vous avez passé dehors la soirée d'hier.

Oui, monsieur.

Sorti à huit heures, vous n'êtes rentré qu'à minuit.

Après minuit.

Vous aviez emporté votre fusil?

Oui.

Où est-il?

D'un geste insouciant, M. de Boiscoran le montra, dans l'angle de la cheminée, et dit:

Le voilà!

Vivement M. Galpin-Daveline s'en empara.

C'était une arme de luxe, à double canon, d'un travail et d'un fini exceptionnels. Sur les incrustations de la crosse se lisait le nom du fabricant:

Klebb.

Quand avez-vous fait feu avec ce fusil pour la dernière fois, monsieur? interrogea le juge d'instruction.

Il y a quatre ou cinq jours.

À quelle occasion?

Pour tuer des lapins qui ravagent mes bois. Avec toute l'attention dont il était capable, M. Galpin-Daveline examinait et faisait jouer la batterie de cette arme, dont le mécanisme avait une certaine analogie avec le système Remington. Bientôt il ouvrit le tonnerre et constata que le fusil était chargé. Dans chacun des canons se trouvait une cartouche à enveloppe de plomb. Cela fait, il remit l'arme à sa place, et tirant de sa poche l'enveloppe métallique trouvée par Pitard, il la présenta à M. de Boiscoran, en demandant:

Reconnaissez-vous ceci?

Parfaitement! répondit M. de Boiscoran. C'est l'enveloppe d'une de mes cartouches que j'aurai jetée après l'avoir brûlée.

Croyez-vous donc être le seul dans le pays à avoir une arme de ce système?

Je ne le crois pas, j'en suis sûr.

De telle sorte qu'une enveloppe de cartouche Klebb, celle-ci, par exemple, trouvée dans un endroit quelconque, attesterait nécessairement votre présence?

Nécessairement, non. J'ai vu plus d'une fois des enfants ramasser les enveloppes que je venais de jeter et jouer avec.

Tout en faisant voler sa plume sur le papier, le greffier Méchinet se permettait certaines grimaces des plus significatives. Il était trop au fait des allures d'une instruction criminelle pour ne pas se rendre compte de la tactique de M. Galpin-Daveline, tactique horriblement dangereuse et perfide, qui consiste à tourner le prévenu avant de l'attaquer sérieusement.

Il joue serré, murmura-t-il en se penchant vers M. Daubigeon.

Le juge d'instruction s'était assis.

Ceci posé, reprit-il, je vous prie, monsieur, de vouloir bien me donner l'emploi de votre soirée de huit heures à minuit... Ne vous pressez pas, réfléchissez, prenez votre temps, votre réponse aura certainement une influence décisive.

M. de Boiscoran, jusqu'à ce moment, était demeuré calme, mais de ce calme inquiétant qui décèle de terribles tempêtes intérieures, difficilement contenues. Les avertissements du juge, et plus encore le ton dont ils étaient donnés, le révoltèrent comme la plus odieuse des hypocrisies, et cessant de se contenir, les yeux pleins d'éclairs:

Enfin, monsieur! s'écria-t-il, que voulez-vous de moi? De quoi m'accuse-t-on?

M. Galpin-Daveline ne broncha pas.

Vous le saurez, monsieur, quand le moment sera venu, répondit-il. Commencez par répondre, et croyez-moi, dans votre intérêt, répondez franchement. Qu'avez-vous fait hier soir?

Eh! le sais-je!... Je me suis promené...

Ce n'est pas une réponse.

C'est cependant la vérité. J'étais sorti sans but, j'ai marché au hasard...

Votre fusil sur l'épaule.

J'emporte toujours mon fusil, mon valet de chambre vous le dira.

N'avez-vous pas traversé les marais de la Seille?

Non.

Le juge d'instruction hocha gravement la tête.

Vous ne dites pas la vérité, monsieur, fit-il.

Monsieur...

Vos bottes, que j'aperçois là, sur votre descente de lit, vous donnent le démenti le plus formel. D'où vient la boue dont elles sont couvertes?

Les prairies, autour de Boiscoran, sont très humides.

N'insistez pas. Vous avez été vu.

Cependant...

Vous avez été rencontré par le fils Ribot au moment où vous passiez le déversoir des étangs.

M. de Boiscoran ne répondit pas.

Où alliez-vous? demanda le juge.

Pour la première fois, une inquiétude réelle contracta les traits de M. de Boiscoran, l'inquiétude d'un homme qui voit tout à coup s'ouvrir sous ses pas un précipice qu'il ne soupçonnait pas.

Il hésita, et comprenant que nier était inutile:

J'allais à Bréchy, répondit-il.

Chez qui?

Chez le marchand de bois à qui j'ai vendu mes coupes de . Ne l'ayant pas trouvé, je suis revenu par la grande route...

D'un geste, M. Galpin-Daveline l'arrêta.

C'est faux! prononça-t-il durement.

Oh!

Vous n'êtes pas allé à Bréchy.

Permettez...

Et la preuve, c'est que, vers onze heures, vous traversiez d'un pas hâtif les bois de Rochepommier.

Moi!...

Vous-même. Et ne dites pas non, car, tenez, votre pantalon est encore tout hérissé des épines des ajoncs que vous avez traversés.

Il y a des ajoncs ailleurs que dans les bois de Rochepommier.

C'est vrai, mais on vous y a vu.

Qui?

Gaudry, le braconnier. Et il vous a si bien vu qu'il a pu nous dire votre humeur. Vous étiez troublé et fort en colère, vous parliez haut, vous juriez, vous arrachiez des feuilles aux branches d'arbres...

Tout en parlant, le juge d'instruction s'était levé et avait pris sur un fauteuil la jaquette de M. de Boiscoran. Il en fouilla les poches et en retira une poignée de feuilles flétries.

Et tenez, voilà une preuve de la véracité de Gaudry.

Il y a des feuilles d'arbres partout, murmura M. de Boiscoran.

Oui, mais une femme, maîtresse Courtois, vous a vu sortir du bois de Rochepommier. Vous l'avez aidée à replacer sur son âne un sac qu'elle ne pouvait soulever seule. Le niez-vous? Non. Vous avez raison, car ici, tenez, sur la manche et sur un des pans de votre jaquette, j'aperçois de la poussière blanche qui certainement est de la farine.

M. de Boiscoran baissait la tête.

Avouez donc, insista le juge d'instruction, que hier au soir, entre dix et onze heures, vous étiez au Valpinson...

Jamais, monsieur, cela n'est pas.

C'est cependant au Valpinson, près des ruines de l'ancien château, qu'a été ramassée cette enveloppe de cartouche Klebb que je viens de vous montrer...

Eh! monsieur, interrompit M. de Boiscoran, ne vous ai-je pas dit que vingt fois j'ai vu des enfants ramasser, pour jouer, de ces enveloppes métalliques?... (Et, essayant de réagir:) Si j'étais allé au Valpinson, ajouta-t-il, quel intérêt aurais-je à le nier?

M. Galpin-Daveline se redressa, et de sa voix la plus solennelle:

Je vais vous le dire, prononça-t-il. Hier soir, entre dix et onze heures, le feu a été mis au Valpinson, dont il ne reste plus que des cendres...

Oh!...

Hier au soir on a tiré deux coups de fusil sur le comte de Claudieuse...

Grand Dieu!

Et la justice pense, la justice a de fortes raisons de croire que l'incendiaire, que l'assassin, c'est vous, Jacques de Boiscoran.

IX

Tel qu'un homme pris de vertige, pâle comme si tout le sang de ses veines eût afflué à son cœur, Jacques de Boiscoran jetait autour de lui des regards éperdus. Il ne rencontra que des visages mornes et consternés.

Antoine, son vieux valet de chambre, s'appuyait chancelant à l'huisserie de la porte. Le greffier Méchinet restait la plume en l'air, béant de stupeur. M. Daubigeon baissait la tête.

C'est horrible, murmura-t-il, horrible!

Et lourdement il se laissa tomber sur un fauteuil, comprimant de ses deux mains le sanglot qui brisait sa poitrine.

Il n'y avait que M. Galpin-Daveline à ne pas paraître ému. La loi, dont il se considérait comme une imposante manifestation, ne s'émeut pas. Même le pli de ses lèvres minces trahissait comme l'ébauche d'un sourire aussitôt réprimé; le froid sourire de l'ambitieux, content d'avoir bien joué son petit rôlet.

Tout ne lui prouvait-il pas que Jacques de Boiscoran était coupable, et qu'ayant à choisir entre un ami et l'occasion de se mettre en évidence, il avait habilement choisi?

Après une minute de silence qui parut un siècle, se posant debout, les bras croisés, devant l'infortuné:

Avouez-vous? interrogea-t-il.

Comme s'il eût été mû par un ressort, M. de Boiscoran se dressa.

Quoi? fit-il, que voulez-vous que j'avoue?

Que vous êtes l'auteur du crime de Valpinson. D'un mouvement convulsif, le malheureux jeune homme pressait son front entre ses mains.

Mais c'est de la folie! s'écria-t-il. Moi, l'auteur d'un tel crime, si odieux, si lâche!... Est-ce possible, est-ce vraisemblable! Je l'avouerais, que vous ne voudriez pas me croire! Non, vous ne me croiriez pas!

Il eût réussi à émouvoir le marbre de la cheminée avant M. Galpin-Daveline.

Ce n'est pas de moi qu'il s'agit, prononça le magistrat d'un ton glacé. Pourquoi revenir sur des relations qui doivent être oubliées? Ici, ce n'est plus l'ami, ce n'est même plus l'homme qui vous parle, c'est le juge. On vous a vu...

Quel est le misérable?...

Cocoleu.

M. de Boiscoran parut anéanti.

Cocoleu, balbutia-t-il, ce pauvre idiot épileptique recueilli par la comtesse de Claudieuse!

Lui-même.

Et il a suffi des propos incohérents d'un malheureux frappé d'imbécillité pour que l'on me crût coupable, moi, d'un incendie, d'un meurtre...

Jamais le juge d'instruction n'avait visé avec tant d'efforts à cette solennité qui frappe les esprits et s'impose.

Pendant une heure, au moins, monsieur, le pauvre Cocoleu a joui de la plénitude de sa raison. Les desseins de la Providence sont impénétrables...

Eh! monsieur...

Qu'a dit Cocoleu? Qu'il vous a vu allumer l'incendie de vos mains, puis vous cacher derrière une pile de fagots et tirer sur le comte de Claudieuse deux coups de fusil...

Et cela vous a paru tout simple!

Non. J'ai été révolté comme tout le monde. Vous sembliez planer si haut au-dessus des soupçons. Mais voilà que l'instant d'après, on ramasse sur le théâtre du crime une enveloppe de cartouche qui ne peut appartenir qu'à vous. Mais voici que moi, arrivant ici, à l'improviste, je trouve noire de charbon et de débris de papier brûlé l'eau où vous vous êtes lavé les mains en rentrant...

Oui, murmura M. de Boiscoran, c'est une fatalité.

Et ce n'est pas tout, poursuivit le juge, enflant de plus en plus la voix. Je vous interroge et vous confessez être resté dehors hier soir de huit heures à minuit. Je vous demande l'emploi de ces quatre heures, vous refusez de me le dire. J'insiste, vous mentez. Et je suis obligé, pour vous confondre, de vous produire les témoignages de Ribot, de Gaudry et de la femme Courtois, qui vous ont reconnu là où vous prétendez n'être pas allé. Cette dernière circonstance seule vous condamne. Quel a donc été l'emploi de cette soirée, que vous ne pouvez le faire connaître!... Vous vous prétendez innocent. Aidez-moi à faire éclater votre innocence. Parlez. Qu'avez-vous fait, de huit heures à minuit?...

M. de Boiscoran n'eut pas le temps de répondre. Depuis un moment déjà montaient de la cour comme des clameurs sourdes et le tumulte d'une foule irritée.

Un gendarme entra tout effaré.

Messieurs, dit-il, s'adressant au juge d'instruction et au procureur de la République, il y a en bas une centaine de paysans, hommes et femmes, qui veulent faire un mauvais parti à monsieur de Boiscoran; ils le demandent, ils disent qu'il le leur faut pour le traîner à la rivière. Quelques hommes sont armés de fourches, mais les femmes sont les plus enragées. Mon camarade et moi avons toutes les peines du monde à les contenir...

Et, en effet, comme pour appuyer ses assertions, les clameurs se rapprochèrent et redoublèrent, et très distinctement, on entendit crier:

À l'eau Boiscoran! À l'eau l'incendiaire! Le procureur de la République se leva.

Descendez dire à ces paysans, commanda-t-il, que la justice interroge le prévenu, et qu'ils la troublent, et que s'ils continuent, c'est à moi qu'ils auront affaire!

Le gendarme obéit.

M. de Boiscoran était devenu livide.

Tous ces malheureux me croient donc coupable! murmura-t-il.

Oui, répondit M, Galpin-Daveline, et vous comprendriez leur indignation, jusqu'à un certain point légitime, si vous connaissiez les déplorables événements de la nuit...

Quoi encore!

Deux pompiers de Sauveterre, dont un, père de cinq enfants, ont péri dans les flammes. Deux hommes, un fermier de Bréchy et un gendarme, en essayant de leur porter secours, ont été si grièvement brûlés qu'on craint pour leur vie.

M. de Boiscoran se taisait.

Et c'est vous, poursuivit le juge, qu'on accuse de tant de malheurs. Vous voyez combien il importerait de vous justifier.

Eh! le puis-je...

Si vous êtes innocent, oui. Faites-moi connaître l'emploi de votre soirée...

Je vous ai dit tout ce que je pouvais dire.

Le juge d'instruction, pendant une bonne minute, parut réfléchir; puis:

Prenez garde, monsieur de Boiscoran, prononça-t-il, je vais être obligé de décerner contre vous un mandat...

Faites.

Je vais être forcé de vous faire arrêter séance tenante et diriger sur la prison de Sauveterre...

Soit.

Vous avouez donc!

J'avoue que je suis victime d'un concours inouï de circonstances. J'avoue... que vous avez raison, et qu'il faut l'idée d'une Providence pour expliquer certaines fatalités. Mais, par tout ce qu'il y a de saint au monde, je le jure, je suis innocent.

Prouvez-le!

Eh! ce serait fait, si je pouvais.

Veuillez alors vous habiller, monsieur, et vous préparer à suivre les gendarmes.

Sans un mot, M. de Boiscoran passa dans son cabinet de toilette, et il y fut suivi par son valet de chambre portant des vêtements.

Tout occupé de dicter à son greffier la dernière partie de l'interrogatoire, M. Galpin-Daveline semblait oublier «son prévenu».

Le vieil Antoine en profita.

Monsieur..., souffla-t-il à l'oreille de son maître, tout en paraissant l'aider.

Quoi.

Chut! Plus bas! La fenêtre du fond du cabinet est ouverte... Elle n'est qu'à vingt pieds du sol du jardin... La terre, au-dessous, est molle... Tout près est un des soupiraux des caves, et au fond est la cachette que vous connaissez... La mer n'est qu'à cinq lieues, j'aurai un bon cheval cette nuit, à l'entrée du parc.

Un amer sourire monta aux lèvres de M. de Boiscoran.

Et toi aussi, fit-il, toi, mon vieil ami, tu me crois coupable.

Je vous en conjure, monsieur, insista Antoine, je réponds de tout; il n'y a que vingt pieds... Au nom de votre mère!

Mais, au lieu de lui répondre, Jacques de Boiscoran se retourna et appela le juge d'instruction. Et quand M. Galpin-Daveline se fut approché:

Voyez cette fenêtre, monsieur, lui dit-il. J'ai de l'argent, de bons chevaux, et la mer est à cinq lieues... Un coupable vous eût échappé... Je suis innocent, je reste.

En un point, du moins, M. de Boiscoran disait vrai: rien ne lui était plus aisé que de s'évader et de gagner le jardin, et très probablement cette retraite que lui rappelait son valet de chambre. Mais après?

Il avait, c'était incontestable, le vieil Antoine l'aidant surtout, quelques chances de se soustraire à toutes les recherches. Mais il était plus probable, mille fois, qu'il serait découvert dans sa cachette même, ou rejoint en essayant d'atteindre la côte.

S'il réussissait à fuir, que deviendrait-il? En quels pays et sous quels travestissements éviterait-il une extradition toujours menaçante?

Ce serait bien autre chose, s'il était repris. Sa situation, déjà si compromise, serait alors perdue sans ressources. Fatalement sa tentative de fuite serait considérée comme le plus explicite des aveux.

En de telles conditions, résister à la tentation de s'évader, et bien faire savoir qu'on résistait, qu'on tenait à rester sous la main de la justice, c'était bien moins démontrer son innocence que donner la preuve d'une rare habileté. Voilà ce qu'en clin d'œil aperçut ou crut apercevoir M. Galpin-Daveline.

C'est d'après soi qu'on juge les autres. Calculateur oblique et circonspect, il n'admettait pas les inspirations soudaines, les mouvements irréfléchis. Et dans cet accent de froid persiflage de l'homme qui tient à bien faire comprendre qu'il n'est pas dupe :

Il suffit, monsieur, fit-il. Cette circonstance, comme toutes les autres, sera relatée au procès-verbal.

Bien autres étaient les idées du procureur de la République et du greffier Méchinet.

Si le juge d'instruction était trop aveuglé par ses préventions pour rien discerner, ils avaient fort bien remarqué, eux, par combien d'émotions étrangement diverses venait de passer le prévenu.

Étourdi tout d'abord, jusqu'au point de paraître croire à une plaisanterie de mauvais goût, sa contenance avait ensuite trahi la plus violente colère, puis la peur, puis l'abattement le plus complet. Mais à mesure que les charges s'étaient accumulées, toujours plus accablantes, et que le cercle de l'accusation s'était rétréci, bien loin de se démoraliser davantage, il avait semblé recouvrer son assurance.

C'est tout de même singulier, grommela Méchinet.

M. Daubigeon, lui, ne souffla mot. Mais lorsque M. de Boiscoran sortit de son cabinet de toilette, habillé et prêt :

Une question encore, monsieur, fit-il.

Le malheureux s'inclina. Il était pâle, mais calme et maître de soi.

Je suis, dit-il, prêt à répondre.

Je serai bref. Vous avez paru surpris et indigné qu'on osât vous accuser, c'est une faiblesse. Institution humaine, la justice ne peut juger que sur des apparences. Réfléchissez, et vous reconnaîtrez que toutes les apparences sont contre vous.

Je ne le reconnais que trop.

Juré, vous n'hésiteriez pas à condamner un accusé qui se trouverait dans la même situation que vous...

Non, monsieur, non!

Le procureur de la République bondit sur sa chaise.

Vous n'êtes pas sincère, fit-il. Tristement, M. de Boiscoran hocha la tête.

C'est sans espoir de vous convaincre, monsieur, répondit-il, mais c'est en toute sincérité que je vous parle. Non, je ne condamnerais pas l'homme que vous dites, s'il s'affirmait innocent, et si je ne discernais pas le mobile de son action. Car enfin, à moins d'être fou, on ne commet pas un crime uniquement pour le commettre. Or, moi, je vous le demande, moi pour qui la destinée n'a eu que des sourires, moi qui suis à la veille d'un mariage ardemment désiré, pourquoi, dans quel but, dans quel intérêt aurais-je été incendier le Valpinson et tenter d'assassiner le comte de Claudieuse?...

Ce n'est pas sans une impatience mal dissimulée que M. Galpin-Daveline avait vu M. Daubigeon prendre la parole. Saisissant l'occasion qui s'offrait d'intervenir:

Votre mobile, à vous, monsieur, interrompit-il, était la haine. Vous haïssiez mortellement le comte et la comtesse de Claudieuse. Ne protestez pas, ce serait inutile, tout le pays le sait, vous me l'avez dit à moi-même!

Jacques de Boiscoran pâlit encore, s'il était possible, et d'un ton d'écrasant dédain:

Quand cela serait, prononça-t-il, je ne sais pas de quel droit vous abuseriez des confidences d'un ami, vous qui proclamiez en entrant ici qu'il n'était plus d'amitié entre nous. Mais cela n'est pas. Jamais je ne vous ai rien dit de pareil. Mes sentiments n'ayant pas varié, je puis répéter mes paroles textuellement. Je vous ai dit que monsieur de Claudieuse était un voisin tracassier, entêté de ses droits et jaloux de son gibier jusqu'à l'absurde. J'ai ajouté que, s'il déclarait mes opinions politiques exécrables, j'estimais les siennes ridicules et dangereuses. Pour ce qui est de la comtesse, je vous ai dit simplement, en manière de plaisanterie, qu'une personne si parfaite ne serait pas mon fait, et que je serais bien malheureux d'avoir pour femme une sorte de Madone qui traverse la vie sans presque daigner toucher la terre du bout de son orteil.

Alors, c'est uniquement pour cela qu'un jour vous avez couché en joue le comte de Claudieuse? Un flot de sang de plus à votre cerveau, et le meurtre avait lieu ce jour-là...

Un geste terrible trahit la colère de M. de Boiscoran; mais se maîtrisant:

Mon emportement était moins grand qu'il n'a dû le paraître, dit-il. J'ai pour le caractère de monsieur de Claudieuse la plus profonde estime. Ce m'est une grande douleur ajoutée à toutes les autres que de penser qu'il a pu m'accuser...

Mais il ne vous a pas accusé! interrompit M. Daubigeon, il a été au contraire le premier et le plus obstiné à vous défendre... (Et en dépit des signes que lui faisait M. Galpin-Daveline:) Malheureusement, poursuivit le procureur de la République, tout cela n'enlève rien de l'évidence des faits qui vous accusent. Si vous vous obstinez à vous taire, c'est la cour d'assises, c'est le bagne. Si vous êtes innocent, pourquoi ne pas essayer de vous justifier... Qu'attendez-vous, qu'espérez-vous?

Rien...

Méchinet venait d'achever la rédaction du procès-verbal.

Il faut partir, dit M. Galpin-Daveline.

Me sera-t-il permis, demanda M. de Boiscoran, d'écrire quelques lignes à mon père et à ma mère? Ils sont vieux: un tel événement peut les tuer...

Impossible! fit le juge. (Et, s'adressant au vieil Antoine:) Je vais mettre les scellés sur cette pièce, dit-il, et vous en serez provisoirement le gardien... Vous savez à quelle surveillance cela vous oblige, et de quelles peines vous seriez puni si la justice ne retrouvait pas les pièces à conviction décrites au procès-verbal... Maintenant, comment regagner Sauveterre?

Après mûre délibération, il fut arrêté que M. de Boiscoran ferait la route dans une voiture à lui, où monterait un gendarme. M. Daubigeon, le juge et le greffier devaient reprendre la voiture du maire, toujours conduite par Ribot, lequel était furieux d'avoir été gardé à vue.

Descendons, dit le juge, quand les dernières formalités furent remplies.

Jacques de Boiscoran descendait lentement. Il savait sa cour pleine de paysans furieux et s'attendait à des huées. Il se trompait. Le gendarme dépêché par M. Daubigeon avait si bien rempli sa mission que pas un cri ne retentit. Mais lorsqu'il eut pris place dans sa voiture et que le cheval partit au trot, des malédictions frénétiques s'élevèrent, et une volée de pierres fut lancée, dont une blessa le gendarme au front.

Décidément, vous portez malheur, mon accusé, dit cet homme, qui était un ami de celui qui avait été si cruellement blessé au Valpinson.

M. de Boiscoran ne répondit pas. Il s'enfonça dans son coin et il parut tomber dans une sorte d'anéantissement dont il ne sortit qu'au moment où la voiture s'arrêta dans la cour de la prison de Sauveterre.

Sur le seuil de la geôle, le geôlier, maître Blangin, attendait, souriant à l'idée de posséder un prisonnier de cette importance.

Je vais vous conduire à ma plus belle chambre, monsieur, dit-il au malheureux, mais il faut auparavant que je donne un reçu au gendarme et que je vous écroue.

Et en effet, atteignant son registre crasseux, il écrivit le nom de Jacques de Boiscoran au-dessous du nom de Frumence Cheminot, un vagabond arrêté la veille, au moment où il escaladait une clôture.

C'en était fait: Jacques de Boiscoran était prisonnier, au secret...

DEUXIÈME PARTIE

L'affaire de Boiscoran

I

L'hôtel de Boiscoran, rue de l'Université, , est d'apparence modeste. Étroite est la cour qui le précède, et il serait hardi de donner le nom de jardin aux quelques mètres de terre humide qui s'étendent derrière.

Il ne faut pas se fier à ces dehors. Le logis lui-même est un chef-d'œuvre de confortable, où des mains patientes et soigneuses ont réuni toutes les aises de la vie et ce luxe solide dont le goût et le secret se perdent.

Le pavé du vestibule, une mosaïque étonnante, a été rapporté de Venise en , par un Boiscoran qui avait mal tourné et qui s'était attaché à la fortune de Bonaparte. La rampe de l'escalier est un chef-d'œuvre de serrurerie, et les boiseries de la salle à manger sont sans rivales à Paris, depuis qu'ont été dispersées au vent des enchères les boiseries fameuses du château de Bercy.

Le salon où la marquise aime à s'entourer d'hommes politiques est à la hauteur de ces magnificences. Pas un meuble n'y a été admis qui n'ait sa valeur artistique. On ferait un bon marché en payant au poids de l'or la garniture de la cheminée. Le lustre est une merveille. Et chacune des huit toiles suspendues aux lambris est une œuvre hors ligne de quelque maître illustre.

Tout cela n'est rien, pourtant, comparé au cabinet de curiosités du marquis de Boiscoran. Situé au second étage de l'hôtel, dont il occupe toute la profondeur et la moitié de la largeur, ce cabinet, disposé en façon d'atelier, prend jour par le haut et ferait les délices d'un artiste. Dans de vastes armoires vitrées, placées tout autour, s'étalent les collections du marquis, trésors de toutes les époques, ses ivoires, ses émaux, ses bronzes, ses manuscrits uniques, ses porcelaines incomparables, et surtout ses faïences, ses chères faïences, la joie et le tourment de sa vieillesse.

L'homme était digne du cadre. À soixante et un ans qu'il avait alors, le marquis était droit comme un i et de la maigreur la plus aristocratique. Il avait un grand diable de nez qu'il ne cessait de bourrer de tabac, la bouche large, mais encore bien meublée, et de petits yeux brillants où se lisait toute la malice d'un amateur obligé de lutter sans cesse de ruses avec les marchands de curiosités et les brocanteurs de l'hôtel des ventes.

C'est vers qu'il avait atteint l'apogée de sa carrière, signalée par un grand discours sur le droit de réunion; aussi semblait-il que sa montre se fût arrêtée cette année-là. Toutes ses idées trahissaient l'homme de la dynastie de Juillet, de même que son extérieur, son costume, sa haute cravate, ses favoris et le toupet qui bouclait son front décelaient l'admirateur et l'ami du roi-citoyen. Il ne s'occupait pas de politique pour cela, et même, à vrai dire, il ne s'occupait de rien.

À la seule condition de respecter l'inoffensive passion de son mari, Mme de Boiscoran régnait despotiquement au logis, administrait la fortune, régentant son fils unique, Jacques, décidant sans appel de toutes choses.

Inutile de rien demander au marquis, sa réponse était invariable:

Adressez-vous à ma femme.

Cet excellent homme avait acheté la veille, un peu au hasard, un lot assez considérable de faïences, représentant des scènes de la Révolution, et sur les trois heures, installé dans son cabinet, une loupe à la main, il s'occupait d'établir l'origine et la valeur de ses plats et de ses assiettes, lorsque la porte s'ouvrit brusquement.

La marquise entra, tenant à la main un papier bleu.

Plus jeune de six ou huit ans que son mari, Mme de Boiscoran était bien la compagne qu'il fallait à cet esprit paresseux et ami du repos. À sa démarche, à son geste, à sa voix, on reconnaissait tout de suite la femme qui tient le gouvernail, qui commande et qui veut être obéie à la baguette.

D'une beauté jadis célèbre, elle gardait encore d'assez remarquables restes pour faire excuser bien des prétentions. Elle n'en avait aucune, affirmait-elle, disant que, puisqu'il est impossible, d'éviter les ravages des années, c'est faire preuve d'esprit que de les accepter de bonne grâce. Cependant, la coquetterie ne perd jamais ses droits. Si Mme de Boiscoran ne se rajeunissait pas, elle se vieillissait à plaisir. Les quelques années que les femmes, d'ordinaire, s'efforcent de dissimuler de leur âge, elle les ajoutait obstinément au sien. Il y avait de l'affectation dans la façon dont elle faisait bouffer les masses de ses cheveux gris autour de ses tempes encore fraîches comme celles d'une jeune fille. Pour bien peu, elle y eût mis de la poudre.

Elle était si défaite et si terriblement agitée quand elle entra dans le cabinet de son mari, qu'il en fut ému, lui qui, depuis longues années, s'était fait une loi de ne s'émouvoir de rien.

Abandonnant le plat qu'il était en train d'examiner:

Qu'est-ce? interrogea-t-il d'une voix inquiète, qu'arrive-t-il?

Un horrible malheur.

Jacques est mort!... s'écria le vieux collectionneur.

La marquise secoua la tête.

Non, c'est plus affreux peut-être...

Le vieillard, qui s'était dressé à la vue de sa femme, se laissa pesamment retomber sur son fauteuil.

Dis, balbutia-t-il, parle... J'ai du courage. Elle lui tendit ce papier bleu qu'elle tenait, et lentement:

Voici, fit-elle, la dépêche que je reçois à l'instant du valet de chambre de Jacques, de notre vieil Antoine.

D'une main tremblante, le marquis déplia le papier, et lut:

Malheur épouvantable. M. Jacques accuse d'avoir incendié château du Valpinson et assassiné comte de Claudieuse. Charges terribles contre lui. Interrogé, s'est à peine défendu. Vient d'être arrêté et conduit en prison. Désespéré. Que faire...?

La marquise avait tremblé que son mari ne fût comme foudroyé par cette dépêche, dont le laconisme révélait les terreurs d'Antoine. Il n'en fut rien.

C'est de l'air le plus calme qu'il la replaça sur la table et que, haussant les épaules, il dit:

C'est absurde!

Mme de Boiscoran n'en pouvait revenir.

Vous n'avez pas compris, mon ami..., commença-t-elle.

Il l'interrompit.

J'ai compris, fit-il, que notre fils est accusé d'un crime qu'il n'a pas, qu'il ne peut pas avoir commis. Est-il possible que vous doutiez de lui! Quelle mère êtes-vous donc! Je suis, pour ma part, je vous l'assure, parfaitement tranquille. Jacques incendiaire, Jacques assassin!... C'est stupide.

Ah! vous n'avez pas lu la dépêche! s'écria la marquise.

Pardonnez-moi.

Vous n'avez pas vu qu'il y a contre lui des charges...

S'il n'y en avait aucune, il est clair qu'on ne l'eût pas arrêté. C'est désagréable, c'est même pénible...

Mais il ne s'est pas défendu, monsieur...

Parbleu!... Croyez-vous que si demain on venait m'accuser d'avoir dévalisé la boutique d'un bijoutier, je prendrais la peine de me défendre.

Vous ne voyez donc pas, monsieur, qu'Antoine croit notre fils coupable...

Antoine est un vieux sot, déclara le marquis. (Et, tirant sa tabatière et bourrant son nez de tabac:)

D'ailleurs, raisonnons, fit-il. Ne m'avez-vous pas dit que Jacques est amoureux de la petite Denise de Chandoré?

Comme un fou, monsieur, comme un enfant...

Et elle?

Elle adore Jacques, monsieur.

Bon! et ne m'avez-vous pas dit aussi que le jour de leur mariage est définitivement fixé...

Depuis trois jours.

Jacques vous a écrit à ce sujet?

Une lettre adorable.

Où il vous annonce son arrivée?

Oui, il voulait faire lui-même ses emplettes de noces.

D'un mouvement superbe d'insouciance, le marquis frappa sur le couvercle de sa tabatière.

Et vous voulez, fit-il, qu'un garçon tel que notre fils, Jacques, un Boiscoran, amoureux, aimé, qui va se marier, qui a la tête pleine de corbeilles de noces, ait commis un crime abominable!... Cela ne se discute pas, et la preuve, c'est que je vais, si vous le voulez bien, me remettre paisiblement à ma besogne.

Si le doute est contagieux, la foi est communicative. Peu à peu, la marquise de Boiscoran se rassurait de l'assurance superbe de son mari. Le sang remontait à ses joues et le sourire à ses lèvres pâlies.

Et d'une voix plus ferme:

Peut-être, en effet, dit-elle, ai-je été trop prompte à m'alarmer.

Du geste, le marquis approuvait.

Oui, beaucoup trop prompte, chère amie, fit-il. Et même, entre nous, je vous engage à ne point vous en vanter. Comment la justice n'accuserait-elle pas ce pauvre Jacques, lorsque sa mère elle-même le soupçonne!

Mme de Boiscoran avait repris et relisait la dépêche d'Antoine.

Et cependant, murmura-t-elle, répondant aux dernières objections de son esprit, qui donc, à ma place, n'eût été frappé d'épouvante! Ce nom de Claudieuse, surtout...

Eh bien! mais c'est le nom d'un très digne et très loyal gentilhomme, le meilleur que je sache, en dépit de ses façons de loup de mer.

Jacques le hait, mon ami.

Jacques, ma chère, se soucie de lui comme de l'an quarante.

Ils ont eu plusieurs querelles.

Nécessairement; Claudieuse est un forcené légitimiste, et comme tel, c'est toujours avec le dernier mépris qu'il parle de nous autres tous, qui avons servi la famille d'Orléans.

Jacques lui a envoyé du papier timbré.

Et il a parbleu bien fait, de même qu'il a eu tort de ne pas pousser le procès jusqu'au bout. Claudieuse a, sur le cours de la rivière qui nous sépare, la Pibole, des prétentions par trop exorbitantes. Ne voudrait-il pas, en toute saison et selon son gré, retenir les eaux, au risque de noyer les prés de Boiscoran, qui sont bien plus bas que les siens! Déjà feu mon frère, qui était un ange de patience et de douceur, avait eu maille à partir avec ce despote.

Mais la marquise n'était pas convaincue.

Il y a autre chose, fit-elle.

Quoi?

Ah! c'est ce que je me demande.

Jacques vous l'aurait-il donné à entendre?

Non. Voici ce qui s'est passé. L'an dernier, chez la duchesse de Champdoce, j'ai eu l'occasion de rencontrer la comtesse de Claudieuse et ses filles. Elle est charmante, cette jeune femme, et comme nous donnions un bal la semaine suivante, l'idée me vint, que je mis aussitôt à exécution, de l'inviter. Elle refusa, et d'un ton de réserve si glacial qu'il n'y avait pas à insister.

C'est que probablement elle n'aime pas la danse, grommela le marquis.

Le soir même, je parlai de ma démarche à Jacques. Il s'en montra très irrité et me dit, avec un emportement que son respect contenait à peine, que j'avais eu grand tort, et qu'il avait ses raisons pour n'avoir rien de commun avec ces gens-là...

Si parfaite était la sécurité de M. de Boiscoran qu'il n'écoutait déjà plus que d'une oreille distraite, guignant du coin de l'œil ses précieuses faïences.

Soit, interrompit-il. Jacques déteste les Claudieuse. Qu'est-ce que cela prouve? On n'assassine pas, Dieu merci, tous les gens qu'on déteste!

Mme de Boiscoran ne poursuivit pas.

Enfin, demanda-t-elle, que faire?...

Elle avait si peu l'habitude de consulter son mari qu'il parut stupéfait.

L'important, répondit-il, est de tirer Jacques de prison. Il faudrait voir, consulter...

Quelques coups rapides et légers, frappés à la porte, l'interrompirent.

Entrez! cria-t-il.

Un domestique entra, portant une large enveloppe avec cette mention: télégraphie privée.

Parbleu! s'écria le marquis, j'en étais bien sûr!... Voilà qui va nous mettre l'esprit en repos!

Le domestique s'était retiré; il rompit l'enveloppe. Mais au dernier regard jeté sur cette dépêche, le sourire se glaça sur ses lèvres; il pâlit et dit seulement:

Mon Dieu!...

Rapide comme la pensée, Mme de Boiscoran s'empara du papier fatal. Elle lut d'un coup d'œil:

Vite, arrivez. Jacques en prison, au secret, accusé d'un crime affreux. Toute la ville dit qu'il est coupable et qu'il a même avoué. C'est une infâme calomnie. Son juge est son ancien ami, Galpin-Daveline, qui devait épouser cousine Lavarande. Ne sais rien, sinon que Jacques est innocent. C'est une intrigue abominable. Grand-père Chandoré et moi ferons l'impossible. Votre secours indispensable. Venez, venez.

Denise de Chandoré

Ah! mon fils est perdu! s'écria Mme de Boiscoran en fondant en larmes.

Mais déjà le marquis s'était redressé sous ce coup terrible.

Et moi, s'écria-t-il, plus que jamais je dis, comme Denise, qui est une brave fille: oui, Jacques est innocent! Mais il est en péril, je le reconnais... c'est un dangereux engrenage que celui d'un procès criminel. Que ne fait-on pas dire à un homme au secret!...

Il faut agir! interrompit Mme de Boiscoran, à demi folle de douleur.

Oui, et sans perdre une seconde... Nous avons des amis. Cherchons lesquels d'entre eux nous serviront le plus utilement.

Je puis écrire à monsieur de Margeril... De pâle qu'il était, le marquis devint livide.

C'est vous! s'écria-t-il, vous, qui osez prononcer ce nom devant moi!

Il est tout-puissant, monsieur, mon fils est en danger...

D'un geste menaçant, le marquis l'arrêta.

J'aimerais mieux, s'écria-t-il, de l'accent de la haine la plus atroce, j'aimerais mieux mille fois laisser mon fils innocent périr sur l'échafaud que de devoir son salut à cet homme!

Mme de Boiscoran semblait près de s'évanouir.

Mon Dieu! balbutia-t-elle, vous savez pourtant bien que je n'ai été qu'imprudente...

Assez! interrompit durement le marquis. (Et se maîtrisant, grâce à un puissant effort:) Avant de rien tenter, il faut savoir à quoi s'en tenir, reprit-il. Ce soir, vous partirez pour Sauveterre...

Seule?

Non. Je vous trouverai un conseil, un légiste habile et sûr, un avocat qui ne soit pas un homme politique, s'il en reste un... Il vous guidera, là-bas, et me tiendra au courant, afin que je puisse agir ici selon les circonstances. Denise a raison: Jacques doit être victime de quelque ténébreuse intrigue... N'importe, nous le sauverons. Mais il faut du calme, beaucoup de calme...

Et ce disant, il sonnait avec une telle violence que tous les domestiques accoururent, effarés.

Vite, commanda M. de Boiscoran, qu'on aille me chercher mon avoué, maître Chapelain... qu'on prenne une voiture.

Le domestique qui se chargea de la commission fit une telle diligence que, vingt minutes plus tard, maître Chapelain arrivait.

Ah! nous avons besoin de toute votre expérience, mon digne ami, lui dit le marquis. Tenez, lisez ces dépêches...

Fort heureusement l'avoué savait garder le secret de ses impressions, car il crut à la culpabilité de Jacques, sachant bien avec quelle circonspection sont délivrés les mandats d'arrêt.

J'ai l'homme qu'il faut à madame la marquise, dit-il enfin.

Ah!

Un garçon que sa modestie a toujours empêché de se produire, bien qu'il soit un des plus habiles jurisconsultes que je sache, et un admirable orateur.

Et vous le nommez?...

Manuel Folgat. Je vais vous l'envoyer... Deux heures après, en effet, le protégé de maître Chapelain franchissait le seuil de l'hôtel de Boiscoran.

C'était un homme de trente à trente-deux ans, très brun, avec de grands yeux bien ouverts, et dont toute la physionomie respirait l'intelligence et l'énergie.

Il plut au marquis, lequel, après lui avoir exposé ce qu'il savait de la situation de Jacques, entreprit de lui faire connaître le terrain sur lequel il allait manœuvrer, lui disant quels alliés et quels adversaires il rencontrerait à Sauveterre, lui recommandant surtout de se fier à M. Séneschal, un vieil ami de la famille, personnage influent et le plus retors de tous ces diplomates de sous-préfecture, qui rendraient des points à Machiavel.

Tout ce qu'il est humainement possible de faire sera fait, monsieur, dit l'avocat.

Et le soir même, à huit heures quinze minutes, la marquise de Boiscoran et Manuel Folgat prenaient place dans un coupé du chemin de fer d'Orléans.

II

Le chemin de fer qui relie Sauveterre à la ligne d'Orléans doit une légitime célébrité à une série de courbes absolument inutiles, mais qui sont comme un défi au bon sens et qui seraient le théâtre d'accidents quotidiens si l'on s'avisait de marcher à une vitesse de plus de huit ou dix kilomètres à l'heure. La gare, toujours pour la plus grande commodité de messieurs les voyageurs, a été bâtie à une bonne demi-lieue de la ville, sur l'emplacement des jardins de M. Thibault, le premier banquier de l'arrondissement. On y arrive par une jolie route jalonnée d'auberges et de cabarets, lesquels, les jours de marché, s'emplissent de paysans qui, le verre à la main et la bouche pleine de protestations de bonne foi, cherchent à se voler à qui mieux mieux.

Les jours ordinaires, même, cette route est assez fréquentée, car le chemin de fer est devenu un but de promenade. On y va voir arriver ou partir les trains, dévisager les étrangers, et aussi épiloguer sur les motifs connus ou secrets qui peuvent déterminer M. Untel ou Mme Unetelle à se mettre en voyage.

Il était neuf heures du matin, lorsqu'approcha enfin de Sauveterre le train qui amenait la marquise de Boiscoran et maître Folgat.

La marquise était brisée des fatigues et des angoisses de cette nuit passée tout entière à discuter les chances de salut de son fils, et d'autant plus anéantie que maître Folgat s'était étudié à ne pas encourager ses espérances. C'est qu'il partageait, sans en avoir rien laissé paraître, les doutes de maître Chapelain. De même que le vieil avoué, le jeune avocat s'était dit qu'on n'arrête pas un homme tel que Jacques de Boiscoran sans les plus fortes raisons, sans avoir en main de ces preuves qui valent presque une certitude. Bientôt le train ralentit sa marche.

Pourvu, mon Dieu! fit Mme de Boiscoran, pourvu que Denise et monsieur de Chandoré aient eu l'idée d'envoyer une voiture par-devant de nous.

Pourquoi cela, madame? demanda maître Folgat.

Pour m'y jeter bien vite, monsieur, pour y dérober à tous les yeux ma douleur et mes larmes...

Le jeune avocat secoua la tête.

C'est ce que vous vous garderez de faire, madame, dit-il, si j'ai sur vos actions quelque influence...

Elle le regardait d'un air surpris.

Je veux dire, insista-t-il, qu'il ne faut pas que vous paraissiez éviter les regards. Ce serait une faute immense, peut-être irréparable. Que penserait-on, si l'on vous voyait désolée et en pleurs? On penserait que vous êtes sûre de la culpabilité de votre fils, et ceux qui doutent encore ne douteraient plus. Il vous faut, du premier coup, conquérir l'opinion; car elle est souveraine, madame, dans les petits pays surtout, où chacun vit sous le contrôle immédiat du voisin. L'opinion s'impose à tous et, quoi qu'on dise, quoi qu'on fasse, elle poursuit les jurés jusque dans la salle de leurs délibérations...

C'est vrai, murmurait la marquise, ce n'est que trop vrai...

Donc, madame, au nom des intérêts les plus sacrés, faites appel à toute votre énergie, refoulez au plus profond de votre âme vos maternelles angoisses, séchez vos larmes et montrez à tous une confiance superbe. Que chacun, en vous apercevant, se dise: non, une mère n'est pas ainsi quand son fils est coupable.

Mme de Boiscoran se redressa.

Vous avez raison, monsieur, dit-elle, et je vous remercie. Oui, c'est à moi de frapper l'opinion, et autant je souhaitais trouver la gare déserte, autant je désire maintenant qu'elle soit pleine de monde. Je vous ferai voir ce que peut une femme que soutient la pensée de son fils.

La marquise de Boiscoran n'était pas une femmelette. Tirant un peigne de son sac de voyage, elle répara le désordre de sa coiffure; en quelques gestes rapides, elle rétablit l'harmonie de sa toilette; ses traits, grâce à une puissante projection de volonté, reprirent leur sérénité accoutumée; elle contraignit sa bouche à sourire, sans qu'on discernât l'effort, et d'une voix d'un timbre pur et net:

Regardez-moi, monsieur, dit-elle. Puis-je paraître, maintenant?

Le train s'arrêtait devant les bâtiments de la station. Maître Folgat sauta légèrement à terre, et offrant la main à la marquise pour l'aider à descendre:

Soyez satisfaite, madame, lui dit-il, votre courage ne sera pas perdu; tout Sauveterre doit être là.

C'était plus qu'à moitié vrai. Dès la veille au soir, le bruit s'était répandusemé par qui? on ne saitque la «mère de l'assassin», comme on disait déjà charitablement, arriverait par le train de neuf heures, et chacun s'était bien promis à part soi de se trouver, par hasard, à la gare à son arrivée.

C'était une émotion à ne pas négliger, dans une localité où la conversation vit trois jours sur la dernière robe arborée par la sous-préfète.

De l'impression de Mme de Boiscoran, en se trouvant en face de tant de monde, nul ne s'était inquiété ni soucié. C'est qu'à Sauveterre la curiosité a du moins cette qualité de n'être pas hypocrite. On y est indiscret naïvement et sans la moindre pudeur. On s'y plante carrément devant vous, et les yeux dans vos yeux, on s'efforce de démêler le secret de votre joie ou de votre douleur.

Il est vrai d'ajouter que les esprits étaient fort montés contre Jacques de Boiscoran. S'il n'y eût eu à sa charge que la destruction du Valpinson et les coups de fusil tirés à M. de Claudieuse, ce n'eût été que peu de chose. Mais l'incendie avait eu des conséquences épouvantables. Deux hommes y avaient péri, et deux autres y avaient été blessés assez grièvement pour qu'on les crût en danger de mort.

La veille, on avait vu un convoi sinistre traverser la rue Nationale. Dans une charrette, recouverte d'un drap et près de laquelle marchaient deux prêtres, on rapportait les restes carbonisés et n'ayant plus forme humaine de Bolton, le tambour, et du pauvre Guillebault. Dans une voiture qui suivait étaient les deux blessés, l'un, le gendarme, impassible; l'autre, le fermier, poussant des cris déchirants.

Toute la ville avait pu voir la veuve de Guillebault se rendre chez le maire, portant entre ses bras son dernier enfant et traînant, pendus à ses jupes, les quatre autres, dont l'aîné n'avait pas douze ans.

Attribuant tous ces malheurs à Jacques, les gens le chargeaient de malédictions et songeaient peut-être à les faire remonter en huées jusqu'à sa mère, jusqu'à la marquise de Boiscoran.

La voilà! la voilà! murmura-t-on dans la foule quand elle parut sur le seuil de la gare, donnant le bras à maître Folgat.

Seulement, on ne dit que cela, tant on était surpris de l'assurance de son maintien.

Deux courants aussitôt divisèrent l'opinion. Elle a du toupet! pensaient les uns. Et les autres: elle est sûre de l'innocence de son fils.

Elle avait, en tout cas, assez de sang-froid pour discerner l'impression qu'elle produisait, et combien elle avait eu raison de suivre les conseils de maître Folgat. Sa force en fut doublée. Et distinguant dans la foule quelques personnes de sa connaissance, elle s'avança vers elles, et toujours souriante:

Eh bien! dit-elle, vous savez ce qui nous arrive! C'est inouï! Voici maintenant la liberté d'un homme tel que mon fils à la merci du premier soupçon saugrenu qui passera par la cervelle d'un juge. J'ai appris la nouvelle hier soir par le télégraphe, et j'accours avec monsieur, qui est de nos amis et l'un des plus remarquables avocats de Paris.

Maître Folgat fronçait les sourcils. Il eût voulu la marquise plus mesurée. Cependant il ne pouvait se dispenser de la soutenir.

Ces messieurs du parquet, prononça-t-il d'un ton d'oracle, regretteront peut-être d'avoir été si prompts.

Heureusement, un jeune garçon qui portait pour toute livrée une casquette à galon d'or s'approcha de Mme de Boiscoran.

La voiture de monsieur de Chandoré est là, dit-il, aux ordres de madame la marquise.

Je suis à vous, mon petit ami, dit-elle au jeune garçon. (Et saluant les braves Sauveterriens, interloqués de son assurance:) Excusez-moi de vous quitter si brusquement, dit-elle, mais monsieur de Chandoré m'attend. J'espère d'ailleurs avoir, cet après-midi même, le plaisir de vous rendre visite... au bras de mon fils.

La maison de Chandoré, pour parler comme à Sauveterre, est bâtie de l'autre côté de la place du Marché-Neuf, tout au sommet de la rue de la Rampe, une rue qui n'est guère plus praticable qu'un escalier et dont M. Séneschal, le maire, ne cesse de demander la rectification au conseil municipal, qui ne se lasse pas de la lui refuser.

C'est une construction toute moderne, gauche, massive, et flanquée d'une prétentieuse tourelle à toit pointu, que le radical docteur Seignebos appelle une perpétuelle menace du système féodal. Il est certain que les Chandoré affichaient autrefois de hautes prétentions nobiliaires, le dédain profond de quiconque n'avait pas eu des ancêtres aux croisades, et la haine de toutes les idées qui datent de la Révolution.

Mais s'ils avaient jamais été redoutables, ils avaient depuis longues années cessé de l'être. De cette grande famille, une des plus nombreuses de Saintonge et des plus puissantes, il ne restait plus qu'un vieillard, le baron de Chandoré, et une enfant, sa petite-fille, la fiancée de Jacques de Boiscoran.

Denise était orpheline. Elle n'avait pas trois ans, lorsqu'à moins de cinq mois d'intervalle elle perdit son père, tué en duel, à la suite d'une discussion futile, et sa mère, une demoiselle de Lavarande, qui n'eut pas l'énergie de survivre à l'homme qu'elle avait aimé. Ce fut, certes, pour l'enfant, un immense malheur; mais ni les soins ni la tendresse ne lui manquèrent. Sur elle seule son grand-père reporta toutes ses affections et toutes ses espérances, et les deux sœurs de sa mère, les demoiselles de Lavarande, déjà d'un certain âge, prirent la résolution définitive de ne se jamais marier, afin de se consacrer plus exclusivement à leur nièce.

Dès cette époque, les deux bonnes demoiselles avaient demandé à M. de Chandoré à venir demeurer avec lui. Il avait rejeté bien loin leurs propositions, déclarant que, sa petite-fille étant à lui seul, il prétendait, sarpejeu! la garder pour lui seul. Il trouvait déjà bien beau, ajoutait-il, de permettre aux demoiselles de Lavarande de s'occuper de Denise et de passer avec elle toutes les journées.

De ce différend devait naître et naquit en effet, entre les tantes et le grand-père, une rivalité qui se traduisit par les plus étonnantes exagérations. Ce fut à qui capterait, et dame!, par n'importe quels moyens, la première place dans l'affection de la petite fille, à qui déroberait une de ses caresses ou achèterait le plus cher un de ses sourires. À cinq ans, Denise avait eu tous les joujoux qui ont été inventés. À dix ans, elle était rassasiée de robes et ne savait plus où mettre ses bijoux.

Du soir au lendemain, pour ainsi dire, on avait vu se métamorphoser M. de Chandoré. Brusque, sévère, dur, il avait, sans transition, tourné au «papa gâteau». Il avait éteint l'éclat métallique de ses yeux, fixé sur ses lèvres un perpétuel sourire et donné à sa voix ces inflexions mignardes que prennent les nourrices. On ne rencontrait que lui, par les rues, en courses pour sa petite-fille, trottant de la boutique du pâtissier au magasin du marchand de jouets. Il invitait les petites amies, organisait des dînettes, poussait le cerceau ou le volant, et même, au besoin, menait les rondes.

Denise fronçait-elle le sourcil, il tressautait. Toussait-elle, il devenait tout pâle. Elle fut malade, une fois, elle eut la rougeole: il resta douze nuits sans se coucher et fit venir de Paris des médecins qui lui rirent au nez.

Eh bien! les demoiselles de Lavarande trouvaient encore le moyen de dépasser les folies de M. de Chandoré. Certes, si Denise apprit quelque chose, c'est bien parce qu'elle le voulut absolument, tant au moindre signe d'impatience elles étaient disposées à congédier le professeur d'écriture ou la maîtresse de piano.

C'est en haussant les épaules que Sauveterre assistait à ce spectacle. «Quelle éducation pitoyable! disaient les dames de la société. On n'a pas idée d'une faiblesse pareille. C'est un joli service qu'on rend à cette enfant.»

Il est sûr que tant et de si incroyables gâteries, cette aveugle soumission et ces adorations perpétuelles couraient grand risque de faire de Denise la plus désagréable petite personne qui se pût voir. Pas du tout. Il est de ces naturels si heureux que rien ne saurait les pervertir. Et d'ailleurs, elle fut peut-être préservée du danger par son excès même.

Plus âgée, elle disait en riant: «Grand-père Chandoré, tantes Lavarande et moi, nous faisons tout ce que je veux.»

Ce n'était là qu'une plaisanterie. Jamais jeune fille ne récompensa, par des qualités si rares et si exquises, de plus pures affections.

Elle vivait donc heureuse et insoucieuse, et elle venait d'avoir dix-sept ans lorsqu'arriva le grand événement de sa vie.

M. de Chandoré, ayant un matin rencontré Jacques de Boiscoran, dont l'oncle avait été son ami, l'invita à dîner. Jacques accepta l'invitation; il vint. Mlle Denise le vit et... l'aima. De ce moment et pour la première fois, elle eut un secret que ne connurent ni grand-père Chandoré ni tantes Lavarande, et, pendant deux ans, ses fleurs et ses oiseaux furent les seuls confidents de cet amour qui grandissait au fond de son âme, doux comme le rêve, idéalisé par l'absence et poétisé par le souvenir. Car Jacques fut deux ans sans voir...

Mais aussi, le jour où il vit clair, étourdi de son bonheur, ébloui des perspectives qui s'offraient à lui, il sentit que sa destinée était fixée. Aussi n'hésita-t-il pas; et, à moins d'un mois de là, son père, le marquis de Boiscoran, faisait le voyage de Sauveterre pour demander la main de Mlle Denise.

Ah! ce fut un rude coup pour grand-père Chandoré. Certes, il n'avait pas été sans songer souvent au mariage de sa petite-fille, sans en parler quelquefois, sans lui dire, à elle-même, qu'il se faisait vieux et qu'il se sentirait soulagé d'une grosse inquiétude quand il lui aurait trouvé un bon mari. Mais il parlait de cela comme d'une chose lointaine, comme il parlait de mourir, par exemple.

La démarche de M. de Boiscoran l'éclaira sur ses véritables sentiments. La pensée de donner Denise, de la voir lui préférant un homme, d'abord, puis des enfants qu'elle aurait de cet homme, lui fit horreur.

Pour bien peu, il eût jeté dehors l'ambassadeur. Cependant il se contraignit et répondit qu'il ne pouvait rien prendre sur lui et qu'il lui fallait consulter sa petite-fille. Il gardait encore l'espoir qu'elle repousserait cette demande.

Pauvre grand-père! Aux premiers mots qu'il hasarda:

Quel bonheur! s'écria la jeune fille. Mais je m'y attendais.

Sans doute pour cacher une larme qui jaillit brûlante de ses yeux, M. de Chandoré baissa la tête.

Ce mariage se fera donc, murmura-t-il.

Déjà, un peu consolé par la joie qu'il avait vu briller dans les yeux de sa petite-fille, il en était à se reprocher son féroce égoïsme et à se gourmander de ne pas s'estimer très heureux lorsque Denise était si contente.

Jacques avait donc été admis à faire officiellement sa cour, et l'avant-veille de l'incendie du Valpinson, après une longue délibération, où l'on avait calculé le temps strictement nécessaire aux emplettes et à l'achèvement du trousseau, le jour de la noce avait été irrévocablement fixé.

Ainsi, c'est en plein bonheur que Mlle Denise fut frappée, lorsqu'elle apprit en même temps de quels crimes on accusait Jacques de Boiscoran et son arrestation. Foudroyée d'abord, elle était restée près de dix minutes sans connaissance entre les bras de ses tantes et de son grand-père épouvantés. Mais dès qu'elle revint à elle:

Suis-je donc folle, s'écria-t-elle, de m'émouvoir ainsi! N'est-il pas évident qu'il est innocent!

C'est alors qu'elle avait adressé une dépêche au marquis de Boiscoran, comprenant bien qu'avant de rien tenter, il était indispensable de s'entendre avec la famille de Jacques. Puis elle avait demandé qu'on la laissât seule, et sa nuit s'était passée à compter les minutes qui la séparaient encore de l'heure où arrivait le train de Paris.

Dès huit heures, elle descendit elle-même donner au domestique l'ordre d'atteler et de partir pour attendre Mme de Boiscoran à la gare, lui recommandant surtout de revenir bride abattue. Elle alla ensuite s'établir dans le salon, où se trouvaient déjà ses tantes et son grand-père. Ils lui parlaient, mais son attention était ailleurs...

Bientôt elle entendit une voiture remonter au galop la rue de la Rampe et s'arrêter devant la maison. Elle se dressa alors et s'élança dans le vestibule en s'écriant:

Voilà la mère de Jacques!

III

Ce n'est jamais impunément qu'on violente ses sentiments les plus chers. Lorsqu'enfin la marquise de Boiscoran put se réfugier dans la voiture envoyée à sa rencontre, elle était bien près de défaillir, brisée par l'effort inouï qu'elle avait fait pour montrer aux impitoyables curieux de Sauveterre une contenance assurée et un visage riant.

Quelle horrible comédie! murmura-t-elle en se laissant tomber sur les coussins.

Reconnaissez, du moins, madame, qu'elle était nécessaire, prononça maître Folgat. Vous venez de conquérir cent personnes peut-être à votre fils.

Elle ne répondit pas. Les larmes l'étouffaient. Que n'eût-elle pas donné pour se trouver seule, chez elle, pour s'abandonner librement à toutes les lâchetés de sa douleur et de ses angoisses maternelles!

Jamais trajet ne lui avait paru aussi insupportablement long que celui qui sépare la gare de la rue de la Rampe. Lancé à toute vitesse, le cheval faisait feu des quatre pieds; il lui semblait qu'il n'avançait pas... Pourtant, la voiture finit par s'arrêter. Le petit domestique avait déjà sauté à terre, et il tournait la poignée de la portière en disant:

Nous voilà arrivés.

Aidée de maître Folgat, Mme de Boiscoran descendit, et son pied touchait à peine le pavé de la rue que la porte de la maison s'ouvrit et que Mlle Denise se jeta dans ses bras, trop émue pour pouvoir rien dire, sinon:

Oh! ma mère, ma chère mère, quel horrible malheur!

Dans l'ombre du corridor, s'avançait M. de Chandoré, qui s'était levé en même temps que sa petite-fille.

Rentrons, dit-il à ces infortunées, ne restons pas là... Déjà derrière tous les volets brillent des yeux qui nous épient.

Et il les entraîna dans le salon.

Positivement, maître Folgat était assez embarrassé de son personnage. Nul ne semblait s'apercevoir de son existence. Il avait suivi, cependant, il était entré dans le salon et, debout près de la porte, ému de l'émotion de tous, il observait alternativement Mlle Denise, M. de Chandoré et les demoiselles de Lavarande.

Mlle Denise allait avoir vingt ans. On ne pouvait dire qu'elle fût remarquablement jolie, mais il était difficile de l'oublier quand on l'avait vue une fois. Petite, elle était la grâce même, et chacun de ses mouvements trahissait quelque rare et exquise perfection. Avec des cheveux noirs d'une merveilleuse abondance, elle avait les yeux bleus et le teint d'une blonde des pays du Nord, un teint dont l'éblouissante blancheur faisait paraître jaunes toutes les comparaisons imaginées par les poètes: le lis, la neige, le lait... En elle, tout exprimait une angélique douceur et la plus excessive timidité. Et pourtant, certains plis de ses lèvres et le mouvement de ses sourcils devaient faire soupçonner une grande énergie.

Près d'elle, grand-père Chandoré étonnait par sa haute stature et par sa carrure puissante. Soixante-douze années n'avaient pas fait plier ses reins d'hercule, et il semblait bâti pour défier tous les orages de la vie. Ce qu'il avait surtout de singulier, c'était un teint rouge brique, uniformément cramoisi, un teint de vieux chef mohican, que faisaient paraître plus dur et plus cru sa barbe, ses sourcils et ses cheveux blancs. Son visage, malgré tout, exprimait une bonté presque enfantine. Mais il ne fallait pas le regarder deux fois pour comprendre qu'il eût été peu prudent de se fier au sourire bénin qui voltigeait sur ses lèvres charnues. Et, à certaines étincelles qui s'allumaient au fond de ses yeux gris, on sentait, par exemple, que celui-là eût passé un fâcheux quart d'heure entre ses mains, qui se fût permis d'offenser Mlle Denise.

Quant aux tantes Lavarande, longues et minces comme une baguette de saule, pâles, discrètes, d'une réserve et d'une froideur ultra-aristocratiques, elles avaient cette physionomie placide et cette expression de sensibilité dévouée des vieilles filles dont le célibat n'a pas aigri les illusions. Elles portaient des toilettes absolument pareilles, comme c'était leur invariable habitude depuis quarante ans, des toilettes de couleur indécise, modestes comme toute leur personne.

Elles pleuraient, en ce moment, et maître Folgat se demandait de quel sacrifice elles ne seraient pas capables pour racheter les larmes de leur nièce.

Pauvre Denise! murmuraient-elles.

La jeune fille les entendit; et se dressant tout à coup, et rompant le lourd silence qui durait depuis longtemps déjà:

Mais notre conduite est indigne! s'écria-t-elle. Que dirait Jacques, si du fond de sa prison il lui était donné de nous voir! Pourquoi nous affliger? Est-il donc coupable?...

Ses yeux brillaient d'un éclat extraordinaire, sa voix avait des vibrations qui troublaient maître Folgat jusqu'au fond de l'âme.

Je puis, du moins, me rendre cette justice, poursuivit-elle, que je n'ai pas douté de lui une seconde. Et comment le doute m'eût-il effleurée? Le soir même de l'incendie du Valpinson, Jacques m'a écrit une lettre de quatre pages, qu'il m'a envoyée ici par un de ses fermiers, et que j'ai reçue à neuf heures... Je l'ai montrée à grand-père, cette lettre, il l'a lue, et aussitôt il s'est écrié que j'avais mille et mille fois raison et que jamais un homme méditant un crime affreux n'eût écrit cela.

Je l'ai dit et je le pense, approuva M. de Chandoré, et tout homme sensé sera de mon avis, seulement...

Mais sa petite-fille ne le laissa pas achever.

Il est donc évident, interrompit-elle, que Jacques est victime de quelque intrigue abominable, c'est à nous à la déjouer. Assez pleuré, il faut agir... (Et s'adressant à Mme de Boiscoran:) Et c'est pour nous aider à cette œuvre de salut, chère mère, que je vous ai appelée...

Et me voici, dit la marquise, non moins sûre que vous, chère enfant, de l'innocence de mon fils.

Ce n'était sans doute pas tout ce qu'avait rêvé M. de Chandoré, car intervenant:

Et le marquis? demanda-t-il.

Mon mari reste à Paris.

Le vieillard eut une grimace des plus significatives.

Ah! je le reconnais bien là! s'écria-t-il. Rien ne saurait l'émouvoir. Son fils unique est lâchement accusé d'un crime, arrêté, et en prison. On le prévient, on pense qu'il va accourir... Erreur! Que son fils se tire d'affaire s'il peut. Lui restera à surveiller ses potiches. Ah! si j'avais encore un fils!...

Mon mari, monsieur, protesta la marquise, pense qu'il sera plus utile à Jacques en restant à Paris. Il peut y avoir des démarches à faire...

Le chemin de fer n'est-il pas là...

Enfin, prononça Mme de Boiscoran, il m'a confiée à monsieur... (Elle montrait le jeune avocat.) Monsieur Manuel Folgat, dont l'expérience, le talent et le dévouement nous sont acquis.

Ainsi présenté régulièrement, maître Folgat s'inclinait.

Et j'ai bon espoir, dit-il, tant il avait été gagné par la confiance de Mlle Denise. Mais je suis de l'avis de mademoiselle de Chandoré. Il faut agir sans perdre une seconde. Or, avant d'arrêter une ligne de conduite, j'aurais besoin de connaître exactement les faits.

Malheureusement, nous ne savons rien, répondit M. de Chandoré. Rien, sinon que Jacques est au secret.

Eh bien! nous nous informerons. Vous connaissez sans doute les magistrats de Sauveterre?

Fort peu, à l'exception du procureur de la République...

Et le juge chargé de l'instruction?

L'aînée des demoiselles de Lavarande se dressa.

Celui-là! s'écria-t-elle, monsieur Galpin-Daveline est un monstre d'hypocrisie et d'ingratitude! Il se disait l'ami de Jacques. Et, en effet, Jacques l'aimait assez pour nous avoir décidées, ma sœur et moi, à accorder à ce petit juge la main d'une de nos cousines, une Lavarande... Pauvre enfant! Quand elle a connu l'affreuse vérité: «Ô mon Dieu! s'est-elle écriée, soyez béni de m'avoir épargné la honte d'être la femme d'un tel homme!»

Et en effet, ajouta l'autre vieille demoiselle, si tout Sauveterre croit Jacques coupable, c'est que chacun se dit: c'est un ami qui est son juge...

Maître Folgat hochait la tête.

Il me faudrait des renseignements plus précis, dit-il. Monsieur de Boiscoran m'avait parlé du maire de la ville, monsieur Séneschal.

M. de Chandoré sauta sur son chapeau.

En effet! s'écria-t-il, celui-là est notre ami, et si quelqu'un est bien informé, c'est lui! Allons le trouver. Venez...

Certainement M. Séneschal était l'ami des Chandoré, et aussi des Lavarande, et pareillement des Boiscoran. Si avoué que l'on soit, ce ne peut-être sans s'attacher aux gens que, vingt années durant, on est leur confident et leur conseil.

Bien après avoir vendu sa charge, M. Séneschal était encore le seul à avoir l'absolue confiance de ses anciens clients. Jamais ils n'eussent pris une détermination grave sans avoir son avis. Ils s'adressaient à son successeur, mais ils le consultaient avant. Les services, d'ailleurs, étaient réciproques. La clientèle de grand-père Chandoré et de l'oncle de Jacques n'avait pas été sans attirer plus d'un paysan processif en l'étude de maître Séneschal. Leur appui ne lui avait pas été inutile, lorsque, pris du vertigo de l'ambition, il s'était «sacrifié à son pays» en sollicitant la place de maire et le mandat de conseiller général.

Aussi, ce digne et excellent homme était-il consterné, lorsqu'au matin de l'incendie du Valpinson, il rentra à Sauveterre. Il était si blême et si défait que sa femme en fut toute saisie.

Seigneur Dieu! Auguste! s'écria-t-elle, que t'est-il arrivé?

Auguste était le prénom de M. Séneschal.

Il arrive quelque chose d'affreux! répondit-il d'un accent si tragique que Mme Séneschal en frémit.

Il est vrai que Mme Séneschal frémissait aisément. C'était une femme de quarante-huit à cinquante ans, très brune, courte, dodue, et dont la poitrine mettait à de rudes épreuves les corsages que lui confectionnaient ses couturières, les demoiselles Méchinet, les sœurs du greffier.

Jeune, elle avait eu la beauté du diable. Elle gardait en vieillissant des joues enluminées comme une image d'Épinal, une forêt de cheveux noirs bien plantés et des dents admirables. Pourtant elle n'était pas heureuse. Sa vie s'était consumée à souhaiter un enfant et elle n'en avait pas eu. «Ce qui doit, disait-elle, paraître inexplicable aux personnes qui nous connaissent, monsieur Séneschal et moi; lui qui a été un des beaux hommes de Sauveterre, et moi qui ai toujours joui d'une santé exceptionnelle.»

Et tout de suite, qu'on fût ou non de son intimité, elle entrait à ce sujet dans les détails les plus délicats, disant ses déceptions et celles de son mari, les pèlerinages qu'elle avait faits, le nom des médecins qu'ils avaient consultés, et combien de mois elle avait passés au bord de la mer, vivant presque exclusivement de poisson qu'elle n'aimait point. Rien n'avait réussi; et ses espérances s'évanouissant avec les années, elle s'était résignée, et l'amertume de ses regrets s'était changée en une sorte de mélancolie sentimentale qu'elle nourrissait de romans et de poésies. Elle avait une larme au service de toutes les infortunes, et quelques paroles de consolation pour toutes les douleurs. Sa charité était proverbiale. Jamais une pauvre femme en couches ne s'était inutilement adressée à son cœur.

Ce qui ne l'empêchait pas d'être une maîtresse femme qu'il était malaisé de duper, menant sa maison au doigt et à l'œil, dirigeant une lessive ou réglant un dîner comme pas une dame de Sauveterre.

C'est donc en sanglotant qu'elle écouta le récit que lui fit son mari des événements de la nuit. Et lorsqu'il eut achevé:

Cette pauvre Denise, dit-elle, est capable d'en mourir. À ta place, j'irais bien vite chez monsieur de Chandoré, lui apprendre avec tous les ménagements convenables cette funeste nouvelle.

C'est ce dont je me garderai bien! s'écria M. Séneschal, et même je te défends expressément d'y aller...

C'est qu'il n'était pas un héros de stoïcisme et que, s'il se fût écouté, il eût pris le chemin de fer et se fût enfui à cent lieues, pour n'être pas témoin de la douleur de grand-père Chandoré et de tantes Lavarande, du désespoir de Denise, surtout, qu'il affectionnait particulièrement, et dont, depuis tant d'années, il soignait et arrondissait la dot avec autant de sollicitude que si elle eût été sa fille.

C'est qu'aussi il ne savait plus que croire, et qu'influencé par l'assurance de M. Galpin-Daveline, désorienté par le déchaînement de l'opinion, il en arrivait à se demander si Jacques, véritablement, n'avait pas commis les crimes dont on l'accusait.

Ses occupations, par bonheur, devaient être, ce jour-là, trop nombreuses pour lui laisser le loisir de la réflexion. Il avait à assurer le transport des restes informes du tambour Bolton et du pauvre Guillebault. Il dut recevoir la mère de l'un et la femme de l'autre, écouter leurs lamentations et essayer de les consoler; promettre à la première une petite pension, affirmer à la seconde qu'il ferait obtenir à l'aîné de ses garçons une bourse entière au collège de Sauveterre ou au petit séminaire de Pons.

Il lui avait fallu, de plus, donner des ordres pour qu'on rapportât, avec toutes les précautions nécessaires, les blessés de l'incendie, le gendarme et le paysan.

Il s'était, aussitôt après, mis en quête d'une maison pour le comte et la comtesse de Claudieuse, et ne l'avait pas trouvée sans peine.

Enfin, une bonne partie de son après-midi avait été prise par une violente discussion avec le docteur Seignebos. Le docteur, au nom, prétendait-il, de la science outragée, au nom de la justice et de l'humanité, réclamait l'arrestation immédiate de Cocoleu, ce misérable dont le témoignage inconscient avait été la base de la prévention. Il exigeait, jurait-il, en frappant du poing sur la table, que cet idiot épileptique fût conduit à l'hôpital et séquestré, par mesure administrative, pour être ultérieurement soumis à l'examen des hommes de l'art.

Longtemps le maire avait résisté à ces prétentions, qui lui paraissaient exorbitantes, mais M. Seignebos avait parlé si haut et si ferme qu'à la fin il avait expédié deux gendarmes à Bréchy, avec l'ordre de ramener Cocoleu.

Ils étaient revenus quelques heures plus tard, les mains vides. L'idiot avait disparu. Personne, dans le pays, n'avait pu leur donner de ses nouvelles.

Et vous trouvez cela naturel! s'était écrié le docteur Seignebos, dont les yeux étincelaient sous ses lunettes d'or. Moi, j'y vois la preuve irrécusable du complot organisé pour perdre monsieur de Boiscoran.

Mais, sacrebleu! soyez donc tranquille, avait répondu M. Séneschal, agacé, Cocoleu n'est pas perdu, on le retrouvera.

Le médecin s'était éloigné sans insister, mais avant de rentrer chez lui, il était monté au cercle, et là, en présence de plus de vingt personnes, il avait dit avoir acquis la preuve que Jacques de Boiscoran était victime de ses opinions avancées, que les partis monarchistes ne lui pardonnaient pas d'avoir déserté leurs rangs, et que certainement les jésuites n'étaient pas étrangers à l'affaire.

Cette intervention devait être plus nuisible qu'utile à Jacques, et le résultat ne se fit pas attendre. Le soir même, lorsque M. Galpin-Daveline traversa la place du Marché-Neuf, il fut outrageusement sifflé.

Tout naturellement, le juge d'instruction, furieux, se transporta chez le maire, s'en prenant à lui de l'insulte faite à la justice en sa personne, et réclamant la plus énergique répression. M. Séneschal promit de prendre les mesures nécessaires et courut chez M. Daubigeon, le procureur de la République, pour se concerter avec lui. Là il apprit ce qui s'était passé à Boiscoran, et le résultat terrible de l'interrogatoire.

Il était donc rentré chez lui fort triste, désolé de la situation de Jacques et très inquiet de la couleur politique que prenait cette affaire.

Avec de telles préoccupations, il avait passé une mauvaise nuit, et il s'était levé d'une humeur si massacrante que c'est à peine si sa femme avait osé lui adresser la parole.

C'est que tout n'était pas fini. À deux heures précises devait avoir lieu l'enterrement de Bolton et de Guillebault, et il avait promis au capitaine Parenteau qu'il y assisterait, ceint de son écharpe, à la tête d'une partie du conseil municipal. Il venait même de donner l'ordre de préparer ses habits de cérémonie, quand son domestique lui annonça la visite de M. de Chandoré et d'un autre monsieur.

Il ne manquait que cela! s'écria-t-il. (Mais réfléchissant:) Tôt ou tard, la scène aura toujours lieu... Qu'ils entrent!

M. Séneschal était bien bon de s'émouvoir ainsi d'avance et de s'affermir contre une déchirante explosion de douleur. Il fut stupéfait de l'air dégagé dont M. de Chandoré lui présenta son compagnon:

Monsieur Manuel Folgat, mon cher Séneschal, un des avocats en renom de Paris, qui a bien voulu accompagner la marquise de Boiscoran, arrivée ce matin.

Je suis étranger au pays, monsieur le maire, ajouta maître Folgat, j'en ignore les idées, les coutumes, les mœurs, les intérêts, les préjugés, tout enfin, et je risquerais de commettre quelque grosse sottise si je n'avais un conseiller expérimenté, habile et sûr. Monsieur de Boiscoran et monsieur de Chandoré m'ont fait espérer que vous voudriez bien être ce conseiller...

Assurément, monsieur, et du meilleur cœur, répondit M. Séneschal tout en s'inclinant, visiblement flatté de la déférence de l'avocat de Paris.

Il avait avancé des sièges à ses hôtes. Lui-même s'était assis et, le coude appuyé au bras de son fauteuil de cuir, il caressait de la main son menton rasé de frais.

L'affaire est grave, messieurs, prononça-t-il enfin.

Une accusation criminelle l'est toujours, dit maître Folgat.

Sarpejeu! messieurs! s'écria M. de Chandoré, doutez-vous donc de l'innocence de Jacques?

M. Séneschal ne répondit pas non. Il se taisait, il cherchait de ces atténuations savantes dont sa femme parlait la veille.

Comment imaginer, commença-t-il enfin, les idées qui peuvent germer dans un cerveau de vingt-cinq ans, exalté par le souvenir de certaines offenses! La colère est une conseillère perfide...

Grand-père Chandoré n'en put écouter plus long.

Que me parlez-vous de colère, interrompit-il, et où en voyez-vous trace en cette affaire du Valpinson! Je n'aperçois, moi, que le plus lâche des crimes, longuement prémédité et froidement exécuté.

Gravement, le maire hochait la tête.

Vous ne savez pas tout ce qui s'est passé, fit-il.

Monsieur, dit maître Folgat, c'est avec l'espoir d'être renseignés que nous sommes venus à vous.

Soit, fit M. Séneschal.

Et tout de suite, avec la lucidité d'un vieil avoué accoutumé à débrouiller les fils les plus enchevêtrés d'une procédure, il exposa les faits dont il avait été témoin au Valpinson, et ceux que le procureur de la République lui avait dit s'être passés à Boiscoran. Et en terminant:

Enfin, conclut-il, savez-vous ce que m'a dit Daubigeon, dont certes vous ne suspecterez pas le témoignage? Il m'a dit en propres termes: «Daveline ne pouvait pas ne pas faire arrêter monsieur de Boiscoran. Est-il coupable? Je ne sais plus que penser. Les charges sont écrasantes. Il jure ses grands dieux qu'il est innocent, mais il refuse de faire connaître l'emploi de sa soirée...».

M. de Chandoré, cet homme si robuste, semblait près de défaillir, encore bien que son visage conservât ses tons cramoisis, dont nulle émotion ne pouvait pâlir l'éclat.

Que va dire Denise, mon Dieu! murmura-t-il. (Puis, tout haut, et s'adressant à maître Folgat:) Et cependant, fit-il, Jacques avait certainement des projets pour ce soir-là.

Vous croyez, monsieur?

J'en suis sûr. Est-ce que sans cela il ne fût pas venu à la maison comme tous les soirs depuis un mois? Lui-même le dit d'ailleurs, dans la lettre qu'il a envoyée à Denise par un de ses fermiers, cette lettre dont elle vous a parlé... Il lui écrit: «C'est du fond du cœur que je maudis l'affaire qui m'empêchera de passer la soirée près de vous, mais il m'est impossible de la remettre. À demain...»

Vous voyez! s'écria M. Séneschal.

Telle est cette lettre, continua le vieillard, qu'il est impossible, je le répète, qu'un homme méditant un odieux forfait l'ait pensée et écrite. Pourtant, à vous, je puis l'avouer, lorsque j'ai appris la funeste nouvelle, cette circonstance d'une affaire urgente m'a impressionné péniblement.

Mais le jeune avocat semblait bien loin d'être convaincu.

Il est clair, prononça-t-il, que monsieur de Boiscoran ne veut, à aucun prix, qu'on sache où il est allé.

Il a menti, monsieur, insista M. Séneschal, il a commencé par nier avoir pris la route où les témoins l'ont rencontré.

Naturellement, puisqu'il tient à cacher l'endroit où il est allé.

Quand on lui a signifié qu'il était arrêté, il n'a pas parlé.

Parce qu'il espère se tirer d'affaire sans dire où il est allé.

Si c'était vrai, ce serait bien étrange!

On a vu plus étrange encore.

Se laisser accuser de meurtre et d'incendie quand on est innocent...

Être innocent et se laisser condamner est bien plus fort encore. Et cependant, on en sait des exemples.

Le jeune avocat s'exprimait de cet accent impérieux et bref qui est comme un des privilèges de sa profession, et avec un tel accent de certitude que M. de Chandoré semblait renaître à la vie.

M. Séneschal en était presque interloqué.

Que pensez-vous donc, monsieur? interrogea-t-il.

Que monsieur de Boiscoran doit être innocent, répondit le jeune avocat. (Et sans permettre une objection:) C'est, insista-t-il, l'avis d'un homme dont nulle considération ne trouble le jugement. J'arrive, sans idée préconçue, je ne connais pas plus monsieur de Claudieuse que monsieur de Boiscoran. Un crime a été commis, on m'en dit les circonstances, et tout aussitôt je reconnais que les raisons mêmes qui ont fait arrêter le prévenu me feraient le mettre en liberté.

Oh!...

Je m'explique: si monsieur de Boiscoran est coupable, il a montré, par la façon dont il a reçu monsieur Galpin-Daveline, une puissance sur soi inouïe et un incomparable talent de comédien. Donc, s'il est coupable, il est très fort.

Cependant...

Permettez. S'il est coupable, il a fait preuve dans son interrogatoire d'une absence de sang-froid insigne, et, tranchons le mot, d'une imbécillité sans nom. Donc, s'il est coupable, il est très faible.

Mais...

Pardon, j'achève. Le même homme peut-il être à la fois si fort et si faible que cela? Décidez... Il y a plus: si monsieur de Boiscoran était coupable, c'est à Charton et non au bagne qu'il faudrait l'envoyer, car tout autre qu'un fou eût jeté l'eau où il avait lavé ses mains noires de charbon et enterré n'importe où ce fusil Klebb, que la prévention brandit si victorieusement.

Jacques est sauvé! s'écria M. de Chandoré. M. Séneschal n'était pas si prompt à l'enthousiasme.

C'est spécieux, fit-il. Malheureusement, il faut autre chose qu'une déduction, si logique qu'elle soit, à des juges qui ont les mains pleines de preuves...

On leur en trouvera de plus fortes.

Que comptez-vous donc faire?

Je ne sais pas... Je viens de vous dire ma première impression; maintenant, il faut que j'étudie l'affaire, que j'interroge les gens, à commencer par le vieil Antoine.

M. de Chandoré s'était levé.

Nous pouvons être à Boiscoran dans une heure, fit-il. Dois-je envoyer chercher ma voiture?...

Le plus tôt sera le mieux, répondit le jeune avocat.

Chargé de cette commission, le domestique de M. Sénéschal était de retour moins d'un quart d'heure après, annonçant que la voiture était devant la porte.

M. de Chandoré et maître Folgat y prirent place, et tandis qu'ils s'installaient:

Surtout, recommanda le maire à l'avocat parisien, soyez prudent et circonspect. Déjà cette affaire ne passionne que trop l'opinion. La politique s'en mêle. Je crains une manifestation à l'enterrement des pompiers, et l'on m'annonce que le docteur Seignebos prononcera un discours au cimetière. Allons, bonne chance!

Le cocher fouetta le cheval, et pendant que la voiture roulait le long du faubourg des Dames:

Je ne m'explique pas, disait M. de Chandoré, qu'Antoine ne soit pas venu me trouver aussitôt après l'arrestation de son maître. Que peut-il lui être arrivé?

IV

Le cheval de M. Séneschal était peut-être un des meilleurs de l'arrondissement; mais celui de M. de Chandoré lui était encore supérieur.

En moins de cinquante minutes furent franchis les treize kilomètres qui séparent Boiscoran de Sauveterre. Cinquante minutes pendant lesquelles M. de Chandoré et maître Folgat n'échangèrent pas cinquante mots.

Lorsqu'ils arrivèrent, la cour du château de Boiscoran était silencieuse et déserte. Portes et fenêtres étaient hermétiquement closes. Sur les marches du perron était assis un jeune paysan à robuste carrure, lequel, à la vue des «bourgeois», se leva et porta la main à son bonnet de laine.

Où est Antoine? lui demanda M. de Chandoré.

Là-haut, monsieur le baron.

Le vieux gentilhomme essaya d'ouvrir la porte; elle résista.

Oh! monsieur, Antoine est barricadé en dedans, dit le paysan.

Singulière idée, fit M. de Chandoré en frappant du bout de sa canne.

Il frappait depuis un moment de plus en plus fort, quand enfin, de l'intérieur:

Qui va là? cria la voix d'Antoine.

C'est moi, sarpejeu! le baron de Chandoré. Bruyamment les barres furent retirées, et le vieux valet de chambre se montra. Il était blême et défait. Au désordre de sa barbe, de ses cheveux et de ses vêtements, il était aisé de voir qu'il ne s'était pas couché. Et ce désordre était fort significatif, de la part d'un homme qui, en toute circonstance, mettait son amour-propre à afficher l'irréprochable tenue d'un gentleman anglais. M. de Chandoré en fut si frappé qu'avant tout:

Qu'avez-vous, mon brave Antoine? demanda-t-il.

Au lieu de répondre, le fidèle serviteur attira le baron et son compagnon à l'intérieur. Et après qu'il eut refermé la porte, se croisant les bras devant eux:

J'ai, répondit-il d'un accent étrange, j'ai... que j'ai peur!

Le vieux gentilhomme et l'avocat se regardaient. Ce malheureux, pensaient-ils, a perdu l'esprit.

Antoine comprit, car vivement:

Non! je ne suis pas fou, dit-il, quoiqu'en vérité il se passe ici des choses telles qu'on se demande si l'on jouit bien de tout son bon sens!... Si j'ai peur, ce n'est pas sans motifs...

Douteriez-vous de votre maître? interrogea maître Folgat.

Si menaçant fut le regard que l'honnête domestique lança au questionneur, que tout de suite M. de Chandoré intervint:

Mon cher Antoine, dit-il, monsieur est un ami, un ami dévoué, un avocat venu de Paris avec madame de Boiscoran pour défendre Jacques. Non seulement vous ne devez pas vous défier de lui, mais il faut lui dire tout ce que vous savez, tout absolument et quand même...

Le visage du digne serviteur s'éclaira.

Ah! monsieur est un avocat! s'écria-t-il. Qu'il soit le bienvenu. Je vais pouvoir dire tout ce que j'ai sur le cœur... Non, certes, je ne crois pas monsieur Jacques coupable, il est impossible qu'il le soit, il est stupide de penser qu'il puisse l'être. Mais ce que je crois, ce dont je suis sûr, c'est qu'il y a un coup monté pour lui mettre sur le dos les horreurs du Valpinson...

Un coup monté! interrompit maître Folgat, par qui, comment, dans quel but?

Ah! c'est ce que j'ignore. Mais je ne me trompe pas, et vous penseriez comme moi si vous aviez assisté à l'interrogatoire... C'était effrayant, messieurs, c'était inouï, à ce point que moi, j'ai été comme ébloui, et qu'à un moment j'ai douté de mon maître et que je lui ai conseillé de fuir... Non, jamais on n'a entendu chose pareille. Tout était contre lui...

Chacune de ses réponses était comme un aveu. Il y a eu un crime au Valpinson... on l'y a vu aller et en revenir par des chemins détournés. On a mis le feu; l'eau où il s'était lavé les mains était noire de charbon. On a tiré des coups de fusil... on a retrouvé une de ses cartouches près de l'endroit où monsieur de Claudieuse a été blessé. Même, c'est là que j'ai reconnu le coup monté. Est-ce que toutes les circonstances se seraient ajustées si exactement, si elles n'eussent été d'avance prévues, calculées et arrangées!... Ce pauvre monsieur Daubigeon avait les larmes aux yeux et ce «tout se mêle» de Méchinet, le greffier, lui-même était confondu. Il n'y avait à paraître content que ce Galpin-Daveline de malheur. Car c'était lui qui était le juge et qui interrogeait. Lui, l'ami de monsieur! Un homme qui à tout moment arrivait ici manger notre pain, dormir dans nos lits et tirer notre gibier. Il était à genoux devant monsieur, alors, pour obtenir la main de la nièce des demoiselles de Lavarande. Alors, c'était «mon bon Jacques» par-ci, «mon cher Boiscoran» par-là, et des protestations et des cajoleries à n'en plus finir, au point que je me disais toujours qu'un matin je trouverais les bottes de monsieur cirées par lui. Ah! il a pris sa revanche, hier matin, et il fallait voir de quel air il disait à monsieur: «Nous ne sommes plus amis.» Bandit!... non, nous ne sommes plus amis, et si le bon Dieu était juste, tu aurais dans le ventre les deux coups de fusil qu'on a tirés sur monsieur de Claudieuse, et tu ne les digérerais pas...

L'impatience de M. de Chandoré était grande. Aussi, dès qu'Antoine s'arrêta pour reprendre haleine:

Pourquoi, fit-il, n'êtes-vous pas venu me raconter cela tout de suite?

Le vieux serviteur se permit un haussement d'épaules.

Est-ce que je le pouvais! répondit-il. Quand l'interrogatoire a été fini, le Galpin a mis partout les scellés, des bandes de toile fixées avec de la cire, comme on en pose sur le secrétaire des morts. Oh! il en a mis sur toutes les ouvertures, et deux plutôt qu'une. Il en a placé trois sur la porte extérieure. Puis il m'a dit qu'il me constituait gardien, que j'aurais une rétribution pour cela, mais que les galères m'attendaient si quelqu'un touchait aux scellés, seulement du bout du doigt. Là-dessus, après avoir livré monsieur aux gendarmes, le Galpin est parti, me laissant seul ici, hébété comme un homme qui aurait reçu un coup de marteau sur la tête... Pourtant, je serais allé trouver monsieur le baron, sans une idée qui m'est venue et qui m'a donné le frisson.

Grand-père Chandoré frappait du pied.

Au fait! dit-il. Au fait!...

Voilà. Il faut que ces messieurs sachent que, dans l'interrogatoire, il a été beaucoup question du fusil Klebb que monsieur avait emporté le soir de l'incendie. Le Galpin a manié ce fusil et a ensuite demandé quand monsieur avait feu avec pour la dernière fois. Monsieur a répondu qu'il y avait cinq jours... Vous m'entendez, je dis: cinq jours. Et là-dessus, mon Galpin a remis le fusil à sa place, sans examiner les canons.

Eh bien? fit maître Folgat.

Eh bien! monsieur, moi, Antoine, j'avais, l'avant-veilleje dis bien l'avant-veillelavé et nettoyé à fond le Klebb de monsieur...

Sarpejeu! s'écria M, de Chandoré, comment n'avez-vous pas dit cela plus tôt, Antoine... Si les canons sont propres, c'est la preuve irrécusable que Jacques est innocent!

Le vieux serviteur branla la tête.

C'est vrai, dit-il, seulement... les canons sont-ils propres?

Oh!

Monsieur peut s'être trompé quant à la date de son dernier coup de fusil, et alors les canons seraient encrassés, et au lieu de le sauver, ma déclaration le perdrait définitivement. Avant de parler, il faut être sûr.

Oui, approuva maître Folgat, et vous avez bien fait de vous taire, mon brave, et je ne saurais trop vous adjurer de ne parler à personne au monde de cette circonstance, qui peut devenir pour la défense un argument décisif.

Oh! je saurai tenir ma langue, monsieur; seulement vous devez comprendre ce que je me suis fait de mauvais sang, devant ces maudits scellés qui m'empêchaient d'aller m'assurer de l'état du fusil... Oh! si j'avais osé les briser!...

Malheureux!

J'en ai eu l'idée, mais je me suis retenu. Seulement j'ai songé, après, que cette pensée pouvait venir à d'autres. Les scélérats qui ont organisé ce complot abominable contre monsieur Jacques sont capables de tout, n'est-ce pas? Pourquoi ne seraient-ils pas venus, de nuit, briser les scellés... J'ai mis le métayer de garde dans le jardin, sous les fenêtres; j'ai placé son fils de faction dans la cour, et moi je suis resté en sentinelle devant les scellés, avec des armes sous la main... Les brigands pouvaient venir ils auraient trouvé à qui parler!

On a beau dire, les avocats valent mieux que leur réputation. Il est des grâces d'état. Le premier qui versera une larme à la représentation d'un drame bien noir sera toujours dramaturge, un homme du métier qui connaît toutes les ficelles et pour qui les coulisses n'ont plus de secrets. L'avocat, tant accusé de scepticisme, est par excellence crédule et naïf. C'est sincèrement qu'il se passionne, et, quand on pense qu'il joue la comédie, il est de bonne foi. Les trois quarts du temps est gagnée dans son esprit la cause détestable qu'il plaide et qu'il perd devant les juges.

D'heure en heure, depuis son arrivée à Sauveterre, maître Folgat s'était pénétré de l'innocence de Jacques de Boiscoran, et le récit du vieil Antoine n'était pas fait pour ébranler ses convictions. Non qu'il admît l'existence d'un complot. Mais il n'était pas éloigné de croire à l'audacieux calcul de quelque scélérat, profitant de circonstances connues de lui seul pour faire retomber le châtiment de son crime sur M. de Boiscoran.

Mais il avait bien d'autres explications à demander, et il était difficile de les obtenir d'Antoine, dans l'état de fiévreuse exaltation où il se trouvait. Car interroger un homme, si disposé qu'il soit à parler, n'est pas facile. Et si l'on n'apporte pas à cette tâche un grand sang-froid, beaucoup de soin et une méthode imperturbable, on risque fort de passer à côté du fait le plus important à recueillir.

Donc, après un moment:

Mon brave Antoine, reprit maître Folgat, je ne saurais trop louer votre conduite en toute cette affaire. Nous sommes loin d'en avoir fini... Seulement, comme je n'ai rien pris depuis hier à Paris, et que j'entends sonner midi... M. de Chandoré se frappa le front.

Ah! vieil oublieux que je suis! interrompit-il. Comment ne vous ai-je rien offert!... Pourtant, vous m'excuserez, n'est-ce pas, je suis si bouleversé!... Antoine, qu'avez-vous à nous servir?

La métayère a des œufs, du confit d'oie, du jambon...

Ce qui sera le plus vite prêt sera le meilleur, dit le jeune avocat.

Avant vingt minutes ces messieurs seront à table! s'écria le digne serviteur.

Et il s'élança dehors, pendant que M. de Chandoré faisait entrer maître Folgat dans le salon.

Le pauvre grand-père faisait appel à toute son énergie pour garder une contenance assurée.

Cette circonstance du fusil, dit-il, c'est le salut, n'est-ce pas?

Peut-être, répondit le jeune avocat.

Et ils gardèrent le silence: le grand-père songeant à la douleur de sa petite-fille et maudissant le jour où, en ouvrant sa maison à Jacques, il l'avait ouverte à tant et de si cruelles angoisses; l'avocat classant dans son esprit les faits qu'il avait recueillis et préparant les questions qu'il voulait poser encore.

Ils étaient, l'un et l'autre, si profondément enfoncés dans leurs réflexions qu'ils tressautèrent quand Antoine reparut disant:

Ces messieurs sont servis!

La table avait été dressée dans la salle à manger, et les deux convives y ayant pris place, l'honnête domestique se plantait debout, près d'eux, la serviette au bras, quand M. de Chandoré l'interpellant:

Mettez un troisième couvert, Antoine, dit-il, et déjeunez avec nous.

Oh! monsieur, protesta le brave homme, monsieur le baron...

Asseyez-vous, insista M. de Chandoré, manger après nous vous ferait perdre du temps, et un serviteur tel que vous fait partie de la famille.

Antoine obéit, confus, mais rouge de plaisir de l'honneur qui lui était fait, car ce n'est pas par excès de familiarité que péchait le baron de Chandoré.

Et le jambon et les œufs de la métayère expédiés:

Maintenant, reprit maître Folgat, revenons à notre affaire, et vous, mon cher Antoine, du calme, et rappelez-vous que si nous n'obtenons pas une ordonnance de non-lieu, vos réponses seront les éléments de ma défense! Quelles étaient, ici, les habitudes de monsieur de Boiscoran?

Ici, monsieur, il n'en avait pour ainsi dire pas. Nous venions si rarement et pour si peu de temps...

N'importe, quel était son genre de vie?

Il se levait tard, il se promenait beaucoup, il chassait quelquefois, il dessinait, il lisait... car monsieur est un grand liseur, et qui aime les livres autant que monsieur le marquis, son père, aime la porcelaine.

Qui recevait-il?

Monsieur Galpin-Daveline, le plus souvent; le docteur Seignebos, le curé de Bréchy, monsieur Séneschal, monsieur Daubigeon...

Comment passait-il ses soirées?

Chez monsieur le baron de Chandoré, qui est ici pour le dire.

Il n'avait pas d'autres relations dans le pays?

Non.

Vous ne lui connaissez pas quelque... bonne amie?

Antoine eut un geste pudibond.

Oh! monsieur, prononça-t-il, monsieur, ne savez-vous donc pas que monsieur est le fiancé de mademoiselle Denise!

Le baron de Chandoré n'était pas né d'hier, ainsi qu'il se plaisait à le dire. Si puissamment intéressé qu'il fût, il se leva.

J'ai besoin de prendre l'air, fit-il.

Et il sortit, comprenant que sa qualité de grand-père de Denise pouvait arrêter la vérité sur les lèvres d'Antoine.

Voilà un homme d'esprit, pensa maître Folgat.

Et tout haut:

Puisque nous voilà seuls, mon brave Antoine, reprit-il, parlons nettement. Monsieur de Boiscoran avait-il quelque maîtresse dans le pays?

Non, monsieur.

N'en a-t-il jamais eu?

Jamais. On vous dira peut-être que, dans le temps, il regardait avec plaisir la Fougerouse, une grande rousse, la fille d'un meunier qui demeure tout près d'ici, et que la mâtine venait au château plus souvent qu'il n'était besoin, tantôt sous un prétexte, tantôt sous un autre... Mais c'était pur enfantillage. D'ailleurs, il y a cinq ans de cela, et depuis trois la Fougerouse est mariée à un saunier des environs de Marennes.

Vous êtes sûr de ce que vous dites?

Comme de mon existence. Et monsieur en serait sûr connaissait le pays comme moi, et la langue infernale des gens. Il n'y a pas de ruses qui tiennent, ni précautions; je défie un homme de parler trois fois à une femme sans que tout le monde le sache. À Paris, je dis pas...

Maître Folgat dressa l'oreille.

Il y a donc eu quelque chose à Paris? interrogea-t-il.

Mais Antoine hésitait.

C'est que, balbutia-t-il, les secrets de mon maître ne sont pas les miens, et après le serment que je lui ai fait...

De votre franchise dépend peut-être le salut de votre maître interrompit le jeune avocat, soyez sûr qu'il ne vous en voudra pas d'avoir parlé.

Quelques secondes encore, l'honnête serviteur demeura indécis; puis:

Eh bien! commença-t-il, monsieur a eu, comme on dit une grande passion...

Quand?

Ah! je l'ignore; cela avait commencé avant mon entrée au service de monsieur. Ce que je sais, c'est que pour recevoir... la personne, monsieur avait acheté à Passy bout de la rue des Vignes, au milieu d'un immense jardin, une belle maison qu'il avait fait meubler magnifiquement.

Ah!...

C'est là un secret que ni le père de monsieur ni sa mère comme de juste, ne connaissent. Et si je le sais, c'est que monsieur, un jour qu'il était à cette maison, est tombé dans l'escalier et s'est déboîté le pied, et qu'il m'a fait venir pour le soigner. C'est probablement sous son nom qu'il l'a achetée, mais ce n'était pas sous son nom qu'il l'occupait. Il s'y faisait passer pour un Anglais, monsieur Burnett, et c'était une servante anglaise qui le servait.

Et... la personne...

Ah! monsieur, non seulement je ne la connais pas, niais je ne soupçonne pas qui elle pouvait être. Ah! monsieur, et elle prenait de fières précautions! Étant ici pour tout dire, j'avouerai que j'ai eu la curiosité de questionner la servante anglaise. Elle m'a répondu qu'elle n'était pas plus avancée que moi; qu'elle savait bien qu'il venait une dame, mais que jamais elle n'avait réussi à lui voir seulement le bout du nez. Monsieur prenait si adroitement son temps que toujours la servante était en course quand la dame arrivait et repartait. Quand elle était à la maison, monsieur et elle se servaient seuls. Et s'ils voulaient se promener dans le jardin, ils envoyaient la servante faire une commission à tous les diables, à Versailles ou à Fontainebleau, ce dont elle enrageait, comme de raison.

D'un mouvement machinal qui lui était familier, maître Folgat tortillait une mèche de sa barbe noire. Un instant, il lui avait semblé voir poindre la femme, cette inévitable femme dont l'inspiration toujours se retrouve au fond de toutes les actions d'un homme, et voici que décidément elle s'évanouissait. Car c'est en vain que d'un esprit alerte il cherchait un rapport quelconque possible, sinon probable, entre la mystérieuse visiteuse de la rue des Vignes et les événements dont le Valpinson venait d'être le théâtre; il n'en découvrait aucun.

Quelque peu découragé:

Enfin, mon brave Antoine, reprit-il, cette grande passion de votre maître n'existe sans doute plus?

Évidemment, monsieur, puisque monsieur Jacques allait épouser mademoiselle Denise.

La raison n'était peut-être pas aussi péremptoire que l'imaginait le fidèle serviteur; pourtant le jeune avocat ne fit aucune observation.

Et, selon vous, poursuivit-il, quand cette passion aurait-elle pris fin?

Pendant la guerre, monsieur et la dame ont dû se trouver séparés, car monsieur n'est pas resté à Paris. Il commandait une compagnie de nos mobiles, et même il a été blessé à leur tête, ce qui lui a valu la croix.

Possède-t-il encore sa maison de la rue des Vignes?

Je le crois.

Pourquoi?

Parce que monsieur et moi sommes allés passer huit jours à Paris, après les événements, et qu'un soir il m'a dit: «La guerre et la Commune me coûtent bon. Ma bicoque a reçu plus de vingt obus, et il y a logé tour à tour des francs-tireurs, des communeux et des soldats. Les murs sont à jour, et il n'y reste pas un meuble intact. Mon architecte me dit que, tout compris, j'aurai pour plus de quarante mille francs de réparations...»

Comment! de réparations!... Il comptait donc encore utiliser cette maison?

À cette époque, monsieur, le mariage de monsieur n'était pas encore arrêté.

Soit, mais cette circonstance tendrait à prouver qu'il a revu à cette époque la dame mystérieuse, et que la guerre n'avait pas brisé leurs relations...

C'est possible.

Et il ne vous a jamais reparlé de cette dame?

Jamais...

Il s'arrêta. Dans le vestibule, on entendait M. de Chandoré tousser avec cette affectation d'un homme qui tient à s'annoncer.

Aussitôt qu'il reparut:

Par ma foi, monsieur, lui dit maître Folgat, lui indiquant ainsi que sa présence n'avait plus aucun inconvénient, je me disposais à aller à votre recherche, craignant que vous ne fussiez incommodé.

Je vous remercie, répondit le vieux gentilhomme, l'air m'a tout à fait remis.

Il s'assit; et le jeune avocat se retournant vers Antoine:

Revenons, dit-il, à monsieur de Boiscoran. Comment était-il, le jour qui a précédé l'incendie?

Comme tous les autres jours, monsieur.

Qu'a-t-il fait avant de sortir?

Il a dîné comme d'habitude, de bon appétit. Il est ensuite monté dans son appartement, où il est resté plus d'une heure. En descendant il tenait à la main une lettre, qu'il a remise à Michel, le fils du fermier, pour la porter à Sauveterre, à mademoiselle Chandoré...

Précisément. Dans cette lettre monsieur de Boiscoran dit à mademoiselle Denise qu'il est retenu loin d'elle par une affaire impérieuse.

Ah!

Avez-vous idée de ce que pouvait être cette affaire?

Aucunement, monsieur, je vous le jure.

Cependant, voyons, ce ne peut être sans raison que monsieur de Boiscoran s'est privé du plaisir de passer la soirée auprès de sa fiancée?

Non, en effet.

Ce ne peut être sans but, qu'au lieu de suivre la grande route, il s'est lancé à travers les marais inondés et qu'il est revenu à travers bois...

Le vieil Antoine, littéralement, s'arrachait les cheveux.

Ah! monsieur! s'écria-t-il, vous dites là précisément ce que disait monsieur Galpin-Daveline!

C'est malheureusement ce que dira tout homme sensé.

Je le sais, monsieur, je ne le sais que trop. Et monsieur Jacques lui-même l'a si bien senti qu'il a essayé d'inventer un prétexte. Mais il n'a jamais menti, monsieur Jacques, il ne sait pas mentir, et lui qui a tant d'esprit, il n'a rien su trouver qu'un prétexte dont l'absurdité saute aux yeux. Il dit qu'il allait à Bréchy voir son marchand de bois...

Et pourquoi non! fit M. de Chandoré. Antoine secoua la tête.

Parce que, répondit-il, le marchand de bois de Bréchy est un voleur, et qu'au su et vu de tout le monde, monsieur l'a mis dehors par les épaules, voilà plus de trois ans. C'est à Sauveterre que nous vendons nos coupes.

Maître Folgat venait de sortir de sa poche un agenda, et il y notait certaines indications d'Antoine, arrêtant déjà les grandes lignes de sa défense.

Cela fait:

À cette heure, commença-t-il, arrivons à Cocoleu.

Ah! le misérable! s'écria Antoine.

Vous le connaissez?

Comment ne le connaîtrais-je pas, moi qui ai passé toute ma vie ici, à Boiscoran, au service de défunt l'oncle de monsieur!

Alors, quel individu est-ce, décidément?

Un idiot, monsieur, ou, comme on dit ici, un innocent, qui a la danse de Saint-Guy, par-dessus le marché, et qui tombe du haut mal.

Ainsi, il est de notoriété publique qu'il est complètement imbécile?

Oui, monsieur. Quoique pourtant j'ai entendu des gens soutenir qu'il n'était pas si dénué de bon sens qu'on croyait, et qu'il faisait, comme on dit, l'âne pour avoir du son...

M. de Chandoré l'interrompit.

Sur ce sujet, dit-il, le docteur Seignebos peut donner les renseignements les plus précis, ayant gardé Cocoleu chez lui près de deux ans.

Aussi ai-je bien l'intention de voir le docteur, répondit maître Folgat. Mais, avant tout, il faudrait retrouver ce misérable idiot...

Vous avez entendu monsieur Séneschal, monsieur, il a mis la gendarmerie à sa poursuite.

Antoine se permit une grimace.

Quand les gendarmes prendront Cocoleu, déclara-t-il, c'est qu'il aura voulu se laisser prendre.

Pourquoi, s'il vous plaît?

Parce que, messieurs, il n'y a personne comme cet innocent pour connaître les coins et les recoins du pays, les trous, les fourrés, les cachettes, et qu'avec l'habitude qu'il a eu de vivre comme un sauvage, de fruits, de racines et d'oiseaux, il peut, en cette saison, rester trois mois sans approcher d'une maison.

Diable! fit maître Folgat, désappointé.

Je ne connais qu'un homme, continua le vieux serviteur, capable de dénicher Cocoleu, c'est le fils de notre métayer, Michel, ce gars que vous avez vu en bas.

Qu'il vienne! dit M. de Chandoré.

Appelé, Michel ne tarda pas à paraître, et quand on lui eut expliqué ce qu'on attendait de lui:

Il y a moyen, répondit-il, quoique certainement ce ne soit point aisé. Si Cocoleu n'a pas la raison d'un homme, il a la malice d'une bête... Enfin, on va essayer.

Rien ne retenait plus à Boiscoran M. de Chandoré ni maître Folgat.

Après avoir recommandé au vieil Antoine de bien surveiller les scellés et de donner, s'il était possible, un coup d'œil au fusil de Jacques, lorsque la justice viendrait enlever les pièces à conviction, ils remontèrent en voiture.

Et cinq heures sonnaient à la cathédrale de Sauveterre quand ils arrivèrent rue de la Rampe.

Mlle Denise attendait dans le salon. Elle se leva lorsqu'ils entrèrent, pâle, les yeux secs et brillants.

Comment! tu es seule! s'écria M. de Chandoré, on t'a laissée seule!

Ne te fâche pas, grand-père. Je viens de décider madame de Boiscoran, qui était épuisée de fatigue, à prendre, avant dîner, une heure de repos.

Et tantes Lavarande?

Elles sont sorties, grand-père. Elles doivent être en ce moment chez monsieur Galpin-Daveline.

Maître Folgat tressauta.

Oh!... fit-il.

Mais c'est une démarche insensée! s'écria le vieux gentilhomme.

D'un mot la jeune fille lui ferma la bouche.

C'est moi, dit-elle, qui l'ai voulu.

V

Oui, la démarche des demoiselles de Lavarande était insensée. Au point où en étaient les choses, aller trouver M. Galpin-Daveline, c'était peut-être lui porter des armes dont il écraserait Jacques.

Mais, à qui la faute, sinon à M. Chandoré et à maître Folgat? N'avaient-ils pas commis une impardonnable imprudence en partant pour Boiscoran sans prévenir, sans autre précaution que de faire dire par le domestique de M. Séneschal qu'ils seraient de retour pour dîner et qu'il ne fallait pas s'inquiéter?

Ne pas s'inquiéter!... Et c'est à la marquise de Boiscoran et à Mlle Denise, à la mère et à la fiancée de Jacques qu'ils disaient cela!...

Certainement, sur le premier moment, ces deux infortunées conservèrent un sang-froid relatif, chacune s'efforçant de donner à l'autre l'exemple du courage et de la confiance. Mais à mesure que s'étaient écoulées les heures, leurs angoisses avaient repris le dessus, et peu à peu leur douleur s'était exaltée de l'échange de leurs craintes. Elles se représentaient Jacques innocent et cependant traité comme les pires criminels, seul, au fond d'un cachot, livré aux plus horribles inspirations du désespoir. Quelles pouvaient être ses réflexions depuis plus de vingt-quatre heures qu'il était sans nouvelle des siens? Ne devait-il pas se croire méprisé, abandonné, renié?

Cette idée est intolérable! s'écria enfin Mlle Denise. À tout prix, il faut arriver jusqu'à lui.

Comment? demanda Mme de Boiscoran.

Je ne sais, mais il doit y avoir un moyen. Il est des choses que, seule, je n'aurais pas osé; mais avec vous, ma chère mère, je puis tout tenter. Allons à la prison...

Vivement, Mme de Boiscoran jeta sur ses épaules son manteau de voyage.

Je suis prête, dit-elle, partons!

Elles avaient bien l'une et l'autre entendu dire que Jacques était «au secret», mais ni l'une ni l'autre n'attachaient à cette expression sa réelle et effrayante signification. Elles n'avaient nulle idée de cette mesure atroce et cependant indispensable en l'état de notre législation, qui supprime en quelque sorte un homme, qui le mure dans une cellule, seul en face du crime dont il est accusé, seul, à l'entière et absolue discrétion d'un autre homme, chargé de lui arracher la vérité.

Pour elles, le secret, ce n'était que la privation de la liberté, la cellule avec son mobilier sinistre, les grilles aux fenêtres, les verrous aux portes, le geôlier secouant ses trousseaux de clefs le long des corridors sombres et le soldat de faction dans la cour.

Il est impossible, disait Mme de Boiscoran, qu'on me refuse de voir mon fils.

Impossible, approuvait Mlle Denise. Et, d'ailleurs, je connais le geôlier Blangin, dont la femme était autrefois à notre service.

C'est donc avec une entière confiance que la jeune fille, de sa main frêle, souleva le lourd marteau de la porte de la prison.

Ce fut Blangin lui-même qui vint ouvrir, et, à la vue des deux pauvres femmes, un immense étonnement se peignit sur sa large face.

Nous venons voir monsieur de Boiscoran, dit résolument Mlle Denise.

Ces dames ont donc une permission? demanda le geôlier.

Une permission!... De qui?

De monsieur Galpin-Daveline.

Nous n'avons pas de permission.

Alors j'ai le regret de dire à ces dames qu'il est impossible qu'elles voient monsieur de Boiscoran. Il est au secret, et j'ai les ordres les plus rigoureux...

Mlle Denise fronçait les sourcils.

Vos ordres, monsieur Blangin, interrompit-elle, ne sauraient concerner madame, qui est la marquise de Boiscoran.

Mes ordres concernent tout le monde, mademoiselle.

Vous empêcheriez, vous, une mère désolée d'embrasser son fils!

Eh! ce n'est pas moi, mademoiselle! Moi! Que suis-je? Rien, un verrou que la justice pousse ou tire à son gré.

Pour la première fois, la jeune fille eut l'idée que sa tentative pouvait échouer.

Mais moi, mon bon monsieur Blangin, insista-t-elle, avec des larmes plein les yeux, moi, me refuserez-vous? Ne me connaissez-vous pas? Votre femme ne vous a-t-elle jamais parlé de moi?

Le geôlier, certainement, était ému.

Je sais, répondit-il, tout ce que ma femme et moi devons aux bontés de mademoiselle, mais... J'ai ma consigne, mademoiselle ne voudrait pas perdre la place d'un pauvre homme...

Si vous perdez votre place, monsieur Blangin, moi, Denise de Chandoré, je vous en garantis une qui vous vaudra le double.

Mademoiselle...

Douteriez-vous de ma parole, monsieur Blangin?

Dieu m'en garde! mademoiselle, mais ce n'est pas seulement de ma place qu'il s'agit... Si je faisais ce que vous demandez, je serais puni sévèrement...

À l'accent du geôlier, Mme de Boiscoran comprit que Mlle de Chandoré n'obtiendrait rien.

N'insistez pas, mon enfant, dit-elle, rentrons...

Quoi! sans savoir rien de ce qui se passe derrière ces murs implacables, sans savoir même si Jacques est vivant ou mort!

Il était clair qu'un rude combat se livrait dans le cœur du geôlier. Tout à coup, d'une voix brève, et en jetant autour de lui des regards inquiets:

Parler, dit-il, m'est interdit, mais n'importe... Je ne vous laisserai pas vous éloigner sans vous apprendre que monsieur de Boiscoran est en bonne santé.

Ah!

Hier, quand on l'a amené, il était comme hébété... Il s'est jeté sur son lit à corps perdu, et il y est resté sans faire un mouvement plus de deux heures. Je crois bien qu'il pleurait...

Un sanglot, que ne put maîtriser Mlle Denise, fit tressaillir M. Blangin.

Oh! rassurez-vous, mademoiselle, reprit-il bien vite, cet état n'a pas duré. Bientôt monsieur de Boiscoran s'est levé en s'écriant: «Ah çà! mais je suis stupide de me désespérer ainsi...»

Vous l'avez entendu? demanda Mme de Boiscoran.

Pas personnellement. C'est Frumence Cheminot qui l'a entendu...

Frumence Cheminot?

Oui, un de nos détenus. Oh! un simple vagabond, pas méchant du tout, et qui a la commission de monter la garde au guichet de monsieur de Boiscoran et de ne jamais le perdre de vue... C'est monsieur Galpin-Daveline qui a eu l'idée de cette précaution, parce que les accusés, quelquefois, dans le premier moment, si le désespoir les prend et le dégoût de la vie... Un malheur est si vite arrivé! Frumence empêcherait le malheur...

Mme de Boiscoran frémissait d'horreur. Mieux que tout, cette précaution lui donnait la mesure exacte de la situation de son fils.

Du reste, poursuivit M. Blangin, il n'y a plus rien à craindre. Monsieur de Boiscoran est redevenu calme, tranquille et même gai, si j'ose m'exprimer ainsi. Quand il s'est levé ce matin, après avoir dormi toute la nuit comme un loir, il m'a appelé pour me demander du papier, de l'encre et des plumes. C'est ce que les prisonniers demandent le second jour. J'avais ordre de lui en donner: il en a eu. Et quand je suis allé lui porter son déjeuner, il m'a remis une lettre, à l'adresse de mademoiselle de Chandoré.

Comment! s'écria Mlle Denise, vous avez une lettre pour moi et vous ne me la donnez pas!

C'est que je ne l'ai plus, mademoiselle; c'est que je l'ai remise, comme c'était mon devoir, à monsieur Galpin-Daveline, quand il est venu, avec son greffier Méchinet, pour interroger monsieur de Boiscoran.

Et qu'a-t-il dit?

Il a décacheté la lettre, il l'a lue, et il l'a mise dans sa poche en disant: «Bon!»

Des larmes, mais de colère, cette fois, jaillirent des yeux de Mlle Denise.

Quelle honte! s'écria-t-elle. Cet homme, lire une lettre que Jacques m'adressait! C'est infâme!

Et, sans songer à remercier M. Blangin, elle entraîna Mme de Boiscoran, et jusqu'à la maison elle ne prononça pas une parole.

Ah! pauvre enfant, tu n'as pas réussi! s'écrièrent tantes Lavarande lorsqu'elles virent rentrer leur nièce.

Mais quand Denise leur eut tout appris:

Eh bien! s'écrièrent-elles, nous allons aller le voir, nous, ce petit juge, qui avant-hier encore nous faisait bassement sa cour pour obtenir la dot de notre nièce. Et nous lui dirons son fait. Et si nous n'obtenons pas qu'il nous rende Jacques, nous troublerons du moins son triomphe et nous rabaisserons son orgueil.

Comment Mlle de Chandoré n'eût-elle pas adopté l'idée des tantes Lavarande, un projet qui donnait à sa colère une satisfaction immédiate et qui servait ses secrètes espérances!

Oh, oui! vous avez raison, chères tantes! s'écria-t-elle. Vite, sans perdre une minute, partez...

Incapables de résister à de tels accents, elles se mirent en route, sans écouter les timides objections de la marquise de Boiscoran.

Seulement les bonnes demoiselles se trompaient quant aux dispositions d'esprit de M. Galpin-Daveline. L'ex-prétendant de leur nièce Lavarande n'était pas sur un lit de roses. Au début de cette étrange affaire, il s'y était jeté fiévreusement, comme sur l'occasion admirable qu'il guettait depuis tant d'années et qui devait ouvrir à deux battants les portes jusqu'alors fermées à son ambition. Puis, une fois engagé, l'enquête commencée, il avait été emporté par un courant plus rapide que la réflexion. Aussi est-ce avec une sorte de satisfaction malsaine qu'il avait vu les charges se multiplier et grossir, jusqu'à le contraindre de signer un mandat d'arrêt contre son ancien ami. Alors, il était comme aveuglé par les plus magnifiques espérances. Ne prouvait-elle pas les plus hautes facultés et un savoir-faire supérieur, cette enquête qui, en quelques heures, avait conduit la justice d'un crime presque inexplicable à un coupable que personne n'eût osé soupçonner?

Mais quelques heures plus tard, M. Galpin-Daveline ne voyait plus les événements du même œil. La réflexion le refroidissant, il commençait à douter de son habileté et à se demander s'il n'avait pas agi avec trop de précipitation. Si Jacques était coupable, rien de mieux. Il y avait, c'était clair, de l'avancement pour le juge d'instruction au bout d'une condamnation. Oui, mais... si Jacques allait être innocent!

Cette idée, se dressant pour la première fois devant M. Galpin-Daveline, le glaça jusqu'à la moelle des os. Jacques innocent! c'était sa condamnation à lui, Galpin-Daveline, c'était son avenir perdu, ses espérances anéanties, sa carrière à jamais entravée! Jacques innocent! c'était une disgrâce certaine. On le retirerait de Sauveterre, devenue impossible pour lui après un tel éclat. Mais ce serait pour le reléguer dans quelque pays perdu, sans aucune chance d'avancement.

Vainement il objectait qu'il n'avait fait que son devoir. On lui répondait, si même on daignait lui répondre, qu'il est de ces maladresses éclatantes, de ces erreurs scandaleuses qu'un magistrat ne doit pas commettre, et que, pour la gloire de la justice et dans l'intérêt de la magistrature si violemment attaquée, mieux vaut, en certaines circonstances, laisser un coupable impuni qu'emprisonner un innocent.

Avec de telles angoisses, les plus cruelles qui puissent déchirer le cœur d'un ambitieux, M. Galpin-Daveline devrait trouver son chevet rembourré d'épines.

Dès six heures du matin, il était debout. À onze heures, il envoyait chercher son greffier, Méchinet, et ils se rendirent ensemble à la prison, afin de procéder à un nouvel interrogatoire. C'est à ce moment qu'avait été remise au juge d'instruction la lettre adressée par Jacques à Mlle Denise.

Elle était brève, et telle que peut l'écrire un homme trop intelligent pour ne pas savoir qu'un prisonnier ne doit pas compter sur le secret de sa correspondance. Elle n'était même pas cachetée, circonstance qui avait échappé à M. Blangin, le geôlier.

Denise, ma bien-aimée, écrivait Jacques, la pensée de l'horrible chagrin que je vous cause est ma plus cruelle et presque mon unique souffrance. Dois-je m'abaisser jusqu'à vous jurer que je suis innocent? Non, n'est-ce pas? Je suis victime d'un si fatal concours de circonstances que la justice a dû s'y tromper. Mais, rassurez-vous, soyez sans inquiétude. Je saurai, le moment venu, dissiper cette funeste erreur.

À bientôt...

Jacques.

«Bon!» avait dit, en effet, M. Galpin-Daveline après avoir lu cette lettre.

Elle ne lui en avait pas moins donné un coup au cœur.

Quelle assurance! avait-il pensé.

Pourtant, il s'était un peu remis en montant l'escalier de la prison. Jacques, évidemment, ne s'était pas imaginé que sa lettre arriverait directement à destination; donc, il y avait lieu de conjecturer qu'il l'avait écrite pour la justice bien plus que pour Mlle Denise. L'absence de cachet donnait à cette présomption un certain poids.

Enfin, c'est ce que nous allons voir, se disait M. Galpin-Daveline, pendant que Blangin lui ouvrait la cellule du prévenu.

Mais il trouva Jacques aussi calme que s'il eût été libre à son château de Boiscoran, hautain et même railleur. Impossible de rien tirer de lui. Pressé de questions, il se renfermait dans le silence le plus obstiné ou répondait qu'il avait besoin de réfléchir.

Le juge d'instruction était donc rentré chez lui bien plus inquiet qu'il n'en était parti. L'attitude de Jacques le confondait. Ah! s'il eût pu reculer! Mais il ne le pouvait plus, il avait brûlé ses vaisseaux et il était condamné à aller quand même jusqu'au bout. Pour son salut, désormais, pour son avenir, il fallait que Jacques de Boiscoran fût coupable, qu'il fût traduit en cour d'assises et qu'il fût condamné. Il le fallait absolument. C'était une question de vie ou de mort.

Voilà précisément quelles étaient ses réflexions, quand on vint lui annoncer que les demoiselles de Lavarande demandaient à lui parler.

Il se dressa tout d'une pièce, et, en moins d'une seconde, son esprit surexcité embrassa toutes les éventualités imaginables. Que pouvaient lui vouloir ces deux vieilles filles?

Qu'elles entrent, dit-il enfin.

Elles entrèrent, roides, hautaines, refusant le fauteuil que leur avançait le magistrat.

Je m'attendais peu à l'honneur de votre visite, mesdemoiselles..., commença-t-il.

L'aînée des tantes Lavarande, Mlle Adélaïde, lui coupa la parole:

Je le conçois, dit-elle, après ce qui s'est passé...

Et tout de suite, avec une énergie de dévote flétrissant l'impie, elle se mit à lui reprocher ce qu'elle appelait son infâme trahison. Quoi! lui, prendre parti contre Jacques, son ami, un homme qui s'était employé à lui procurer la faveur d'une alliance inespérée!... Par le seul fait de ses espérances de mariage, il faisait en quelque sorte partie de la famille. D'où était-il donc né, pour avoir oublié qu'entre parents, se hait-on à la mort, on se doit aide et protection, dès qu'il s'agit de défendre ce patrimoine sacré qui s'appelle l'honneur!

Étourdi comme un passant qui reçoit d'un cinquième étage une volée de pierres, M. Galpin-Daveline gardait cependant assez de sang-froid pour se demander s'il n'y avait nul parti à tirer de cet incident extraordinaire. Un retour était-il impossible?

Aussi, dès que Mlle Adélaïde s'arrêta, entreprit-il de se justifier, peignant en métaphores hypocrites la douleur dont il était saisi, jurant qu'il n'avait pas pu maîtriser les événements, que Jacques lui était plus cher que jamais...

S'il vous est si cher, interrompit Mlle Adélaïde, faites-le mettre en liberté.

Eh! le puis-je, mademoiselle.

Alors, donnez à sa famille et à ses amis la permission de le voir.

La loi me le défend. S'il est innocent, qu'il se disculpe. S'il est coupable, qu'il avoue. Dans le premier cas, il sera libre. Dans le second, il recevra qui bon lui semblera...

C'est peut-être aussi par amitié que vous vous êtes permis de lire une lettre de Jacques à sa fiancée...

J'ai rempli en cela un des devoirs de ma pénible profession, mademoiselle.

Ah! Et cette profession vous défend-elle de nous donner cette lettre que vous avez lue?

Oui... Mais je puis vous la communiquer.

Il la tira d'un dossier, en effet, et la plus jeune des tantes, Mlle Élisabeth, la copia au crayon. Cela fait, elles se retirèrent presque sans saluer.

M. Galpin-Daveline était ivre de colère.

Ah! vieilles sorcières! s'écria-t-il, votre démarche me prouve que vous êtes loin de croire à l'innocence de Jacques. Pourquoi sa famille tient-elle tant à arriver jusqu'à lui? Sans doute pour lui fournir le moyen de se soustraire, par le suicide, au châtiment de son crime... Mais, de par Dieu, cela ne sera pas, je saurai l'empêcher!

À quoi bon récriminer sur un fait accompli contre lequel on ne peut rien!

Si contrarié que fût maître Folgat, lorsqu'il apprit de Mlle Denise la démarche des tantes Lavarande, il évita d'en rien laisser paraître. N'était-ce pas à lui d'avoir du sang-froid pour tous au milieu de cette famille si cruellement éprouvée?

M. de Chandoré, d'ailleurs, dissimulait mal son mécontentement. Et, en dépit de son respect pour les volontés de Mlle Denise:

Certes, chère fille, je ne dis pas que tu as eu tort... Cependant tu connais tes tantes, et tu sais combien peu elles sont conciliantes. Elles sont capables d'exaspérer monsieur Galpin-Daveline...

Qu'importe! interrompit fièrement la jeune fille. La circonspection ne sied qu'aux coupables, et Jacques est innocent.

Mademoiselle a raison, approuva maître Folgat, qui parut ainsi subir, comme toute la famille, l'ascendant de Mlle Denise. Quoi que puissent faire ou dire les demoiselles de Lavarande, elles n'empireront pas la situation. Monsieur Galpin-Daveline n'en sera ni plus ni moins un ennemi acharné.

Grand-père Chandoré eut un soubresaut.

Cependant..., commença-t-il.

Oh! ce n'est pas à lui que je m'en prends, interrompit le jeune avocat, mais à l'institution dont il subit la fatalité. Est-il bien possible qu'un juge d'instruction demeure absolument impartial, en certaines causes retentissantes comme celle-ci, où il joue en quelque sorte son avenir! On est certes un magistrat intègre, incapable de forfaiture, étroitement attaché au devoir, mais on est homme, mais on a ses intérêts!... On n'aime pas au ministère les enquêtes qui aboutissent à une ordonnance de non-lieu. Le juge qu'on récompense n'est pas toujours celui qui a le mieux su dégager la vérité d'une ténébreuse affaire...

Mais monsieur Galpin-Daveline était notre ami, monsieur...

Oui, et c'est là ce qui m'épouvante. Quelle sera sa situation, le jour où monsieur de Boiscoran sera reconnu innocent?

Enfin!... nous allons savoir ce qu'ont fait les tantes Lavarande...

Elles rentraient, en effet, très fières de leur expédition et agitant triomphalement la copie de la lettre de Jacques.

Cette copie, Mlle Denise la prit, et, tandis qu'elle se retirait à l'écart pour la lire, Mlle Adélaïde racontait l'entrevue, disant combien elle avait été ferme et dédaigneuse, et combien M. Galpin-Daveline lui avait paru humble et repentant.

Car il a été foudroyé, reprenaient, en duo, les vieilles demoiselles, car il a été anéanti, écrasé!

Oui, vous venez de faire un beau coup, grommelait M. de Chandoré, et je vous engage à vous en vanter.

Les tantes ont bien agi, déclara Mlle Denise. Voyez plutôt ce que m'écrivait Jacques. C'est précis, c'est net. Que pouvons-nous craindre après cette dernière phrase: «Soyez sans inquiétude. Je saurai, le moment venu, dissiper cette funeste erreur.»

Ayant pris la copie et l'ayant lue, maître Folgat hochait la tête.

Il n'était pas besoin de cette lettre, prononça-t-il, pour fixer mon opinion. Au fond de cette affaire est un secret que nul de nous n'a pénétré. Seulement, monsieur de Boiscoran est bien téméraire de jouer ainsi avec un procès criminel. Que ne s'est-il disculpé tout de suite! Ce qui était facile hier peut devenir difficile demain et impossible dans huit jours...

Jacques, monsieur, s'écria Mlle Denise, est un homme trop supérieur pour qu'on ne s'en remette pas absolument à ce qu'il dit!

Mme de Boiscoran, qui entrait, empêcha l'avocat de répondre.

Deux heures de repos avaient rendu à la malheureuse femme une partie de son énergie et de sa présence d'esprit accoutumée, et elle venait demander qu'on expédiât un télégramme à son mari.

C'est le moins que nous puissions faire, murmura M. de Chandoré, quoiqu'en vérité ce soit bien inutile. Boiscoran se soucie bien de son fils, ma foi! Ah! s'il s'agissait d'une faïence rare, ou d'une assiette qui manque à sa collection, ce serait une autre histoire!...

La dépêche n'en fut pas moins rédigée et envoyée au télégraphe, juste comme un domestique venait annoncer que le dîner était servi.

Et ce repas fut moins triste qu'on ne l'eût supposé. Certes, chacun avait bien le cœur oppressé, en songeant qu'en ce moment même c'était un geôlier qui servait à Jacques l'ordinaire de la prison. Certes, Mlle Denise ne sut pas retenir une larme en voyant maître Folgat à la place où s'asseyait son fiancé... Mais personne, hormis le jeune avocat, ne croyait que Jacques fût vraiment en péril.

M. Séneschal, par exemple, qui arriva au moment où on servait le café, partageait, c'était manifeste, les anxiétés de maître Folgat. L'excellent maire venait chercher des nouvelles de ses amis, et leur dire comment s'était passée sa journée.

L'enterrement des pompiers avait eu lieu sans bruit, sinon sans une profonde émotion. La manifestation qu'il redoutait n'avait pas donné signe de vie, et le docteur Seignebos n'avait point pris la parole au cimetière. Manifestation et discours eussent été, du reste, mal accueillis, ajoutait M. Séneschal, car il avait eu la douleur de constater que l'immense majorité des Sauveterriens croyait fermement à la culpabilité de M. de Boiscoran. Dans plusieurs groupes, il avait entendu des gens qui disaient: «Et cependant, vous verrez qu'il ne sera pas condamné. Un pauvre diable qui aurait commis ce crime abominable serait sûr d'avoir le cou coupé. Mais lui, le fils du marquis de Boiscoran... vous verrez qu'on le renverra blanc comme neige.»

Le roulement d'une voiture qui s'arrêtait à la porte de la rue lui coupa fort à propos la parole.

Qu'est-ce? fit Mlle Denise en se dressant.

On entendit, dans le corridor, un bruit de voix et de pas, quelque chose comme le trépignement d'une lutte, et presque immédiatement la porte de la salle à manger s'ouvrit, et le fils du métayer de Boiscoran, Michel, parut en s'écriant:

C'est fait, je le tiens, je l'amène!

Et en même temps, il attirait Cocoleu, lequel se débattait en grognant et jetait autour de lui les regards effarés de la bête prise au piège.

Par ma foi! mon gars, s'écria M. Séneschal, vous avez été plus habile que les gendarmes!

À la façon dont Michel cligna de l'œil, il fut aisé de voir que sa foi en l'habileté de la gendarmerie n'était pas illimitée.

Ce tantôt, dit-il, quand j'ai promis à monsieur le baron de dénicher Cocoleu, j'avais mon idée. Je savais que, dans le temps, il allait souvent se terrer, comme une bête puante qu'il est, dans une manière de trou qu'il s'était creusé sous des rochers, au plus épais des bois de Rochepommier. C'était le hasard qui m'avait fait découvrir ce terrier, car on passerait bien cent fois à côté et même dessus sans se douter qu'il existe. Donc, quand monsieur le baron m'a dit que «l'innocent» avait disparu, j'ai pensé en moi-même: sûr, il se cache dans son trou, allons voir!... Là-dessus, je prends mes jambes à mon cou, j'arrive aux rochers et je trouve Cocoleu... Seulement, je peux dire que j'ai eu du mal à le tirer dehors, le gredin, il ne voulait pas venir, et en se défendant, il m'a mordu la main, comme un chien enragé qu'il est... (Sur quoi, Michel agitait sa main gauche enveloppée d'un linge ensanglanté.) Pour amener mon idiot, poursuivit-il, ça a été toute une histoire. J'ai été obligé de lui lier les mains et de le porter jusque chez mon père. Là, nous l'avons hissé dans notre cabriolet, et le voilà... Regardez-moi le joli garçon!

Il était hideux, en ce moment, avec sa face livide, marquée de plaques rouges, ses lèvres pendantes, frangées de bave, et ses regards hébétés.

Pourquoi ne voulais-tu pas venir? lui demanda M. Séneschal.

L'idiot ne sembla même pas entendre.

Pourquoi as-tu mordu Michel? insista le maire. Cocoleu ne répondit pas.

Sais-tu que monsieur de Boiscoran est en prison à cause de ce que tu as dit?

Toujours pas de réponse.

Ah! ce n'est pas la peine de l'interroger, dit Michel. Vous le battriez jusqu'à demain, que vous lui feriez sortir l'âme du corps plutôt qu'une parole de la bouche.

J'ai... j'ai faim!... bégaya Cocoleu. Maître Folgat eut un geste indigné.

Et penser, murmura-t-il, que c'est sur la déposition d'un tel être qu'on base une accusation capitale!

Grand-père Chandoré, lui, semblait assez embarrassé.

Avec tout cela, demanda-t-il, qu'allons-nous faire de ce misérable idiot?

Je vais moi-même, à l'instant, répondit M. Séneschal, le conduire à l'hôpital, et prévenir de la trouvaille le docteur Seignebos et le procureur de la République.

Le docteur Seignebos avait des ridicules, c'est incontestable, et toutes les burlesques aventures que lui attribuaient ses ennemis n'étaient pas imaginaires. Il avait, en tout cas, cette qualité, devenue rare, de professer pour son «art», comme il disait, un respect voisin du fanatisme. La Faculté, selon lui, était impeccable, et volontiers il lui attribuait l'infaillibilité qu'il déniait au pape. Il confessait bien dans l'intimité que certains de ses confrères étaient des ânes ânonnant, mais jamais il n'eût permis à un profane d'émettre, devant lui, cette irrévérencieuse opinion. Du moment où un homme était muni de ce fameux diplôme qui confère le droit de vie et de mort, cet homme, à son avis, devait être pour le vulgaire un personnage auguste. C'était un crime, à ses yeux, que de ne se point soumettre aveuglément à l'arrêt d'un médecin.

De là son opiniâtreté à tenir tête à M. Galpin-Daveline, l'amertume de ses contradictions et le sans-façon avec lequel il avait prié «messieurs de la justice» d'aller procéder hors de la chambre où gisait son malade.

Car ces diables-là, avait-il dit, tueraient un homme pour en tirer le moyen de faire couper la tête à un autre...

Et là-dessus, reprenant ses pinces, ses bistouris et son éponge, il s'était remis à l'œuvre, et Mme de Claudieuse l'aidant, il avait recommencé à extraire les grains de plomb qui criblaient les chairs du comte.

À neuf heures, il avait fini.

Non que je prétende avoir tout retiré, déclara-t-il modestement, mais s'il reste encore quelques grains, ils sont hors de ma portée, et il me faut attendre que certains symptômes me révèlent leur présence.

Du reste, ainsi qu'il l'avait prévu, la situation de M. de Claudieuse paraissait fort empirée. À son exaltation première avait succédé une si grande prostration qu'il semblait insensible à tout ce qui se passait autour de son lit. La fièvre traumatique commençait à se manifester par de légers frissons, et étant donné la constitution du comte, il était aisé de prévoir que la journée ne s'écoulerait pas sans que le délire s'emparât de son cerveau.

Je considère cependant le danger comme nul, dit M. Seignebos à la comtesse, après lui avoir signalé, pour qu'elle ne s'en alarmât pas, tous les accidents qui pouvaient survenir, après lui avoir bien recommandé, surtout, de ne laisser personne approcher du lit de son mari, et M. Galpin-Daveline moins que quiconque.

La recommandation n'était pas inutile, car presque au même moment, un paysan vint annoncer qu'il y avait là un bourgeois de Sauveterre, lequel demandait à parler à M. de Claudieuse.

Qu'il vienne, répondit le docteur. C'est moi qui vais le recevoir.

C'était un nommé Têtard, un ancien huissier qui avait vendu son étude pour se lancer dans le commerce des pierres.

Seulement, outre qu'il était ancien officier ministériel et négociant, ainsi que le portaient ses cartes de visite, ledit Têtard était le représentant d'une compagnie d'assurances contre l'incendie. C'est en cette dernière qualité qu'il osait se présenter, déclara-t-il à la comtesse, parlant à sa personne.

Il avait ouï dire que les bâtiments du Valpinson, assurés à sa compagnie, venaient d'être détruits, et que l'incendie avait été allumé sciemment par M. de Boiscoran, et c'est sur ce sujet qu'il voulait conférer avec M. de Claudieuse. Loin de lui, protestait-il, la pensée de décliner la responsabilité de sa compagnie; seulement il tenait à réserver pour elle le recours légal contre M. de Boiscoran, lequel avait de la fortune et serait certainement condamné à payer le sinistre dont il était l'auteur. Mais certaines formalités étaient nécessaires, et il venait engager M. de Claudieuse à prendre, de concert avec lui, Têtard, les mesures...

Et moi, je vous engage à me montrer les talons! s'écria M. Seignebos d'une voix tonnante, et je vous trouve bien hardi de prononcer ainsi le nom de monsieur de Boiscoran!

M. Têtard fila sans mot dire, et c'est tout ému de cet incident que le docteur examina la plus jeune des filles de Mme de Claudieuse, celle qu'elle veillait au moment de la catastrophe et qui allait décidément mieux.

Après cela, rien ne le retenait plus au Valpinson.

Il serra soigneusement dans sa trousse les grains de plomb extraits des blessures du comte; puis, attirant Mme de Claudieuse jusqu'au seuil de la pauvre masure:

Avant de m'éloigner, madame, dit-il, je tiens à vous demander ce que vous pensez des événements de cette nuit...

Plus pâle qu'une morte, la malheureuse femme semblait ne tenir debout que par un miracle d'énergie. Il n'y avait en elle de vivants que les yeux, qui brillaient d'un éclat extraordinaire.

Eh! le sais-je, monsieur, répondit-elle d'une voix faible. Ai-je donc, après de si rudes épreuves, la tête assez à moi pour réfléchir?...

Vous avez cependant interrogé Cocoleu?...

Qui n'aurais-je pas interrogé pour découvrir la vérité!

Et le nom qu'il a prononcé ne vous a pas stupéfiée?

Vous avez dû le voir, monsieur...

Je l'ai vu, et c'est pour cela que j'insiste et que je tiens à avoir votre opinion sur l'état mental de Cocoleu.

Le malheureux est idiot, monsieur, ne le savez-vous pas?

Je le sais, et c'est pour cela que j'ai été surpris de votre insistance à le faire parler. Vous pensiez donc qu'en dépit de son imbécillité habituelle, il peut avoir quelques lueurs de raison...

Il venait, l'instant d'avant, d'arracher mes enfants aux flammes.

Cela prouve son dévouement pour vous.

Il m'est attaché, en effet, comme le serait un pauvre animal que j'aurais recueilli et dont j'aurais pris soin.

Soit... Et pourtant son action dénote plus qu'un instinct purement bestial.

C'est possible. Il m'est arrivé de surprendre chez Cocoleu des éclairs d'intelligence.

Ayant retiré ses lunettes d'or, le docteur les essuyait avec fureur.

Il est bien fâcheux, grommela-t-il, qu'un de ces éclairs ne l'ait pas illuminé, quand il a vu monsieur de Boiscoran allumer le feu et se préparer à assassiner monsieur de Claudieuse.

Comme si elle eût été près de défaillir, Mme de Claudieuse s'accotait aux montants de la porte..

C'est précisément, murmura-t-elle, à l'émotion qu'il a ressentie en voyant les flammes et en entendant les coups de feu, que j'attribue le réveil de la raison de Cocoleu.

Possible! fit le docteur, possible! (Et, rajustant ses lunettes d'or:) C'est, ajouta-t-il, ce que décideront les hommes de l'art à l'examen desquels ce misérable imbécile sera soumis...

Comment, on va l'examiner!

Et de près, oui, madame, je vous le promets... Sur quoi je vais avoir l'honneur de vous dire au revoir. Car je reviendrai ici ce soir, si vous ne réussissez pas à vous installer dans la journée à Sauveterre, ce qui serait bien désirable, pour moi d'abord, puis pour votre mari et votre fille, qui sont fort mal dans cette cahute.

Et cela dit, soulevant légèrement son chapeau à larges bords, le docteur Seignebos avait regagné Sauveterre et était allé tout droit demander impérieusement à M. Séneschal l'arrestation de Cocoleu.

Malheureusement, les gendarmes avaient fait buisson creux, et M. Seignebos, qui voyait la fâcheuse tournure que prenait l'affaire de Jacques, commençait à s'impatienter horriblement, lorsque le samedi soir, sur les dix heures, M. Séneschal entra chez lui en s'écriant:

Cocoleu est retrouvé!

D'un saut, le docteur fut debout, canne à la main, chapeau en tête, demandant:

Où est-il?

À l'hôpital, où je l'ai moi-même installé dans une chambre isolée.

J'y cours.

Quoi! à cette heure.

Ne suis-je pas un des médecins de l'hôpital, ne doit-il pas m'être ouvert de nuit comme de jour?

Les sœurs seront couchées...

Le docteur, à dix reprises au moins, haussa les épaules.

C'est juste, fit-il ce serait un sacrilège que de troubler leur sommeil, à ces bonnes sœurs, à ces chères sœurs, comme vous dites!... Ah! monsieur le maire, quand donc ferons-nous de la médecine laïque, et quand donc me remplacerez-vous vos saintes filles par de bons et solides infirmiers?

M. Séneschal avait eu, sur ce sujet, trop de prises avec le docteur pour entamer une nouvelle discussion. Il se tut et fit bien, car M. Seignebos se rassit en disant:

Enfin!... ce sera pour demain.

VI

«L'hôpital de Sauveterre, dit le Guide Joanne, est, malgré ses proportions restreintes, un des établissements hospitaliers les mieux entendus des Deux-Charentes. La chapelle et les bâtiments neufs sont dus à la pieuse munificence de la comtesse de Maupaisan, veuve du ministre de Louis-Philippe.»

Mais ce que ne dit pas Joanne, c'est que l'hôpital doit à Mme Séneschal la fondation de trois lits pour les femmes en couches. C'est également de ses deniers qu'ont été construits les deux pavillons qui flanquent la grande porte. Un de ces pavillons, celui de droite, est occupé par le portier, le sieur Vaudevin, un vieillard superbe qui jadis était suisse à la cathédrale et qui aime encore à rappeler ce temps où, par sa magnifique prestance, par son uniforme rouge, son baudrier d'or, sa hallebarde et sa canne à pomme d'argent, il contribuait aux pompes du culte.

Ce portier, le dimanche matin, un peu avant huit heures, fumait sa pipe dans la cour, lorsqu'il vit arriver M. Seignebos.

Le docteur marchait d'un pas plus saccadé que de coutume, le chapeau sur les yeux, signe de bourrasque, et les mains enfoncées jusqu'au coude dans ses poches. Au lieu d'entrer, comme tous les jours avant sa visite, dans le réduit de la sœur pharmacienne, c'est chez madame la supérieure qu'il monta tout droit. Là, après un léger salut:

On a dû, ma sœur, commença-t-il, vous amener hier soir un malade, un idiot du nom de Cocoleu...

En effet, docteur.

Où l'avez-vous placé?

Monsieur le maire lui-même l'a fait installer dans la petite chambre qui est en face de la lingerie.

Et comment s'est-il comporté?

Très bien. La sœur veilleuse ne l'a pas entendu bouger.

Merci, ma sœur, dit M. Seignebos.

Et déjà il gagnait la porte, quand madame la supérieure le retint.

Montez-vous donc visiter ce malheureux, monsieur le docteur? demanda-t-elle.

Oui, ma sœur, pourquoi?

C'est que vous ne pouvez pas le voir.

Je ne puis pas...

Non, nous avons reçu de monsieur le procureur de la République l'ordre d'empêcher qui que ce soit, hormis la sœur qui le soigne, d'approcher de Cocoleu. Qui que ce soit, docteur, même le médecin, à moins d'urgence, bien entendu.

M. Seignebos eut un geste ironique.

Ah! vous avez cet ordre, fit-il en ricanant, eh bien, moi, je vous déclare que je le tiens pour nul et non avenu. M'interdire l'accès de mon malade!

Voyez-vous cela!... Que monsieur le procureur de la République mande, ordonne et commande en son palais de justice, rien de mieux. Mais ici, dans mon hôpital!... Ma sœur, je monte chez Cocoleu...

Docteur, vous n'entrerez pas, il y a un gendarme de faction devant la porte.

Un gendarme!

Qui nous est arrivé ce matin avec la consigne la plus sévère.

Un instant le docteur demeura abasourdi. Puis tout à coup, avec une violence extraordinaire et des éclats de voix à faire trembler les vitres:

C'est un procédé inouï! s'écria-t-il, un abus de pouvoir intolérable! Et par les cent mille tonnerres du ciel! j'en aurai raison, et justice me sera rendue, quand je devrais aller jusqu'à Thiers...

Et, sans saluer cette fois, il s'élança dehors, traversa la cour et partit comme un trait dans la direction du logis du procureur de la République.

En ce moment même, M. Daubigeon se levait, mécontent parce qu'il avait passé une mauvaise nuit, ayant passé une mauvaise nuit parce qu'il était horriblement préoccupé de cette affaire Boiscoran, comme on disait déjà.

C'est qu'il partageait presque la conviction de M. Galpin-Daveline. Vainement il se rappelait le noble caractère de Jacques, son admirable loyauté, ses sentiments si vifs de l'honneur... les preuves étaient là, flagrantes, indiscutables.

Il voulait douter, mais l'impitoyable expérience lui criait que le passé d'un homme ne répond pas de son avenir. Et d'ailleurs, de même que plusieurs criminalistes, il pensait, sans trop oser le dire, que beaucoup de grands coupables agissent sous l'empire d'une sorte de vertige, et que c'est ainsi que s'explique la stupidité, la naïveté presque de certains crimes, commis par des gens d'une intelligence supérieure.

N'importe! Depuis son retour de Boiscoran, il s'était tenu obstinément enfermé, et il était en train de se promettre de ne pas sortir de la journée lorsqu'on sonna chez lui à briser la sonnette.

L'instant d'après, le docteur Seignebos entrait comme une bombe.

Je sais ce qui vous amène! s'écria M. Daubigeon. Vous venez pour cet ordre que j'ai donné relativement à Cocoleu...

C'est bien cela, oui, monsieur, cet ordre est une injure...

Il m'a été formellement demandé par monsieur Galpin-Daveline...

Et vous ne le lui avez pas refusé, monsieur. C'est vous seul par conséquent que j'en rends responsable. Vous êtes procureur de la République, c'est-à-dire le chef du parquet et le supérieur de monsieur Galpin.

M. Daubigeon hochait la tête.

C'est en quoi vous vous trompez, docteur, dit-il. Le juge d'instruction ne dépend ni de moi ni du tribunal. Il est en quelque sorte même indépendant du procureur général, qui peut bien lui adresser des avertissements, mais non lui tracer une ligne de conduite. Monsieur Galpin-Daveline, en tant que juge d'instruction, exerce une juridiction à part, et il est armé de pouvoirs presque illimités. Mieux que personne un juge d'instruction peut dire avec le poète: «Ainsi je veux et j'ordonne, et ma volonté suffit,»

Hoc volo, sic jubeo, sit pro ratione voluntas...

Positivement, M. Seignebos se sentait désarmé par l'accent de M. Daubigeon.

Ainsi, fit-il, monsieur Galpin a même le droit de priver un malade des soins du médecin...

Sous sa responsabilité, oui. Mais telle n'est pas son intention. Il se proposait même de vous convoquer officiellement, quoique ce soit aujourd'hui dimanche, pour assister ce matin à un nouvel interrogatoire de Cocoleu... Je suis surpris que vous n'ayez pas reçu son assignation ou que vous ne l'ayez pas vu à l'hôpital à l'heure de votre visite...

Alors, j'y cours! s'écria le médecin.

Et il repartit précipitamment, et bien lui prit de se hâter, car sur le seuil de l'hôpital, il se trouva en face de M. Galpin-Daveline, lequel arrivait d'un pas solennel, suivi de son inévitable greffier, Méchinet.

Vous arrivez à propos, monsieur le docteur..., commença le juge.

Mais si rapide qu'eût été la course du docteur, elle lui avait donné le temps de réfléchir et de se calmer. Au lieu donc d'éclater en récriminations:

Oui, je sais, répondit-il d'un ton de politesse railleuse. C'est au sujet de ce pauvre diable, à qui vous avez donné un gendarme pour garde-malade. Nous pouvons monter, je suis tout à vos ordres...

La chambre où l'on avait placé Cocoleu était vaste, blanchie à la chaux, et n'avait pour tous meubles qu'un lit, une table et deux chaises. Le lit devrait être bon, mais l'idiot en avait enlevé matelas et couvertures et s'était couché tout habillé sur la paillasse. C'est là que le trouvèrent le médecin et le juge.

Il se dressa à leur vue, mais apercevant le gendarme, il poussa un cri et fit un mouvement pour se cacher sous le lit. Ce fut même si manifeste que M. Galpin-Daveline ordonna au gendarme de sortir. S'avançant alors:

N'aie pas peur, mon garçon, dit-il à Cocoleu, nous ne te ferons pas de mal. Seulement, il faut nous répondre. Te souviens-tu de ce qui est arrivé l'autre nuit au Valpinson?

Cocoleu éclata de rire, de ce rire navrant particulier aux idiots, mais il ne répondit pas. Et c'est en vain que, pendant une heure, le juge varia ses questions, priant, menaçant et promettant tour à tour, invoquant même le souvenir de Mme de Claudieuse; il ne lui arracha pas une syllabe.

À bout de patience:

Allons-nous-en, dit-il enfin; ce misérable est décidément au-dessous de la brute.

Était-il donc au-dessus, monsieur, demanda le docteur, quand il vous a désigné monsieur de Boiscoran?

Mais le juge parut ne pas entendre; et au moment de quitter Cocoleu:

Vous savez que j'attends votre rapport, docteur, dit-il au médecin.

Avant quarante-huit heures, j'aurai l'honneur de vous le remettre, monsieur, répondit M. Seignebos. (Et tout en s'éloignant:) Même, grommelait-il, ce rapport pourrait bien vous gêner, monsieur le juge.

M. Galpin-Daveline fût entré dans une belle colère s'il eût soupçonné la vérité! Le rapport de M. Seignebos était prêt, et s'il ne le remettait pas immédiatement au juge d'instruction, c'est qu'il avait calculé que, plus il tarderait, plus il aurait chance de déranger le plan de la prévention.

Puisque je le garde encore deux jours, pensait-il, tout en regagnant sa maison, pourquoi ne le communiquerais-je pas à cet avocat venu de Paris avec Mme de Boiscoran? Rien ne m'en empêche, que je sache, puisque, dans son trouble, ce pauvre Galpin a totalement oublié de me faire prêter serment...

Mais il s'interrompit.

Oui ou non, selon le code qui régit la médecine légale, avait-il le droit de donner connaissance d'une pièce de l'instruction à l'avocat du prévenu?

Cette question le troublait. Car s'il se vantait de ne pas croire en Dieu, il croyait fermement au devoir professionnel et se fût fait hacher en morceaux plutôt que de manquer aux obligations médicales.

Mais mon droit est clair, grommelait-il, et indiscutable. C'est le serment seul qui engage. Les textes sont précis et formels. J'ai pour moi les arrêts de la cour de cassation des novembre et décembre , et ceux du juin , du mai et du juin .

Le résultat de cette délibération fut que le docteur Seignebos, dès qu'il eut déjeuné, mit son rapport dans sa poche et s'en alla, par les rues détournées, sonner rue de la Rampe, chez M. de Chandoré.

Tantes Lavarande et Mme de Boiscoran étaient encore à la grand-messe, où elles avaient cru politique de se montrer, et il n'y avait au salon que Mlle Denise, grand-père Chandoré et maître Folgat.

Grande fut la surprise du vieux gentilhomme en voyant apparaître le docteur. M. Seignebos était bien son médecin, mais il y avait entre eux de telles divergences d'opinion que jamais, hors les cas de maladie, ils ne se visitaient.

Si vous me voyez, dit le docteur dès le seuil, c'est que, sur mon âme et conscience, je crois monsieur Boiscoran innocent.

Pour ces seuls mots, Mlle Denise lui eût sauté au cou, et c'est avec l'empressement de la reconnaissance qu'elle lui avança un fauteuil en lui disant de sa plus douce voix:

Asseyez-vous donc, je vous prie, cher docteur.

Merci, fit-il brusquement, bien obligé! (Et s'adressant plus particulièrement à maître Folgat:) Ma conviction, dit-il, revenant à sa marotte, est que monsieur Boiscoran est victime du courage qu'il a eu d'affirmer hautement ses opinions républicaines. Car votre futur petit-fils est républicain, monsieur le baron...

Grand-père Chandoré ne sourcilla pas. On fût venu lui apprendre que Jacques avait été membre de la Commune qu'il n'en eût probablement pas été plus ému. Denise l'aimait. Cela suffisait.

Or, poursuivait le docteur, je suis radical, moi, maître...

Folgat, dit l'avocat.

Oui, maître Folgat, je suis radical, et il est de mon devoir de défendre un homme dont la religion politique se rapproche de la mienne. C'est pourquoi je viens vous soumettre mon rapport médical, afin que vous en tiriez parti pour la défense de monsieur Boiscoran et que vous me suggériez vos idées.

Ah! c'est un immense service, monsieur! s'écria le jeune avocat.

Mais entendons-nous, fit sévèrement le médecin. Lorsque je parle d'adopter les idées que vous pourriez avoir, c'est en tant qu'elles ne blesseront en rien la vérité. Pour arracher mon fils, si j'en avais un, à l'échafaud, je ne souillerais pas mes lèvres d'un mensonge qui serait une atteinte à la majesté de ma profession... (Il avait tiré son rapport de la poche de sa longue lévite, il le déposa sur la table en disant:) Je viendrai le reprendre demain matin. D'ici là, vous aurez le temps de le méditer. Je voudrais seulement vous en signaler la partie essentielle, le point culminant, si j'ose m'exprimer ainsi...

Il s'exprimait, en tout cas, avec une sorte d'hésitation, et en regardant fixement Mlle Denise, comme pour lui faire comprendre qu'il eût été content qu'elle se retirât.

Une discussion médico-légale, fit-il, n'intéressera guère mademoiselle...

Eh! monsieur, interrompit la jeune fille, comment ne serais-je pas intéressée passionnément, lorsqu'il s'agit de l'homme dont je dois devenir la femme.

C'est que les dames sont, en général, très impressionnables, dit assez peu poliment le docteur, très sensibles...

Rassurez-vous, docteur. Pour le salut de Jacques, je saurais montrer une énergie virile.

Le docteur connaissait assez Mlle Denise pour comprendre qu'elle ne s'éloignerait pas.

Comme il vous plaira! grommela-t-il. (Et se retournant vers maître Folgat:) Vous le savez, reprit-il, deux coups de fusil ont été tirés sur monsieur de Claudieuse. Le premier, qui l'a atteint au flanc, a, comme on dit, légèrement écarté. Le second, qui a frappé l'épaule et le cou, a fait balle...

Je sais cela, dit l'avocat.

La différence des effets prouve que ces deux coups de feu ont été tirés de distances inégales, le second de plus près que le premier.

Je sais, je sais...

Permettez... Si je rappelle ces détails, c'est qu'ils ont leur valeur. Appelé au milieu de la nuit près de monsieur de Claudieuse, je procédai immédiatement à l'extraction des grains de plomb. Pendant que j'opérais, monsieur Galpin est arrivé. Je croyais qu'il allait me demander à voir les plombs déjà retirés, il n'en a pas eu l'idée, tant il avait la cervelle à l'envers. Il ne songeait qu'au coupable, à son coupable. Je ne lui ai pas rappelé l'a b c de son métier, ce n'est pas mon affaire. Le médecin doit obtempérer aux injonctions de la justice, mais non pas aller au-devant...

Et alors?

Alors, monsieur Galpin est parti pour Boiscoran et j'ai continué ma besogne. J'ai extrait cinquante-sept grains de plomb des plaies du côté, et cent neuf des blessures de l'épaule et du cou. Et cela fait, savez-vous ce que j'ai constaté?... (Il s'arrêta, ménageant son effet; et l'attention lui semblant assez surexcitée:) J'ai constaté, reprit-il, que le plomb des deux blessures n'est pas pareil...

M. de Chandoré et maître Folgat eurent en même temps une même exclamation:

Oh!...

Le plomb du premier coup, continua M. Seignebos, celui qui a atteint le flanc, est de la cendrée aussi menue que possible. Le plomb des blessures de l'épaule, au contraire, est d'un numéro assez fort, de celui, je crois, qu'on emploie pour le lièvre... J'en ai là, d'ailleurs, des échantillons.

Et, en disant cela, il dépliait un morceau de papier blanc où se trouvaient dix ou douze grains de plomb, tachés de sang coagulé, et dont la différence de grosseur sautait aux yeux.

Maître Folgat semblait confondu.

Y aurait-il donc eu deux assassins! murmura-t-il.

Je pense plutôt, dit M. de Chandoré, que l'assassin, comme beaucoup de chasseurs, avait un canon chargé pour les petits oiseaux et l'autre pour le lièvre ou le lapin...

En tout cas, reprit maître Folgat, ceci écarte toute idée de préméditation. Ce n'est pas avec de la cendrée qu'on charge son fusil, quand on part pour tuer un homme.

En ayant assez dit, à ce qu'il pensait, le docteur Seignebos se levait pour se retirer, lorsque M. de Chandoré lui demanda des nouvelles du comte de Claudieuse.

Il n'est pas bien, répondit le docteur, le déplacement, malgré toutes les précautions, l'a énormément fatigué. Car il est à Sauveterre, depuis hier, installé provisoirement dans une maison que monsieur Séneschal lui a louée, rue Mautrec. Toute la nuit il a eu le délire, et quand je me suis présenté chez lui, ce matin, je ne crois pas qu'il m'ait reconnu.

Et la comtesse?... interrogea Mlle Denise.

Madame de Claudieuse, mademoiselle, est tout aussi malade que son mari, et si elle m'eût écouté, elle se fût mise au lit. Mais c'est une femme d'une rare énergie, et qui, d'ailleurs, puise dans son affection pour le comte une force de résistance inconcevable. (Il avait, tout en parlant, gagné la porte.) Pour ce qui est de Cocoleu, ajouta-t-il, l'examen de son état mental pourrait bien révéler des particularités auxquelles on ne s'attend guère. Mais nous en recauserons plus tard... Et sur ce, mademoiselle et messieurs, j'ai l'honneur de vous saluer.

Eh bien? demandèrent Mlle Denise et M. de Chandoré dès qu'ils eurent entendu la porte de la rue se refermer sur le docteur Seignebos.

Mais déjà s'était refroidi l'enthousiasme de maître Folgat.

Avant de me prononcer, répondit-il prudemment, j'ai besoin d'étudier le rapport de ce digne médecin.

Malheureusement, ce rapport ne contenait rien que n'eût dit M. Seignebos. Et c'est en vain que le jeune avocat employa son après-midi à chercher comment en tirer parti. Il y découvrit, certes, des arguments qui seraient d'une haute valeur pour la défense, si M. de Boiscoran venait à être traduit en cour d'assises, mais il n'y trouvait aucun moyen de nature à faire lâcher prise à la prévention.

Toute la maison était donc sous l'empire d'une déception cruelle, lorsque, sur les cinq heures, le vieil Antoine arriva de Boiscoran. Il semblait fort triste.

Je suis relevé de ma faction, dit-il; ce tantôt, à deux heures, monsieur Galpin est venu lever les scellés. Il était accompagné de son greffier Méchinet et amenait monsieur Jacques, qui était gardé par deux gendarmes en bourgeois. L'appartement ouvert, ce Galpin de malheur a fait reconnaître à monsieur les vêtements qu'il portait le soir de l'incendie, ses bottes, son fusil Klebb et l'eau de la cuvette. La reconnaissance terminée, l'eau a été transvasée dans un grand bocal qui a été scellé et confié à un gendarme. On a ensuite mis dans une malle les effets de monsieur, son fusil, plusieurs paquets de cartouches, et enfin divers objets que le juge appelait des pièces à conviction. La malle a été scellée comme le bocal, portée sur la voiture, et le Galpin est parti en me disant que j'étais libre.

Et Jacques, interrogea vivement Mlle Denise, quelle était son attitude?

Monsieur, mademoiselle, souriait d'un air de mépris.

Lui avez-vous parlé? demanda maître Folgat.

Impossible, monsieur, le Galpin ne l'a pas permis.

Et... avez-vous eu le temps d'examiner le fusil?

Je n'ai pu que donner un coup d'œil à la batterie.

Et vous avez vu?...

Le front du fidèle serviteur s'assombrit encore.

J'ai vu, répondit-il d'une voix sourde, que j'ai bien fait de me taire... La batterie est noire de poudre, preuve que monsieur a tiré depuis que j'ai nettoyé ce maudit Klebb...

Grand-père Chandoré et maître Folgat échangèrent un regard désolé. C'était une espérance, encore, qui s'envolait.

Maintenant, reprit le jeune avocat, dites-moi comment monsieur de Boiscoran chargeait son fusil.

Il le chargeait avec des cartouches, monsieur, naturellement. Il en avait reçu, je crois, deux mille avec le fusil, les unes à balles, les autres à chevrotines, les autres à plombs de tous les numéros. En ce temps où la chasse est fermée, monsieur ne pouvait tirer que du lapin, ou de ces petits oiseaux de passage, vous savez, qu'on trouve dans les marais. C'est pourquoi il chargeait un des canons de plomb assez gros, et l'autre de menue cendrée...

Mais il s'arrêta, épouvanté de l'effet produit par ses paroles.

C'est horrible! s'écria Mlle Denise, tout est contre nous.

Maître Folgat ne lui laissa pas le temps de s'expliquer davantage.

Mon brave Antoine, interrogea-t-il, monsieur Galpin-Daveline a-t-il saisi toutes les cartouches de votre maître?

Non, certes, monsieur.

Eh bien! vous allez à l'instant retourner à Boiscoran et vous nous rapporterez trois ou quatre cartouches de chaque numéro de plomb.

Soyez tranquille, répondit le bonhomme, je ne serai pas longtemps.

Il partit sur cette promesse, et il fit, en effet, une telle diligence qu'à sept heures sonnant, au moment où la famille finissait de dîner et se réunissait au salon, il reparut et posa sur la table un lourd paquet de cartouches.

M. de Chandoré et maître Folgat eurent bientôt fait d'en ouvrir quelques-unes, et, dès la septième ou huitième, ils avaient trouvé deux numéros de plomb qui semblaient exactement pareils aux échantillons que leur avait laissés le docteur.

C'est une fatalité inconcevable! murmura le vieux gentilhomme.

Le jeune avocat, lui-même, semblait bien près de perdre courage.

C'est folie, prononça-t-il, que de chercher à établir l'innocence de monsieur de Boiscoran avant de pouvoir communiquer avec lui.

Et si on le pouvait demain? demanda Mlle Denise.

Alors, mademoiselle, il nous donnerait la clef du problème que nous essayons en vain de résoudre, ou, dans tous les cas, il nous dirait dans quel sens diriger nos efforts... Mais il n'y faut point penser. Monsieur de Boiscoran est au secret, et vous pouvez croire que monsieur Galpin-Daveline a pris toutes ses précautions pour que le secret ne soit pas violé...

Qui sait! interrompit la jeune fille.

Et tout de suite, entraînant M. de Chandoré dans un des petits salons de jeu qui ouvraient sur le grand salon:

Bon papa, demanda-t-elle, suis-je riche?

De sa vie elle ne s'était préoccupée de cela, et elle ignorait en quelque sorte la valeur de l'argent.

Oui, tu es riche, mon enfant, répondit le vieux gentilhomme.

Qu'est-ce que j'ai?

Tu possèdes, à toi appartenant, c'est-à-dire du chef de ta mère et de ton pauvre père, vingt-six mille livres de rentes, soit un capital de plus de huit cent mille francs.

Et c'est beaucoup?

C'est assez pour que tu sois une des plus riches héritières de Saintonge; car tu as, outre ta fortune actuelle, des espérances considérables.

Mlle Denise était si préoccupée de son idée qu'elle ne protesta même pas.

Qu'appelle-t-on l'aisance, à Sauveterre? poursuivit-elle.

Cela dépend, ma chère fille, et si tu voulais me dire...

Elle l'interrompit en frappant du pied.

Rien! fit-elle, je t'en prie, réponds.

Eh bien! mais, dans notre petite ville, avec un revenu de quatre à huit mille francs...

Mettons six.

Soit. Avec un revenu de six mille francs, on a une honorable aisance.

Et combien faut-il de capital, pour faire six mille livres de rentes?

À cinq pour cent, il faut cent vingt mille francs.

C'est-à-dire, un peu plus du huitième de ma fortune.

Justement.

N'importe! Je comprends que ce doit être une grosse somme et qu'il te serait peut-être bien difficile, bon papa, de la réunir d'ici à demain.

Non, parce que j'ai pour bien plus que cela d'obligations de chemins de fer au porteur, et que les titres au porteur sont une monnaie courante.

Ah! c'est-à-dire que si je donnais à quelqu'un pour cent vingt mille francs de ces titres, il n'en serait pas plus embarrassé que de cent vingt mille francs de billets de banque.

Tu l'as dit.

Mlle Denise souriait, elle touchait au but.

Cela étant, reprit-elle, je te prie, bon papa, de me donner cent vingt mille francs en titres au porteur.

Le vieux gentilhomme tressauta.

Plaisantes-tu! s'écria-t-il. Qu'en veux-tu faire? Mais tu plaisantes sûrement...

Jamais, au contraire, je n'ai parlé si sérieusement, prononça la jeune fille d'un ton auquel il n'y avait pas à se méprendre. Je t'en conjure, bon papa, au nom de ton affection pour moi, donne-moi ces cent vingt mille francs ce soir, à l'instant... Tu hésites? Ô mon Dieu! c'est peut-être la vie que tu me refuses...

Non, M. de Chandoré n'hésitait plus.

Puisque tu le veux..., fit-il, je vais monter te les chercher.

Elle battait des mains de joie.

C'est cela, dit-elle, va vite et habille-toi, parce qu'il faut que je sorte et que tu m'accompagnes.

Et, revenant près des tantes Lavarande et de Mme de Boiscoran:

Vous m'excuserez de vous quitter, dit-elle, mais j'ai à sortir...

À cette heure! interrompit tante Élisabeth, où veux-tu aller?

Chez mes couturières, mesdemoiselles Méchinet, j'ai envie d'une robe...

Doux Jésus! s'écria tante Adélaïde, cette petite perd l'esprit.

Je t'assure que non, tante.

Alors, je vais aller avec toi.

Non, tante, j'irai seule, s'il te plaît... c'est-à-dire, seule avec bon papa.

Et comme M. de Chandoré reparaissait, les poches gonflées de titres, le chapeau sur la tête et la canne à la main, elle l'entraîna en disant:

Allons, viens, bon papa, viens, nous sommes très pressés...

VII

Si à genoux que fût M. de Chandoré devant les volontés de sa petite-fille, devant les moindres désirs de cette enfant en qui survivaient, pour lui, vieillard, toutes ses affections brisées par la mort et ses suprêmes espérances, ce n'est pas sans une arrière-pensée qu'il était monté prendre, dans son secrétaire, cette fortune qu'elle lui demandait.

Aussi, dès qu'ils furent hors de la maison:

À présent que nous voilà bien seuls, chère fille, commença-t-il, ne me diras-tu pas ce que tu veux faire de tant d'argent?

C'est mon secret, répondit-elle.

Et tu n'as plus assez de confiance en ton vieux père pour le lui dire, chérie?

Il s'arrêtait. Elle l'entraîna de nouveau.

Tu sauras tout, poursuivit-elle, et avant une heure. Mais... oh! ne te fâche pas, bon papa... J'ai un projet dont je ne comprends que trop la folie. Si je te le disais, tu voudrais peut-être m'en détourner, et si tu réussissais, et qu'ensuite il arrivât malheur à Jacques, je ne survivrais pas à un malheur, et quels ne seraient pas tes regrets, lorsque tu penserais: si je l'avais laissée faire, cependant!

Denise, cruelle enfant!

D'un autre côté, continuait-elle, si tu ne parvenais pas à me détourner de mes projets, tu diminuerais certainement mon courage, et j'en ai besoin, va, grand-père, pour oser ce que je vais tenter.

C'est que, chère enfant, pardonne-moi de te répéter cela, cent vingt mille francs, c'est une très grosse somme, et il y a bien des gens courageux et habiles qui travaillent et se privent toute leur vie sans parvenir à l'amasser...

Ah! tant mieux, interrompit la jeune fille, tant mieux mille fois. Puisse, en effet, cette fortune être assez tentante pour qu'on ne me la refuse pas!

Grand-père Chandoré commençait à comprendre.

Avec tout cela, fit-il, tu ne me dis pas où tu me conduis.

Chez mes couturières.

Chez les demoiselles Méchinet?

Oui.

M. de Chandoré dut être fixé.

Nous ne les trouverons pas, dit-il. C'est aujourd'hui dimanche, elles doivent être à l'église, pour le salut...

Nous les trouverons, bon papa, parce qu'elles soupent toujours à sept heures et demie, à cause de leur frère, le greffier. Mais il nous faut nous hâter.

Le vieux gentilhomme se hâtait bien; seulement, il y a loin de la rue de la Rampe à la place du Marché-Neuf. Car c'est place du Marché-Neuf que demeurent les sœurs Méchinet, et dans une maison à elles, s'il vous plaîtune maison qui devait réaliser le rêve de leurs jours et qui est devenue le cauchemar de leurs nuits.

C'est l'année qui a précédé la guerre qu'elles ont acquis cet immeuble, sur les conseils de leur frère, et de moitié avec lui, moyennant une somme totale de quarante-sept mille francs, y compris les frais. C'était une brillante affaire, car le rez-de-chaussée et le premier étage sont loués deux mille trois cents francs par an au plus gros épicier de Sauveterre.

Les Méchinet ne crurent pas commettre une imprudence en consacrant à cette acquisition dix mille francs, et en s'engageant à payer le reste en trois ans.

La première année, tout alla bien. Mais la guerre survenant et ses désastres, les revenus du frère et des deux sœurs se trouvèrent taris, et réduits aux émoluments de la place de greffier, ils durent s'imposer les plus rudes privations et encore emprunter pour faire face à leurs engagements.

Avec la paix, l'argent commença à leur rentrer, et personne ne doutait à Sauveterre qu'ils ne se sortissent d'affaire, le frère étant le plus industrieux des hommes, et les sœurs ayant la clientèle des dames «les plus distinguées» de l'arrondissement.

Bon papa, elles sont chez elles, déclara Mlle Denise en arrivant à la place.

Tu crois?

J'en suis sûre. Je vois de la lumière à leurs fenêtres.

M. de Chandoré s'arrêta.

Que dois-je faire, maintenant? demanda-t-il.

Tu vas, grand-père, me donner les titres que tu as dans ta poche et m'attendre, en faisant les cent pas, pendant que je monterai chez mesdemoiselles Méchinet. Je te dirais bien de venir, mais ta présence effrayerait... D'ailleurs, si la démarche tournait mal, venant d'une jeune fille elle serait sans conséquences...

Le vieux gentilhomme n'avait plus de doutes.

Tu ne réussiras pas, ma pauvre enfant, fit-il.

Oh! Mon Dieu! dit-elle, retenant à peine ses larmes, Pourquoi me décourager...

Il ne répondit pas. Étouffant un soupir, il sortit ses titres que Mlle Denise, tant bien que mal, logea dans toutes ses poches et dans le petit sac qu'elle portait à la main.

Allons, à tout à l'heure, grand-père, dit-elle quand elle eut achevé.

Et légère comme l'oiseau, elle franchit la rue et monta chez ses couturières.

Ces braves filles et leur frère achevaient en ce moment un souper exclusivement composé d'un petit morceau de porc froid et d'une salade largement vinaigrée.

À l'entrée inattendue de Mlle de Chandoré, tous se dressèrent.

Vous, mademoiselle! s'écria l'aînée des couturières, vous!...

Tout ce qu'il y avait dans ce «vous», Mlle Denise ne le comprenait que trop. Il signifiait, l'intonation aidant: «Quoi! votre fiancé est accusé d'un crime abominable, il a contre lui des charges accablantes, il est en prison, au secret, tout le monde dit qu'il sera condamné, et cependant vous voici!»

Mais Mlle Denise garda aux lèvres le sourire qu'elle s'était imposé.

Oui, c'est moi, répondit-elle. J'ai absolument besoin de deux robes pour la semaine prochaine, et je viens vous prier de me montrer des échantillons.

Toujours sur les conseils de leur frère, les demoiselles Méchinet s'étaient entendues avec un magasin de Bordeaux, qui leur confiait des échantillons de toutes ses étoffes et qui leur payait une remise sur ce qu'elles vendaient.

Je suis à vous, mademoiselle, répondit la sœur aînée, permettez-moi seulement d'allumer une lampe, on n'y voit presque plus... (Et tout en essuyant le verre et en coupant la mèche:) Est-ce que tu ne vas pas à ton orphéon? demanda-t-elle à son frère.

Pas ce soir, répondit-il.

On t'attend, cependant.

Non, j'ai prévenu. J'ai deux cartes à mettre sur pierre pour mon imprimeur, et des copies très pressées à achever pour le tribunal. (Tout en répondant, il avait plié sa serviette et allumé une bougie.) Bonne nuit, dit-il à ses sœurs, car vous ne me reverrez pas ce soir.

Et, s'étant incliné profondément devant Mlle de Chandoré, il sortit, sa bougie à la main.

Où va donc votre frère? demanda vivement Mlle Denise.

Chez lui, mademoiselle. Sa chambre est en face de celle-ci, de l'autre côté de l'escalier.

Mlle de Chandoré était plus rouge que le feu. Allait-elle donc laisser échapper l'occasion qui la servait au-delà de ses espérances?

Rassemblant tout ce qu'elle avait d'énergie:

Mais au fait! s'écria-t-elle, j'ai deux mots à lui dire, à votre frère, mes chères demoiselles... Attendez-moi, je reviens à l'instant.

Et elle s'élança dehors, laissant les couturières béantes de stupeur et se demandant si le coup dont elle venait d'être atteinte n'avait pas troublé sa raison.

Le greffier, lui, était encore sur le palier, cherchant dans sa poche la clef de sa chambre.

Il faut que je vous parle, lui dit Mlle Denise, à l'instant.

Si grand fut l'étonnement de Méchinet, qu'il ne trouva rien à répondre. Il fit seulement un mouvement comme pour revenir chez ses sœurs.

Non, chez vous, fit la jeune fille, il ne faut pas qu'on puisse nous entendre... Ouvrez, monsieur, mais ouvrez donc, on peut venir.

Le fait est qu'il était tellement abasourdi qu'il fut plus d'une demi-minute à introduire la clef dans la serrure. Enfin, la porte s'étant ouverte, il s'effaça pour que Mlle Denise passât la première.

Mais elle:

Non, dit-elle, entrez...

Il obéit. Elle le suivit, et, une fois dans la chambre, elle referma la porte, poussant même une targette qu'elle avait aperçue.

Méchinet, le greffier, était, à Sauveterre, renommé pour son aplomb. Mlle de Chandoré, elle, était la timidité même, et pour un rien rougissait jusqu'au blanc des yeux et demeurait sans voix. Pourtant, ce n'était pas la jeune fille qui était interdite, en ce moment.

Asseyez-vous, monsieur Méchinet, dit-elle, et écoutez-moi.

Il posa son flambeau sur la table et s'assit.

Vous me connaissez, n'est-ce pas? commença Mlle Denise.

Assurément, mademoiselle.

Vous n'êtes pas sans avoir entendu dire que mon mariage est arrêté avec monsieur Jacques de Boiscoran?

Comme s'il eût été mû par un ressort, le greffier se dressa, se frappant le front d'un furieux coup de poing.

Ah! fichue bête que je suis! s'écria-t-il, je comprends.

Oui, c'est bien cela, continua la jeune fille, je viens vous parler de monsieur de Boiscoran, de mon fiancé, de mon mari!

Elle s'arrêta, et durant plus d'une minute Méchinet et elle restèrent face à face, silencieux et immobiles, les yeux dans les yeux, lui se demandant ce qu'elle allait lui proposer, elle essayant de deviner ce qu'elle pouvait oser.

Vous devez donc comprendre ce que je souffre, monsieur, reprit-elle enfin, depuis trois jours que monsieur de Boiscoran est en prison, accusé du plus lâche des crimes!

Oh, oui! je le comprends! s'écria le greffier. (Et, emporté par son émotion:) Mais je puis vous affirmer, poursuivit-il, que moi qui ai assisté à toute l'instruction et qui ai l'expérience des affaires criminelles, je crois monsieur de Boiscoran innocent. Tel n'est pas, je le sais, l'avis de monsieur Galpin-Daveline, ni de monsieur Daubigeon, ni de ces messieurs du tribunal, ni de la ville entière, n'importe! c'est le mien. J'étais là, voyez-vous, quand on est allé prendre monsieur de Boiscoran au saut du lit. Eh bien! rien qu'au timbre de sa voix, quand il s'est écrié: «Eh! c'est ce cher Daveline!», je me suis dit: cet homme n'est pas coupable!

Oh! monsieur, balbutiait Mlle Denise, merci, merci...

Il n'y a pas à me remercier, mademoiselle, car le temps n'a fait qu'affermir ma conviction. Est-ce que jamais un coupable aurait l'attitude de monsieur de Boiscoran! Tenez, ce tantôt, lorsque nous sommes allés lever les scellés, il fallait le voir, calme, digne, répondant froidement aux questions qui lui étaient adressées. À ce point que je n'ai pu me retenir de dire à monsieur Galpin-Daveline ce que je pensais. Il m'a répondu que je n'étais qu'un sot. Eh bien! moi, je soutiens que c'est lui qui est... pardon!... que c'est lui qui se trompe. Plus j'étudie monsieur de Boiscoran, plus il me fait l'effet d'un homme qui n'a qu'un mot à dire pour se justifier.

Mlle Denise écoutait avec une telle intensité d'attention qu'elle oubliait presque pourquoi elle était venue.

Ainsi, fit-elle, monsieur de Boiscoran ne vous semble pas trop affecté?

Je mentirais, mademoiselle, si je vous disais qu'il n'est pas triste. Mais pour inquiet, non, il ne l'est pas. Le premier étourdissement passé, son sang-froid ne s'est plus démenti, et c'est en vain que depuis trois jours monsieur Galpin-Daveline épuise tout ce qu'il a de pénétration et de sagacité...

Mais il s'arrêta court, tel qu'un homme ivre qui, recouvrant soudain sa lucidité, reconnaît que le vin lui a trop délié la langue.

Mon Dieu! qu'est-ce que je dis là! s'écria-t-il. Au nom du ciel, mademoiselle, ne répétez à personne ce que vient de m'arracher ma respectueuse sympathie.

Pour Mlle Denise, le moment décisif était arrivé.

Si vous me connaissiez mieux, monsieur, prononça-t-elle, vous sauriez qu'on peut compter sur ma discrétion. Ne vous repentez pas d'avoir, par votre confiance, apporté quelque adoucissement à une horrible douleur. Ne vous repentez pas, car... (Sa voix faiblissait, et il lui fallut un effort pour ajouter:) Car je viens vous demander plus encore, oh, oui! bien plus!...

Méchinet était devenu affreusement pâle.

Plus un mot, mademoiselle, interrompit-il violemment, votre espoir seul est une injure. Ignorez-vous donc ce qu'est ma profession, et que par serment je me suis engagé à être aussi muet que les cellules où l'on enferme les prisonniers. Moi, un greffier, livrer le secret d'une instruction criminelle... Mlle de Chandoré tremblait comme la feuille, mais son esprit restait net et clair.

Vous laisseriez plutôt, fit-elle, périr un infortuné...

Mademoiselle!

Vous laisseriez condamner un innocent lorsqu'il vous serait possible de dissiper, d'un mot, l'épouvantable erreur dont il est victime. Vous vous diriez: c'est malheureux, mais j'ai juré de me taire... et vous le verriez, d'une conscience tranquille, monter à l'échafaud!... Non, ce n'est pas possible, ce n'est pas vrai!

Je vous l'ai dit, mademoiselle, je crois monsieur de Boiscoran innocent...

Et vous refusez de m'aider à faire éclater son innocence! Ô mon Dieu! Quelle idée les hommes se font-ils donc du devoir! Comment vous émouvoir, comment vous convaincre? Faut-il vous rappeler ce que doivent être les tortures de cet honnête homme, accusé d'un ignoble assassinat! Dois-je vous dire nos mortelles angoisses, à nous, ses amis, ses parents, les larmes de sa mère, ma douleur à moi, sa fiancée! Nous le savons innocent, et cependant nous ne pouvons faire éclater son innocence, faute d'un ami qui ait pitié de nous!

De sa vie, le greffier n'avait eu de tels accents. Remué jusqu'au plus profond de l'âme:

Que voulez-vous donc de moi? demanda-t-il, frémissant.

Oh! bien peu de chose, monsieur, bien peu... Que vous fassiez tenir dix lignes à monsieur de Boiscoran, rien que dix lignes, et que vous nous rapportiez sa réponse.

L'audace de la proposition parut frapper le greffier d'épouvante.

Jamais! prononça-t-il.

Vous resterez impitoyable!

Ce serait forfaire à l'honneur...

Et laisser condamner un innocent, que serait-ce donc?

L'angoisse de Méchinet était visible. Étourdi, bouleversé, il ne savait que résoudre ni que répondre. Enfin, un motif de refus se présentant à son esprit en détresse:

Et si j'étais découvert, balbutia-t-il. Ce serait perdre ma place, ruiner mes sœurs, briser mon avenir...

D'une main fiévreuse, Mlle Denise retirait de ses poches et jetait en tas sur la table les titres que lui avait donnés son grand-père.

Il y a là cent vingt mille francs..., commença-t-elle.

Violemment le greffier se rejeta en arrière.

De l'argent! s'écria-t-il, vous m'offrez de l'argent!

Oh! ne vous offensez pas, reprit la jeune fille, d'un accent à émouvoir les pierres. Voudrais-je vous offenser, vous, à qui je demande plus que la vie? Il est de ces services qui ne se payent pas. Mais si les ennemis de monsieur de Boiscoran viennent à savoir que vous nous avez aidés, c'est contre vous que se tournera leur rage...

Machinalement, le greffier dénouait sa cravate. La lutte, au-dedans de lui, devait être terrible. Il étouffait.

Cent vingt mille francs! fit-il d'une voix rauque.

N'est-ce pas assez! insista la jeune fille. Oui, vous avez raison, c'est trop peu; mais j'en ai autant, j'en ai le double à votre disposition!

Blême, les yeux hagards, Méchinet s'était rapproché, et d'un geste convulsif il maniait cette masse de titres en répétant:

Six mille livres de rentes!... Six mille livres de rente!...

Non, le double, dit Mlle Denise, et en même temps notre reconnaissance, notre amitié dévouée, toute l'influence des familles réunies de Chandoré et de Boiscoran, c'est-à-dire la fortune, la considération, une situation enviée...

Mais déjà, grâce à une toute-puissante projection de volonté, le greffier avait repris possession de lui-même.

Assez, mademoiselle, dit-il, assez! (Et d'une voix résolue, bien que tremblante encore:) Reprenez cet argent, continua-t-il. Quand on fait ce que vous me demandez, quand on trahit son devoir, si c'est pour de l'argent, on est le dernier des misérables. Si on n'a eu d'autre mobile qu'une conviction sincère et l'intérêt de la vérité, on peut passer pour fou, on n'en reste pas moins digne de l'estime des gens d'honneur... Reprenez cette fortune, mademoiselle, qui a fait un instant vaciller la conscience d'un honnête homme. Je ferai ce que vous désirez, mais... pour rien.

Si grand-père Chandoré s'impatientait à faire les cent pas sur la place du Marché-Neuf, les sœurs Méchinet, dans leur atelier, trouvaient le temps bien plus long encore.

Qu'est-ce, se demandaient-elles l'une à l'autre, qu'est-ce que mademoiselle de Chandoré peut bien avoir à dire à notre frère?

Au bout de dix minutes, leur curiosité, irritée par les conjectures les plus insensées, devint un tel supplice que, n'y tenant plus, elles se décidèrent à aller frapper à la chambre du greffier.

Ah! laissez-moi en repos! leur cria-t-il, irrité d'être ainsi interrompu. (Mais réfléchissant, il courut ouvrir, et plus doucement:) Rentrez chez vous, dit-il à ces bonnes filles, et si vous tenez à m'épargner les plus graves désagréments, ne parlez à personne de l'entretien que mademoiselle de Chandoré et moi avons en ce moment.

Dressées à obéir, les deux sœurs se retirèrent, mais non si vivement qu'elles n'eussent eu le temps d'apercevoir les titres que Mlle Denise avait jetés sur la table, et qui étaient des obligations de Paris-Lyon-Méditerranée. Or, précisément, les demoiselles Méchinet connaissaient ces obligations pour en avoir possédé huit, autrefois, avant l'achat de leur maison.

Leur ardent désir de savoir se compliqua donc aussitôt d'une vague terreur, et dès qu'elles furent rentrées:

Tu as vu? demanda la cadette.

Oui, ces titres, répondit l'autre.

Il y en avait bien cinq ou six cents...

Peut-être plus.

C'est-à-dire pour une somme considérable.

Énorme.

Qu'est-ce que cela signifie, sainte Vierge! et à quoi faut-il nous attendre?

Et notre frère qui nous recommande le secret!

Il était plus blanc que sa chemise, et affreusement troublé.

Mademoiselle de Chandoré pleurait comme une Madeleine...

C'était vrai. Tant qu'elle avait douté du résultat, Mlle Denise avait été soutenue par cette idée que le salut de Jacques dépendait de son courage à elle, sa fiancée, et de sa présence d'esprit. Certaine du succès, elle n'avait plus su maîtriser son émotion et, brisée par l'effort, elle s'était affaissée sur une chaise en fondant en larmes.

Ayant refermé sa porte, le greffier la considéra un moment et, plus maître de soi qu'il l'avait été jusqu'alors:

Mademoiselle..., commença-t-il.

Mais, au son de sa voix, elle se dressa, et lui prenant les mains qu'elle garda un instant entre les siennes:

Comment vous remercier, monsieur! s'écria-t-elle, comment vous prouver jamais l'étendue de ma reconnaissance!

Si l'idée était venue au greffier de se dédire, elle se fût envolée, tant irrésistiblement il subissait le charme.

Ne parlons pas de cela, dit-il avec la brusquerie des gens qui essayent de dissimuler leur émotion.

Je n'en parlerai plus, monsieur, fit doucement la jeune fille, mais je veux cependant vous dire que nul de nous n'oubliera jamais la dette que nous contractons aujourd'hui. L'immense service que vous allez nous rendre n'est pas sans danger, qu'avez-vous dit. Quoi qu'il advienne, rappelez-vous que, de ce moment, vous avez en nous les plus dévoués des amis.

L'interruption des sœurs Méchinet avait eu cet effet de rendre au greffier une bonne partie de son sang-froid.

J'espère bien qu'il ne m'arrivera pas malheur, dit-il, et cependant, mademoiselle, je ne dois pas vous cacher que le service que je vais essayer de vous rendre présente beaucoup plus de difficultés qu'on ne croirait...

Mon Dieu! murmura Mlle Denise.

Monsieur Daveline, poursuivit le greffier, n'a peut-être pas une intelligence très supérieure, mais il sait son métier, et il est de plus très fin et excessivement défiant. Hier encore, il me disait qu'il prévoyait que la famille de monsieur de Boiscoran tenterait l'impossible pour le soustraire à l'action de la justice. De là, chez lui, des transes incessantes, un redoublement de défiance et un luxe de précautions dont on n'a pas l'idée. S'il osait, il établirait son lit en travers la porte de monsieur Jacques...

Cet homme me hait, monsieur Méchinet...

Non, mademoiselle, non; mais il est ambitieux, il croit que sa carrière dépend du résultat de cette instruction, et il tremble que son prévenu ne s'envole ou qu'on ne le lui prenne... (Fort perplexe évidemment, Méchinet se grattait l'oreille.) Comment vais-je m'y prendre, continuait-il, pour remettre un billet à monsieur de Boiscoran? S'il était averti, ce ne serait rien. Mais il ne l'est pas. Mais il est tout aussi défiant que monsieur Daveline. Il craint toujours qu'on ne lui tende quelque piège, et il se tient sur ses gardes. Si je lui fais un signe, me comprendra-t-il? Et si je fais un signe monsieur Daveline, qui a l'œil d'une pie, ne le surprendra-t-il pas?...

N'êtes-vous donc jamais seul avec monsieur de Boiscoran, monsieur?

Jamais une seconde, mademoiselle. C'est avec le juge d'instruction que j'entre dans la prison et avec lui que j'en sors. Vous me direz qu'en sortant, comme je passe le dernier, je pourrais laisser tomber adroitement le billet... Mais, quand nous sortons, le geôlier, qui a de bons yeux, est là. J'aurais, de plus, à redouter l'excès de prudence de monsieur de Boiscoran. Voyant un billet lui arriver de cette façon, il serait bien capable de le remettre, sans l'ouvrir, à monsieur Galpin-Daveline... (Il s'arrêta, et, après un moment de réflexion:) Le plus sûr, reprit-il, serait peut-être de mettre dans la confidence le geôlier Blangin, ou un détenu qui est chargé de servir et d'espionner monsieur de Boiscoran...

Frumence Cheminot! fit vivement Mlle Denise. La plus extrême surprise se peignit sur les traits de Méchinet.

Vous savez son nom! dit-il.

Je le sais, parce que Blangin m'a parlé de ce prisonnier, et que son nom m'a frappé le jour où madame de Boiscoran et moi, ignorant ce que c'est que le secret, sommes allées à la prison demander à voir Jacques.

Le greffier eut un geste de dépit.

Maintenant, fit-il, je m'explique les terreurs de monsieur Daveline. Il aura eu vent de votre démarche et se sera imaginé que vous vouliez lui enlever son prisonnier. (Il marmotta entre ses dents quelques mots encore que Mlle Denise n'entendit pas; puis se décidant:) N'importe! prononça-t-il, j'agirai selon les circonstances. Écrivez votre lettre, mademoiselle, voici de l'encre et du papier...

Pour toute réponse, la jeune fille s'assit à la table de Méchinet; mais au moment de prendre la plume:

Monsieur de Boiscoran a-t-il des livres dans sa prison? demanda-t-elle.

Oui, mademoiselle. Sur sa demande, monsieur Daveline est allé de sa personne lui chercher, chez monsieur Daubigeon, quelques volumes de voyages et plusieurs romans de Cooper...

Une exclamation joyeuse de Mlle Denise l'interrompit.

Ô Jacques! s'écria-t-elle, merci d'avoir compté sur moi!

Et sans remarquer le profond étonnement de Méchinet, elle écrivit:

Nous sommes sûrs de votre innocence, Jacques, et cependant nous sommes au désespoir. Votre mère est ici, avec un avocat de Paris, maître Folgat, tout dévoué à nos intérêts. Que devons-nous faire? Donnez-nous vos instructions. Vous pouvez répondre sans crainte, puisque vous avez notre livre.

denise.

Lisez, monsieur, dit-elle au greffier dès qu'elle eut terminé.

Mais lui, au lieu d'user de la permission, plia le billet qu'elle lui tendait et le glissa dans une enveloppe qu'il cacheta.

Oh! vous êtes bon, murmura la jeune fille, touchée de cette délicatesse.

Non, répondit-il, je cherche simplement à faire le plus honnêtement possible une action... malhonnête. Demain, mademoiselle, j'espère avoir une réponse.

Je viendrai la chercher...

Méchinet tressaillit.

Gardez-vous-en bien, mademoiselle, interrompit-il. Les gens de Sauveterre sont assez fins pour comprendre que la toilette ne doit guère vous préoccuper en ce moment, et vos visites ici sembleraient suspectes. Remettez-vous-en à moi du soin de vous faire tenir la réponse de monsieur de Boiscoran.

Pendant que Mlle Denise écrivait, le greffier avait fait un paquet des titres qu'elle avait apportés. Il le lui remit en disant:

Prenez, mademoiselle, s'il me fallait de l'argent pour Blangin ou pour Frumence Cheminot, je vous le ferais savoir... Et maintenant... partez. Il est inutile de revoir mes sœurs. Je me charge de leur expliquer votre visite.

VIII

Que peut-il être arrivé à Denise, qu'elle ne revient pas! murmurait grand-père Chandoré en arpentant la place du Marché-Neuf et en consultant sa montre pour la vingtième fois.

Longtemps la crainte de déplaire à sa petite-fille et la peur d'être grondé le retinrent à l'endroit où elle lui avait commandé d'attendre; mais à la fin, sérieusement tourmenté: ah! ma foi, tant pis! se dit-il, je me risque...

Et traversant la chaussée qui sépare la place des maisons, il s'engagea dans le long corridor de l'immeuble des sœurs Méchinet. Déjà il mettait le pied sur la première marche de l'escalier, lorsqu'il vit le haut s'éclairer. Il entendit presque aussitôt la voix de sa petite-fille et reconnut son pas léger.

Enfin!... pensa-t-il.

Et, leste comme l'écolier qui entend le maître, tremblant d'être pris en flagrant délit d'inquiétude, il regagna la place.

Mlle Denise y fut presque en même temps, et lui sautant au cou:

Bon papa, dit-elle en faisant claquer ses lèvres si fraîches sur les joues rudes du vieillard, je te rapporte tes titres.

Si une chose devait étonner M. de Chandoré, c'était qu'il se trouvât en ce monde un être assez dur, assez cruel, assez barbare pour résister aux prières et aux larmes de Mlle Denisesurtout à des larmes et à des prières appuyées de cent vingt mille francs.

Néanmoins:

Je t'avais bien dit, chère fillette, fit-il tristement, que tu ne réussirais pas.

Et tu te trompais, bon papa, et tu te trompes encore, j'ai réussi.

Cependant... puisque tu rapportes l'argent.

C'est que j'ai trouvé un honnête homme, grand-père, un homme de cœur. Pauvre garçon! à quelle épreuve j'ai mis sa probité!... car il est très gêné, je le sais de bonne source, depuis que ses sœurs et lui ont acheté leur maison. C'était plus que l'aisance, c'était évidemment la fortune que je lui offrais. Aussi, il fallait voir l'éclat de ses yeux et le tremblement de ses mains pendant qu'il regardait ces titres et qu'il les maniait. Eh bien! il les a refusés, bon papa, il les refuse. Il ne veut pas de récompense pour l'immense service qu'il va nous rendre. De la tête, M. de Chandoré approuvait:

Tu as raison, fillette, dit-il, ce greffier est un brave homme, et qui vient d'acquérir des droits éternels à notre reconnaissance.

Il convient d'ajouter, reprit Mlle Denise, que j'ai été extraordinairement brave. Jamais je ne me serais crue capable de tant d'audace. Que n'étais-tu caché dans un petit coin, bon papa, pour me voir et pour m'entendre! Tu n'aurais pas reconnu ta petite-fille. J'ai bien pleuré un peu, mais après, quand j'ai obtenu ce que je voulais...

Oh! chère, chère enfant! murmurait le vieillard ému.

C'est que, vois-tu, je ne songeais qu'au danger de Jacques et à la gloire de me montrer digne de lui, qui est si courageux. J'espère qu'il sera content de moi.

Ce serait un seigneur difficile, s'il ne l'était pas! s'écria M. de Chandoré.

Mais c'est sous les arbres de la place du Marché-Neuf que causaient le grand-père et sa petite-fille, et déjà plusieurs promeneurs avaient trouvé le moyen de passer trois ou quatre fois près d'eux, les oreilles largement ouvertes, fidèles à cette discrétion charmante qui est un des agréments de Sauveterre.

Mise sur ses gardes par les prudentes recommandations de Méchinet, Mlle Denise ne tarda pas à s'en apercevoir.

On nous écoute, dit-elle à son grand-père, viens, je te dirai tout en route.

Et en effet, tout en cheminant, elle lui racontait jusqu'aux moindres détails de son entrevue, et le vieux gentilhomme déclarait ne savoir en vérité ce qu'il devait le plus admirer, de sa présence d'esprit à elle ou du désintéressement de Méchinet.

Raison de plus, conclut la jeune fille, pour ne pas augmenter les périls auxquels va s'exposer cet honnête homme. Je lui ai promis une discrétion absolue, je tiendrai ma promesse. Si tu veux me croire, bon papa, nous ne parlerons de rien, ni aux tantes ni à madame de Boiscoran.

Dis tout de suite, rusée, que tu voudrais sauver Jacques à toi toute seule...

Ah! si je le pouvais!... Malheureusement il va falloir mettre maître Folgat dans la confidence, car nous ne saurions nous passer de ses conseils.

Ainsi fut-il fait. Tantes Lavarande et la marquise de Boiscoran durent se contenter de l'explication assez peu vraisemblable que donnait, de sa sortie, Mlle Denise.

Et quelques heures plus tard, la jeune fille, maître Folgat et M. de Chandoré tenaient conseil dans le cabinet du baron.

Plus que M. de Chandoré encore, le jeune avocat devait être surpris de la conception de Mlle Denise et de sa hardiesse à l'exécuter. Jamais il ne l'eût soupçonnée capable d'une telle démarche, tant, jeune fille, elle gardait encore les grâces naïves et les timidités de l'enfant.

Il voulait la complimenter, mais elle:

Où est mon mérite? interrompit-elle vivement. À quel danger me suis-je exposée?

À un danger fort réel, mademoiselle, je vous l'assure.

Bah! fit M. de Chandoré.

Corrompre un fonctionnaire, poursuivait maître Folgat, c'est grave! Il y a dans le Code pénal un certain article qui ne plaisante pas et qui assimile le corrupteur au corrompu...

Eh bien! tant mieux! s'écria Mlle Denise, si ce pauvre Méchinet va en prison, j'irai avec lui. (Et sans remarquer l'expression de mécontentement de son grand-père:) Enfin, monsieur, dit-elle à maître Folgat, voici le vœu que vous formiez réalisé. Maintenant nous allons avoir des nouvelles positives de monsieur de Boiscoran, il nous donnera ses instructions...

Peut-être, mademoiselle...

Comment! peut-être... Vous avez dit devant moi...

Je vous ai dit, mademoiselle, qu'il serait inutile, imprudent peut-être, de rien tenter avant de savoir la vérité. La saurons-nous? Pensez-vous que monsieur de Boiscoran, qui a tant de raisons de se défier de tout, la dira dans une réponse qui doit passer par plusieurs mains avant de vous arriver?

Il la dira, monsieur, sans restrictions, sans crainte, sans péril.

Oh!...

Mes mesures sont prises... Vous verrez.

Alors nous n'avons plus qu'à attendre. Hélas! oui, il fallait attendre, et c'était bien là ce qui désolait Mlle Denise. À peine dormit-elle. Sa journée du lendemain fut un supplice. À chaque coup de sonnette, elle tressaillait et courait voir. Enfin, vers cinq heures, rien n'étant venu:

Ce ne sera pas pour aujourd'hui, dit-elle, pourvu, mon Dieu, que ce pauvre Méchinet ne se soit pas laissé surprendre!

Et peut-être pour échapper aux obsessions de ses craintes, elle consentit à accompagner Mme de Boiscoran qui allait rendre visite.

Ah! si elle eût su!... Il n'y avait pas dix minutes qu'elle était dehors quand un de ces gamins, comme on en rencontre à toute heure du jour, polissonnant sur les places de Sauveterre, se présenta, porteur d'une lettre à l'adresse de Mlle Denise.

On la porta à M. de Chandoré, qui, en attendant le dîner, faisait un tour de jardin en compagnie de maître Folgat.

Une lettre pour Denise! s'écria le vieux gentilhomme dès que le domestique se fut éloigné, c'est la réponse que nous attendons...

Il rompit le cachet bravement. Ah! empressement inutile. Le billet renfermé dans l'enveloppe était ainsi conçu:

Et il y en avait deux pages comme cela.

Tenez, maître, essayez de comprendre, dit M. de Chandoré en tendant cette réponse à maître Folgat.

Positivement, le jeune avocat essaya. Mais, après cinq minutes d'efforts inutiles:

Je comprends, fit-il, que mademoiselle de Chandoré avait raison de nous dire que nous saurions la vérité. Monsieur de Boiscoran et elle étaient convenus autrefois d'un chiffre...

Grand-père Chandoré leva les mains vers le ciel.

Voyez-vous ces petites filles, dit-il, voyez-vous!... Nous voilà à sa discrétion, puisqu'il n'y a qu'elle pour nous traduire ce grimoire.

Si, en accompagnant la marquise de Boiscoran chez Mme Séneschal, Mlle Denise espérait dissiper les tristes pressentiments dont elle était agitée, son espoir fut déçu. L'excellente femme du maire n'était pas de celles à qui on peut aller demander du courage aux heures de défaillance. Elle ne sut que se jeter alternativement dans les bras de Mme de Boiscoran et de Mlle de Chandoré, et leur répéter, en éclatant en sanglots, qu'elle les tenait, l'une pour la plus malheureuse des mères, l'autre pour la plus infortunée des fiancées.

Cette femme croit donc Jacques coupable? pensait, non sans irritation, Mlle Denise.

Et ce n'est pas tout. En revenant, vers le haut de la rue Mautrec, non loin de la maison où étaient provisoirement installés le comte et la comtesse de Claudieuse, elle entendit un jeune garçon qui criait: «M'man, viens donc voir la mère et la bonne amie de l'assassin!»

La pauvre jeune fille rentrait donc plus affligée qu'elle n'était partie, lorsque sa femme de chambre, qui, bien évidemment, guettait son retour, lui dit que son grand-père et maître Folgat l'attendaient dans le cabinet du baron.

Sans prendre le temps d'ôter son chapeau, elle y courut, et dès qu'elle entra:

Voici la réponse, lui dit M. de Chandoré en lui présentant la lettre de Jacques.

Elle ne put retenir un cri de joie, et d'un geste rapide elle porta cette lettre à ses lèvres, en répétant:

Nous sommes sauvés, nous sommes sauvés! M. de Chandoré souriait du bonheur de sa petite-fille.

Seulement, mademoiselle la cachottière, reprit-il, vous aviez, à ce qu'il paraît, de grands secrets à échanger avec monsieur de Boiscoran, puisque vous aviez adopté un chiffre, ni plus ni moins que des conspirateurs. Maître Folgat et moi y avons perdu notre latin...

Alors seulement la jeune fille se rappela la présence de l'avocat de Paris, et, plus rouge qu'une pivoine:

En ces derniers temps, dit-elle, Jacques et moi, je ne sais à quel propos, avions eu l'occasion de parler des moyens imaginés pour correspondre secrètement, et il m'a enseigné celui-ci. Deux correspondants font choix d'un ouvrage quelconque et en ont chacun un exemplaire de la même édition. Celui qui écrit cherche dans son exemplaire les mots dont il a besoin et les indique par des chiffres. Celui qui reçoit la lettre, avec les chiffres, retrouve les mots. Ainsi, dans le billet de Jacques, les numéros suivis de deux points indiquent une page, et les autres le numéro d'ordre des mots choisis dans cette page.

Eh! eh! fit grand-père Chandoré, j'aurais cherché longtemps!

C'est très simple, continua Mlle Denise, très connu et cependant très sûr. Comment un étranger devinerait-il le livre choisi par les correspondants? Puis il est des moyens encore, pour dérouter les indiscrétions. On convient, par exemple, que jamais les chiffres n'auront leur valeur, ou plutôt que cette valeur variera selon que le jour où on reçoit la lettre est le premier, le second, le troisième ou le dernier de la semaine. Ainsi, aujourd'hui nous sommes lundi, premier jour, n'est-ce pas? Eh bien! de chaque numéro de page je dois retirer , et ajouter à chaque numéro de lettre.

Et tu vas t'y reconnaître? fit M. de Chandoré.

Assurément, bon papa. Dès que Jacques m'a eu expliqué ce système, j'ai tenu à l'essayer, comme de juste. Nous avons choisi un livre que j'aime beaucoup, Le Lac Ontario, de Cooper, et nous nous amusions à nous écrire des lettres infinies. Oh! cela occupe, va, et c'est long, parce qu'on ne trouve pas toujours les mots qu'on voudrait employer, et qu'il faut alors les désigner lettre par lettre.

Et monsieur de Boiscoran a le Lac Ontario dans sa prison? demanda Maître Folgat.

Oui, monsieur, je l'ai appris par monsieur Méchinet. Le premier soin de Jacques, dès qu'il s'est vu au secret, a été de demander quelques romans de Cooper, et monsieur Galpin-Daveline qui est si fin, si clairvoyant, si défiant, est allé les lui chercher lui-même. Jacques comptait sur moi, monsieur...

Alors, chère fille, va nous déchiffrer cette énigme, dit M. de Chandoré.

Et dès qu'elle fut sortie:

Comme elle l'aime, murmura-t-il, comme elle l'aime, ce Jacques!... S'il lui arrivait malheur, monsieur, elle en mourrait...

Maître Folgat ne répondit pas, et il s'écoula près d'une heure avant que Mlle Denise, enfermée dans sa chambre, réussît à rassembler tous les mots désignés par les chiffres de Jacques de Boiscoran.

Mais lorsqu'elle eut achevé et qu'elle reparut dans le cabinet de son grand-père, le plus profond désespoir se lisait sur son jeune visage.

C'est horrible! dit-elle.

La même idée, telle qu'une flèche aiguë, traversa l'esprit de M. de Chandoré et de maître Folgat. Jacques avouait-il donc?

Tenez, lisez, leur dit Mlle Denise en leur tendant sa traduction.

Jacques écrivait:

Merci de votre lettre, ma bien-aimée. Un pressentiment me l'avait si bien annoncée, que je m'étais procuré le Lac Ontario. Je ne comprends que trop votre douleur de voir que ma détention se prolonge et que je ne me disculpe pas. Si je me suis tu, c'est que j'espérais que les preuves de mon innocence viendraient du dehors. Je reconnais que l'espérer encore serait insensé et qu'il faudra que je parle. Je parlerai. Mais ce que j'ai à dire est si grave que je garderai le silence tant qu'il ne me sera pas permis de consulter un homme qui ait toute ma confiance. C'est plus que de la prudence qu'il me faut maintenant, c'est de l'habileté. Jusqu'à ce moment, fort de mon innocence, j'étais tranquille. Mon dernier interrogatoire vient de m'ouvrir les yeux et de me montrer l'étendue du danger que je cours.

Mes angoisses seront affreuses jusqu'au jour où je pourrai voir un avocat. Merci à ma mère d'en avoir amené un. J'espère qu'il me pardonnera de m'adresser d'abord à un autre qu'à lui. J'ai besoin d'un homme qui connaisse à fond notre pays et ses mœurs. C'est maître Mergis que je choisis, et je vous charge de l'avertir de se tenir prêt pour le jour où, l'instruction étant terminée, le secret sera levé.

Jusque-là, rien à faire, rien, que d'obtenir, si c'est possible, qu'on retire mon affaire à G. D. et qu'on la confie à un autre. Cet homme se conduit indignement. Il me veut coupable absolument, il commettrait un crime pour m'en accuser, et il n'est sorte de piège qu'il ne me tende. Il faut me faire violence pour garder mon calme, toutes les fois que je vois entrer dans ma prison ce juge qui s'est dit mon ami.

Ah! chers, j'expie bien cruellement une faute dont, jusqu'ici, je n'avais pour ainsi dire pas eu conscience!

Et vous, mon unique amie, me pardonnerez-vous jamais les horribles tourments que je vous cause...

J'en aurais beaucoup encore à vous dire; mais le détenu qui m'a remis votre billet m'a dit de me hâter, et les mots sont longs à rassembler...

La lecture de cette lettre achevée, maître Folgat et M. de Chandoré détournèrent tristement la tête, craignant peut-être que Mlle Denise ne surprît dans leurs yeux le secret de leurs pensées. Mais elle ne comprit que trop ce que signifiait ce mouvement.

Douterais-tu donc de Jacques, grand-père! s'écria-t-elle.

Non, murmura faiblement M. de Chandoré, non...

Et vous, maître Folgat, seriez-vous froissé de ce que Jacques veut consulter un autre avocat que vous?

J'aurais été le premier, mademoiselle, à lui conseiller de voir un homme du pays.

Il fallait à Mlle Denise toute son énergie pour retenir ses larmes.

Oui, cette lettre est terrible, dit-elle; mais comment ne le serait-elle pas! Ne comprenez-vous pas que Jacques est désespéré, que sa raison chancelle après tant de tortures imméritées...

Quelques coups légers frappés à la porte l'interrompirent.

C'est moi, disait la voix de Mme de Boiscoran.

Grand-père Chandoré, maître Folgat et Mlle Denise se consultèrent un instant du regard. Enfin:

La situation est trop grave, annonça l'avocat, pour que la mère de monsieur de Boiscoran ne soit pas consultée...

Et il se leva pour ouvrir.

Depuis que tenaient conseil Mlle Denise, son grand-père et maître Folgat, un domestique, à cinq reprises différentes, était venu leur crier à travers la porte fermée au verrou que la soupe était sur la table. «C'est bien», avaient-ils répondu à chaque fois.

Mais comme ils ne descendaient toujours pas, Mme de Boiscoran avait fini par comprendre qu'il se passait quelque chose d'extraordinaire. Or, que pouvait être ce quelque chose, pour qu'on lui en fît mystère? On ne lui eût pas caché, pensait-elle, un événement heureux!

C'est donc avec la très ferme résolution de se faire ouvrir qu'elle était montée frapper au cabinet de M. de Chandoré. Et dès que maître Folgat lui eut ouvert, dès en entrant:

Je veux savoir! dit-elle.

Mlle Denise lui répondit:

Quoi qu'il arrive, madame, dit-elle, rappelez-vous qu'un seul mot de ce que je vais vous confier, arraché à votre douleur ou à votre joie, suffirait pour perdre un honnête homme envers qui nous avons contracté une de ces dettes dont on ne s'acquitte jamais. J'ai réussi à lier une correspondance entre nous et Jacques...

Denise!

Je lui ai écrit, ma mère, je viens de recevoir sa réponse... lisez-la.

Saisie d'une sorte de délire, la marquise de Boiscoran se jeta sur la traduction que lui tendait la jeune fille.

Mais à mesure qu'elle lisait, on pouvait voir à chaque ligne tout son sang se retirer de son visage, ses lèvres blêmir, ses yeux se voiler, l'air manquer à sa poitrine haletante. Et à la fin, la lettre échappant à ses mains défaillantes, elle s'affaissa lourdement sur un fauteuil, en balbutiant:

Pourquoi lutter, puisque nous sommes perdus! Superbe fut le geste de Mlle Denise, et admirable l'accent dont elle s'écria:

Pourquoi ne dites-vous pas tout de suite, ma mère, que Jacques est un incendiaire et un assassin!

Et secouant la tête d'un mouvement d'indomptable énergie, la lèvre frémissante, promenant autour d'elle un regard où éclataient la colère et le dédain:

Resterais-je donc seule, fit-elle, à le défendre, lui qui comptait tant d'amis en ses jours prospères! Soit...

Moins ému, comme de raison, que M. de Chandoré et Mme de Boiscoran, maître Folgat avait été le premier à se remettre.

Nous serions deux, en tout cas, mademoiselle, interrompit-il; car je serais impardonnable si je me laissais influencer par cette lettre. Je serais sans excuse, moi qui sais par expérience ce que votre cœur a deviné. La prison préventive a des angoisses qui dissolvent les caractères les plus vigoureusement trempés. Les jours s'y traînent interminables et les nuits y ont des terreurs sans nom. L'innocent, dans la cellule des secrets, se voit devenir coupable, de même que l'homme le plus sain d'esprit sent son cerveau se troubler dans le cabanon des fous...

Mlle de Chandoré ne le laissa pas poursuivre.

Voilà, monsieur, s'écria-t-elle, ce que je sentais, ce que je n'aurais pas su exprimer comme vous!

Honteux de leur défaillance, grand-père Chandoré et la marquise de Boiscoran s'efforçaient de réagir contre le doute affreux qui un moment les avait terrassés.

Enfin, quel parti prendre? fit la marquise d'une voix faible.

Votre fils nous l'indique, madame, répondit l'avocat de Paris; nous n'avons qu'à attendre la fin de l'instruction.

Pardon, dit M. de Chandoré, nous avons à obtenir un changement de juge...

Maître Folgat secoua la tête.

Malheureusement, fit-il, ce n'est là qu'un rêve irréalisable. On ne récuse pas comme un simple juré un juge d'instruction agissant à ce titre.

Cependant...

Le législateur a voulu, selon l'énergique expression d'Ayrault, que rien ne pût prévaloir contre le juge d'instruction, lui couper le chemin ou brider sa puissance. L'article du code d'instruction criminelle est formel.

Et... que dit cet article? interrogea Mlle Denise.

Il dit en substance, mademoiselle, que la récusation proposée par un prévenu contre un juge d'instruction constitue une demande en renvoi pour cause de suspicion légitime, demande sur laquelle il n'appartient qu'à la cour de cassation de statuer, parce que le juge d'instruction, dans les limites de sa compétence, constitue à lui seul une juridiction... Je ne sais si je m'exprime clairement?

Oh! très clairement, déclara M. de Chandoré. Seulement, puisque Jacques le désire...

C'est vrai, monsieur; mais monsieur de Boiscoran ne sait pas...

Pardon! Il sait que son juge est son mortel ennemi...

Soit. En quoi serons-nous plus avancés d'obéir? Pensez-vous donc que la demande en renvoi empêcherait monsieur Galpin-Daveline de continuer à suivre la procédure? Point. Il la suivrait jusqu'à la décision de la cour de cassation. Il serait, jusque-là, c'est vrai, empêché de rendre une ordonnance définitive; mais monsieur de Boiscoran doit la souhaiter, cette ordonnance, dont le premier effet sera de lever le secret et de lui permettre de voir son avocat.

C'est atroce! murmura M. de Chandoré. Oui, c'est atroce, en effet, mais c'est la loi. Et ils sont heureux, ceux qui jamais en leur vie, qu'il s'agisse d'eux ou d'un être cher, n'ont eu l'occasion d'ouvrir ce livre formidable qui s'appelle le Code, et d'y chercher, le cœur serré d'une inexplicable anxiété, l'article fatidique et inexorable d'où dépend leur destinée...

Mais, depuis un moment déjà, Mlle Denise réfléchissait.

Je vous ai bien compris, monsieur, dit-elle au jeune avocat, et dès demain vos objections seront soumises à monsieur de Boiscoran.

Et surtout, insista le jeune avocat, expliquez-lui bien que toutes nos démarches, dans le sens qu'il indique, tourneraient contre lui. Monsieur Galpin-Daveline est notre ennemi, mais nous n'avons à articuler contre lui aucun grief positif. On nous répondrait toujours: «Si monsieur de Boiscoran est innocent, que ne parle-t-il...»

C'est ce que ne voulait pas admettre grand-père Chandoré.

Cependant, commença-t-il, si nous avions pour nous de hautes influences...

En avons-nous?

Assurément. Boiscoran a des amis intelligents qui ont su rester fort puissants sous tous les régimes. Il a été fort lié, jadis, avec monsieur de Margeril...

Fort significatif fut le geste de maître Folgat.

Diable! interrompit-il, si monsieur de Margeril voulait nous donner un coup d'épaule... Mais c'est un homme peu accessible.

On peut toujours lui dépêcher Boiscoran... Puisqu'il est resté à Paris pour faire des démarches, voilà une occasion. Je lui écrirai ce soir même.

Depuis que ce nom de Margeril avait été prononcé, Mme de Boiscoran était devenue plus pâle, s'il est possible. Sur les derniers mots du vieux gentilhomme, elle se dressa, et vivement:

N'écrivez pas, monsieur, dit-elle, ce serait inutile, je ne le veux pas...

Si évident était son trouble que les autres en étaient confondus.

Boiscoran et monsieur de Margeril sont donc brouillés? interrogea M. de Chandoré.

Oui.

Mais il s'agit du salut de Jacques, ma mère! s'écria Mlle Denise.

Hélas! la pauvre femme ne pouvait pas dire quels soupçons avaient troublé la vie du marquis de Boiscoran, ni combien cruellement la mère payait en ce moment une imprudence de l'épouse.

S'il le fallait absolument, fit-elle d'une voix étouffée, si c'était là notre suprême ressource... c'est moi qui irais trouver monsieur de Margeril...

Seul, maître Folgat eut le soupçon des douloureux souvenirs que ce nom éveillait dans l'âme de Mme de Boiscoran. Aussi, intervenant:

En tout état de cause, déclara-t-il, mon avis est d'attendre la fin de l'instruction. Cependant je puis me tromper, et avant de répondre à monsieur Jacques, je désire que l'avocat qu'il nous désigne soit consulté.

Voilà certainement le parti le plus sage, approuva M. de Chandoré.

Et sonnant un domestique, il lui commanda de se rendre chez maître Mergis, le prier de passer après son dîner.

Le choix de Jacques de Boiscoran était heureux. M. Magloire Mergis, plus connu sous le nom de maître Magloire, passait à Sauveterre pour le plus habile et le plus éloquent avocat, non seulement du département, mais encore de tout le ressort de Poitiers. Il avait encore, ce qui est plus rare et bien autrement glorieux, une réputation inattaquable et bien méritée d'intégrité et d'honneur. Il était connu que jamais il n'eût consenti à plaider une cause équivoque, et on citait de lui des traits héroïques, tels que de jeter à la porte par les épaules les clients assez mal avisés pour venir, l'argent à la main, le supplier de se charger de quelque affaire véreuse.

Aussi n'était-il guère riche et gardait-il, à cinquante-quatre ou cinq ans qu'il avait, les habitudes modestes et frugales d'un débutant sans fortune. Marié jeune, maître Magloire avait perdu sa femme après quelques mois de ménage, et jamais il ne s'était consolé de cette perte. Après plus de trente ans, la plaie n'était pas cicatrisée, et toujours, fidèlement, à de certaines époques, on le voyait traverser la ville, un gros bouquet à la main, et s'acheminer vers le cimetière.

De tout autre, les esprits forts de Sauveterre ne se fussent pas privés de rire. De lui ils n'osaient, tant était grand le respect qu'imposait cet honnête homme, au visage calme et serein, aux yeux clairs et fiers, aux lèvres finement dessinées, véritables lèvres d'orateur, traduisant tour à tour la pitié ou la colère, la raillerie ou le dédain.

De même que le docteur Seignebos, maître Magloire était républicain, et aux dernières élections de l'empire, il avait fallu aux bonapartistes d'incroyables efforts, l'appui de l'administration et quantité de manœuvres assez louches pour parvenir à l'écarter de la Chambre. Encore n'eussent-ils pas réussi sans le concours de M. de Claudieuse, qui ne les aimait guère cependant, et qui avait déterminé un grand nombre d'électeurs à s'abstenir.

Voilà l'homme qui, sur les neuf heures du soir, se rendant à l'invitation de M. de Chandoré, se présentait rue de la Rampe.

Mlle Denise et son grand-père, Mme de Boiscoran et maître Folgat l'attendaient.

Il les salua d'un air affectueux, mais en même temps si triste que Mlle Denise en reçut un coup au cœur. Elle crut comprendre que maître Magloire n'était pas éloigné de croire à la culpabilité de Jacques de Boiscoran. Et elle ne se trompait pas, car maître Magloire ne tarda pas à le donner à entendre, avec de grands ménagements, sans doute, mais très clairement.

Ayant passé la journée au Palais, il avait recueilli l'opinion des membres du tribunal, et cette opinion était loin d'être favorable au prévenu. En de telles conditions, se prêter aux désirs de Jacques et introduire contre M. Daveline une demande en renvoi eût été une impardonnable faute.

L'instruction durera donc des années! s'écria Mlle Denise, puisque monsieur Galpin-Daveline prétend obtenir de Jacques l'aveu d'un crime qu'il n'a pas commis.

Maître Magloire secoua la tête.

Je crois, au contraire, mademoiselle, répondit-il, que l'instruction sera bientôt terminée.

Si Jacques se tait, cependant...

Le mutisme d'un prévenu, pas plus que son caprice ou son obstination, ne saurait entraver la marche de la procédure. Mis en demeure de produire sa justification, s'il refuse de le faire, la justice passe outre...

Pourtant, monsieur, quand un prévenu a des raisons...

Il n'y a jamais de raisons valables de se laisser accuser injustement. Cependant le cas a été prévu. Libre au prévenu de ne pas répondre à une question qui l'embarrasse:

Nemo tenetur prodere se ipsum.

Mais avouez que ce refus de répondre autorise le juge à considérer comme décisives les charges sur lesquelles le prévenu ne s'explique pas.

Plus était calme le célèbre avocat de Sauveterre, plus ses auditeurs, à l'exception de maître Folgat, étaient effrayés. En écoutant ces expressions techniques qu'il employait, ils se sentaient glacés jusqu'aux moelles, comme les amis d'un blessé qui entendent le chirurgien repasser des bistouris.

Ainsi, monsieur, demanda d'une voix faible Mme de Boiscoran, la situation de mon malheureux fils vous paraît grave...

J'ai dit périlleuse, madame.

Vous pensez avec maître Folgat que chaque jour qui s'écoule ajoute au danger qu'il court...

Je n'en suis que trop sûr. Et si monsieur de Boiscoran est réellement innocent...

Ah! monsieur, interrompit Mlle Denise, monsieur, pouvez-vous parler ainsi, vous qui êtes l'ami de Jacques...

C'est d'un air de commisération profonde, et bien sincère, que maître Magloire considéra un moment la jeune fille. Puis:

C'est parce que je suis un ami, mademoiselle, répondit-il, que je vous dois la vérité. Oui, j'ai connu et apprécié les hautes qualités de monsieur de Boiscoran, je l'ai aimé, je l'aime... Mais ce n'est pas avec le cœur, c'est avec la raison qu'il faut examiner la situation. Jacques est homme, c'est par d'autres hommes qu'il sera jugé. Il y a de sa culpabilité des indices matériels, palpables, tangibles. Quelles preuves avez-vous à offrir de son innocence? Des preuves morales!...

Mon Dieu! murmurait Mlle Denise.

Je pense donc comme mon honorable confrère... (Et maître Magloire saluait maître Folgat.) Je crois fermement que si monsieur de Boiscoran est innocent, il a adopté un système déplorable. Ah! si par bonheur il a un alibi, qu'il se hâte, qu'il se hâte de le produire! Qu'il ne laisse pas la procédure arriver à la chambre des mises en accusation! Une fois là, un prévenu est aux trois quarts condamné.

Positivement, le cramoisi des joues de M. de Chandoré pâlissait.

Et cependant, s'écria-t-il, Jacques ne changera pas de système; ce n'est que trop sûr pour qui connaît son entêtement de mule!

Et, malheureusement, sa résolution est prise, dit Mlle Denise, et maître Magloire, qui le connaît bien, ne le verra que trop par cette lettre qu'il nous écrit.

Jusqu'alors, rien n'avait été dit qui pût faire soupçonner à l'avocat de Sauveterre le moyen employé pour correspondre avec le prisonnier.

Lui montrant la lettre, il fallait le mettre dans la confidence, et c'est ce que fit Mlle Denise.

Étonné d'abord, il ne tarda pas à froncer le sourcil.

C'est bien imprudent, murmura-t-il, dès qu'il sut tout, c'est bien hardi... (Et regardant maître Folgat:) Notre profession, continua-t-il, a certaines règles dont il est toujours fâcheux... de s'écarter.

Corrompre un greffier, profiter de sa faiblesse et de sa pitié! L'avocat de Paris avait rougi imperceptiblement.

Je n'aurais jamais conseillé une telle imprudence, dit-il; mais du moment où elle était commise, je n'ai pas cru devoir refuser d'en profiter, et dussé-je encourir un blâme sévère, ou pis encore... j'en profiterai.

Maître Magloire ne répondit pas; mais ayant lu la lettre de Jacques:

Je suis aux ordres de monsieur de Boiscoran, dit-il, et dès que le secret sera levé, je me rendrai près de lui. Je crois, comme mademoiselle Denise, qu'il s'obstinera à garder le silence. Cependant, puisque vous avez un moyen de lui faire parvenir une lettre... Allons, bien! voici que, moi aussi, je profite de l'imprudence commise. Suppliez-le, dans son intérêt, au nom de tout ce qu'il a de plus cher, de parler, de se disculper, de s'expliquer...

Et, saluant, maître Magloire se retira précipitamment, laissant ses auditeurs consternés, tant il était visible que le but de sa brusque retraite était surtout de cacher la pénible impression qu'il ressentait de la lettre de Jacques.

Certes! dit M. de Chandoré, nous allons lui écrire, mais ce sera comme si nous chantions... Il attendra la fin de l'instruction.

Qui sait!... murmura Mlle Denise. (Et après une minute de méditation:) On peut toujours essayer, ajouta-t-elle.

Et sans s'expliquer davantage, elle sortit et courut à sa chambre écrire ce laconique billet:

Il faut que je vous parle. Notre jardin a une petite porte qui donne sur la ruelle de la Charité, je vous y attends. Si tard que vous soit remis ce mot, venez.

Denise.

Puis, ayant mis ce billet sous enveloppe, elle appela la vieille bonne qui l'avait élevée, et après toutes les recommandations que la prudence lui pouvait inspirer:

Il faut, lui dit-elle, que monsieur Méchinet, le greffier, ait cette lettre ce soir même; pars, dépêche-toi!

IX

Depuis vingt-quatre heures, Méchinet était si changé que ses sœurs ne le reconnaissaient plus.

Aussitôt après le départ de Mlle Denise, elles étaient allées le trouver, espérant qu'il leur apprendrait enfin ce que signifiait cette mystérieuse entrevue; mais dès les premiers mots:

Cela ne vous regarde pas! s'était-il écrié d'un accent qui fit frémir les deux couturières. Cela ne regarde personne!

Et il était resté seul, tout étourdi de l'aventure, et rêvant aux moyens de tenir sa promesse sans se compromettre. Ce n'était pas aisé.

Le moment décisif arrivé, il reconnut que jamais il ne réussirait à faire passer à Jacques de Boiscoran le billet qui brûlait sa poche sans être aperçu de l'œil de lynx de M. Galpin-Daveline.

Force lui fut donc, après de longues hésitations, de recourir à la complicité de l'homme qui servait Jacques, de Frumence Cheminot enfin. C'était, d'ailleurs, un assez bon diable que ce pauvre diable, dont le vice capital était une incurable paresse, et qui n'avait sur la conscience que de légers délits de vagabondage.

Il aimait Méchinet, lequel, pendant ses séjours antérieurs à la prison de Sauveterre, lui avait donné quelquefois du tabac ou quelques sous pour s'acheter du vin. Il ne fit donc aucune objection à la proposition que lui fit le greffier de remettre un billet à M. de Boiscoran et de rapporter une réponse. Et il s'acquitta fidèlement et honnêtement de la commission.

Mais de ce que tout s'était bien passé cette fois, il ne s'ensuivait pas que Méchinet fût plus tranquille. Outre qu'il était assailli de remords en songeant à ses devoirs trahis, il frémissait de se sentir à la merci d'un complice. Que fallait-il, pour qu'il fût découvert? Une indiscrétion, une maladresse, un hasard malheureux. Qu'adviendrait-il alors? Destitué, il perdrait successivement toutes ses places. La confiance et la considération se retireraient de lui. Adieu les rêves ambitieux, les illusions de fortune, l'espoir d'arriver à une belle position par un mariage avantageux.

Et cependant, contradiction bizarre, Méchinet ne regrettait pas ce qu'il avait fait, et il se sentait prêt à recommencer.

Telles étaient ses dispositions, quand la vieille bonne de M. de Chandoré lui apporta la lettre de sa maîtresse.

Quoi, encore! s'écria-t-il. (Et quand il eut parcouru les quelques lignes:) Dites à mademoiselle de Chandoré que je suis à ses ordres, répondit-il, persuadé que quelque événement fâcheux était survenu.

Moins d'un quart d'heure après, en effet, il sortit, et avec toutes sortes de précautions pour dépister les curieux, il gagna la ruelle de la Charité.

La petite porte du jardin était entrebâillée, il n'eut qu'à la pousser pour entrer.

Quoiqu'il n'y eût pas de lune, la nuit était fort claire: à quelques pas, sous les arbres, il reconnut Mlle Denise et s'avança.

Excusez-moi, monsieur, commença-t-elle, d'avoir osé vous envoyer chercher...

Toutes les angoisses de Méchinet se dissipaient. Il ne songeait plus qu'à l'étrangeté de la situation. Sa vanité se délectait de se voir le confident de cette jeune fille, la plus noble, la plus jolie et la plus riche héritière du pays.

Vous avez bien fait de me mander, si je puis vous être utile, mademoiselle, dit-il.

En peu de mots elle l'eut mis au fait, et quand elle lui demanda son avis:

Je pense comme maître Folgat, répondit-il, que le chagrin et l'isolement commencent à agir d'une façon désastreuse sur le moral de monsieur de Boiscoran.

Oui, c'est à devenir fou! murmura la jeune fille.

Je crois, avec maître Magloire, poursuivit le greffier, que monsieur de Boiscoran, en s'obstinant à se taire, empire sa situation. J'en ai la preuve. Monsieur Galpin-Daveline, si anxieux les deux premiers jours, a recouvré toute son assurance. Le procureur général lui a écrit pour le féliciter de son énergie.

Et alors...

Alors, mademoiselle, il faudrait déterminer monsieur de Boiscoran à parler. Je sens bien que sa résolution est très fermement arrêtée, mais si vous lui écriviez, puisque vous pouvez lui écrire...

Une lettre serait inutile.

Cependant...

Inutile, vous dis-je. Seulement, je sais un moyen...

Employez-le bien vite, alors, mademoiselle, interrompit le greffier. Ne perdez pas une minute, il n'est que temps.

Si claire que fût la nuit, Méchinet ne pouvait voir la pâleur de la jeune fille.

Eh bien! reprit-elle, il faut que j'arrive jusqu'à monsieur de Boiscoran, que je le voie, que je lui parle...

Elle supposait que le greffier allait bondir, se récrier, point:

En effet, dit-il du ton le plus tranquille; mais comment?

Blangin, le geôlier, et sa femme ne tiennent à leur place que parce qu'elle les fait vivre. Pourquoi ne leur offrirais-je pas, en échange d'une entrevue avec monsieur de Boiscoran, de quoi s'établir à la campagne?

Pourquoi non? fit le greffier. (Et plus bas, répondant aux objections de son expérience:) La prison de Sauveterre, poursuivit-il, ne ressemble en rien aux maisons d'arrêt des grandes villes... Les prisonniers y sont rares, la surveillance y est nulle. Les portes fermées, Blangin y est le maître...

J'irai le trouver demain!... déclara Mlle Denise.

Il est de ces pentes sur lesquelles on ne saurait se retenir. En cédant une première fois aux suggestions de Mlle Denise, Méchinet, à son insu, s'était engagé pour l'avenir.

Non, n'y allez pas, mademoiselle, dit-il. Vous ne sauriez ni démontrer à Blangin qu'il ne court aucun danger, ni exciter suffisamment ses convoitises. C'est moi qui lui parlerai.

Oh! monsieur! s'écria Mlle Denise, monsieur, comment jamais...

Combien puis-je offrir? interrompit le greffier.

Tout ce que vous jugerez convenable, tout...

Alors, mademoiselle, demain, ici, à la même heure qu'aujourd'hui, je vous apporterai la réponse.

Et il s'éloigna, laissant Mlle Denise si enflammée d'espoir que tout le reste de la soirée et toute la journée du lendemain, tantes Lavarande et Mme de Boiscoran, à qui elle n'avait rien confié, ne cessèrent de se demander: qu'a donc cette petite?

Elle songeait que, si la réponse était favorable, avant vingt-quatre heures elle verrait Jacques, et elle se disait: pourvu que Méchinet soit exact.

Il le fut. À dix heures précises, comme la veille, il poussait la petite porte, et tout d'abord:

J'ai réussi, dit-il.

Si violente fut l'émotion de Mlle Denise, qu'elle dut s'appuyer à un arbre.

Blangin consent, poursuivit le greffier. Je lui ai promis seize mille francs... C'est peut-être beaucoup.

C'est bien trop peu...

Il exige qu'ils lui soient remis en or.

Il les aura.

Enfin, il met à l'entrevue des conditions qui vous paraîtront peut-être bien dures, mademoiselle...

Déjà la jeune fille s'était remise.

Dites, monsieur.

Tout en prenant ses précautions pour le cas où il serait découvert, Blangin tient à ne pas l'être. Voici donc comment il a réglé les choses. Demain soir, à six heures, vous passerez devant la prison. La porte sera ouverte, et sur la porte se tiendra la femme de Blangin, que vous connaissez bien, puisqu'elle a été à votre service. Si elle ne vous salue pas, continuez votre chemin, il serait survenu quelque empêchement. Si elle vous salue, allez à elle, toute seule, et elle vous conduira dans une petite pièce qui dépend de son logement. Vous y resterez jusqu'à l'heure, assez avancée nécessairement, où Blangin croira pouvoir vous conduire sans danger à la cellule de monsieur de Boiscoran.

L'entrevue terminée, vous reviendrez à votre petite chambre, où un lit sera préparé, et vous y passerez le reste de la nuit. Car voilà la condition terrible, vous ne pourrez sortir de la prison que de jour.

C'était terrible, en effet.

Pourtant, après un moment de réflexion:

N'importe! fit Mlle Denise. J'accepte. Dites à Blangin, monsieur Méchinet, que tout est convenu.

Que Mlle Denise acceptât toutes les conditions du geôlier Blangin, rien de mieuxrien du moins de plus naturel. Obtenir l'assentiment de M. de Chandoré devait être plus difficile.

La pauvre jeune fille le comprit si bien que, pour la première fois, elle se sentit émue en présence de son grand-père, qu'elle hésita, qu'elle prépara ses phrases et qu'elle chercha ses mots.

Mais c'est en vain qu'avec un art dont la veille elle ne se fût pas crue capable, elle ménagea l'étrangeté de sa requête; dès qu'elle se fut expliquée:

Jamais! s'écria M. de Chandoré, jamais! jamais!...

Jamais, c'est positif, le vieux gentilhomme ne s'était exprimé avec cette autorité décisive. Jamais ses sourcils ne s'étaient ainsi froncés. Jamais, à une demande de sa petite-fille, il n'avait répondu non, sans que son œil répondît oui.

Impossible! prononça-t-il encore, et d'un ton qui ne semblait pas admettre de réplique.

Certes, en ces douloureuses circonstances, il ne s'était pas marchandé, et il avait bien montré à Mlle Denise tout ce qu'elle pouvait attendre de lui. Du doigt et de l'œil, elle lui avait imposé ses volontés. Selon qu'elle lui avait soufflé, il avait dit oui, il avait dit non, il avait dit peut-être. Que n'eût-il pas dit encore?

Sans lui apprendre ce qu'elle en voulait faire, Mlle Denise lui avait demandé cent vingt mille francs, et il les lui avait donnés, bien que ce soit une grosse somme en tout pays, énorme à Sauveterre, immense pour un vieillard qui l'a économisée louis à louis. Il était prêt à en donner autant, à en donner le double, sans plus d'explications.

Mais que Mlle Denise quittât la maison paternelle un soir, à six heures, pour ne rentrer que le lendemain...

C'est ce que je ne puis souffrir! répétait-il. Mais que Mlle Denise allât passer la nuit dans la prison de Sauveterre, pour y avoir une entrevue avec son fiancé, prisonnier et accusé de meurtre et d'incendie, la nuit entière, seule, à l'absolue discrétion d'un geôlier, d'un homme dur, avide et grossier...

C'est ce que je ne puis souffrir! répétait-il. C'est ce que je ne permettrai pas! s'écria encore le vieux gentilhomme.

Calme, Mlle Denise avait laissé passer l'orage. Et lorsque son grand-père s'arrêta:

Et s'il le faut, cependant? dit-elle. M. de Chandoré haussa les épaules.

S'il le faut, insista-t-elle en haussant le ton, pour déterminer Jacques à renoncer à un système qui le perd, pour le déterminer à parler avant la fin de l'instruction?

Ce n'est pas ton rôle, mon enfant, dit M. de Chandoré.

Oh!...

C'est le rôle de sa mère, de la marquise de Boiscoran. Ce que Blangin consent à risquer pour toi, il le risquera pour elle au même prix. Que madame de Boiscoran aille passer la nuit à la prison, je l'approuverai; qu'elle voie son fils, elle fera son devoir...

Ce n'est pas elle qui changera les résolutions de Jacques.

Et tu te crois sur lui plus d'influence que sa mère.

Ce n'est pas la même chose, bon papa...

N'importe!

Ce «n'importe» de M. de Chandoré n'était pas moins net que son «impossible», mais il discutait. Et discuter, c'est s'exposer à être entamé par les objections de l'adversaire.

N'insiste pas, chère fille, reprit-il, mon parti est irrévocablement arrêté, et je te jure...

Ne jure pas, bon papa, interrompit la jeune fille.

Et si résolue était son attitude, et si ferme son accent, que le vieux gentilhomme en demeura un instant abasourdi.

Si je ne veux pas, cependant..., reprit-il.

Tu consentiras, bon papa, tu ne mettras pas ta petite-fille, qui t'aime tant, dans la douloureuse nécessité de te désobéir pour la première fois de sa vie.

Parce que pour la première fois, en effet, je ne fais pas la volonté de ma petite-fille.

Bon papa, laisse-moi te dire...

Écoute-moi, plutôt, pauvre chère enfant, et laisse-moi te montrer à quels dangers, à quels malheurs tu t'exposerais... Aller passer la nuit à cette prison, ce serait risquer, entends-tu bien, ton honneur de jeune fille, cette fleur de renommée qu'une médisance flétrit, le bonheur et le repos de toute la vie...

L'honneur et la vie de Jacques sont en danger.

Pauvre imprudente! Sais-tu seulement s'il ne serait pas le premier à te reprocher cruellement ta démarche?

Lui!

Les hommes sont ainsi faits qu'ils s'irritent des plus admirables dévouements.

Soit. Je souffrirais moins des injustes reproches de Jacques que de ne pas faire mon devoir.

Le désespoir gagnait M. de Chandoré.

Et si je priais, Denise, reprit-il, au lieu de commander... Si ton vieux grand-père te conjurait à genoux de renoncer à ce funeste projet...

Tu me ferais une peine affreuse, bon papa, et inutile; car je résisterais à tes prières, comme je résiste à tes ordres.

Implacable! s'écria le vieillard, elle est implacable! (Et, tout à coup, changeant de ton:) Pourtant, je suis le maître! s'écria-t-il.

Bon papa, de grâce! Et puisque rien ne saurait te toucher, c'est à Méchinet que je m'adresserai, c'est à Blangin que je signifierai ma volonté...

Plus blanche qu'un marbre, mais l'œil étincelant, Mlle Denise recula d'un pas.

Si tu faisais cela, grand-père, interrompit-elle, si tu brisais ma dernière espérance...

Eh bien!...

Demain, je te le jure par la mémoire de ma mère, je serais dans un couvent, et tu ne me reverrais de ma vie; non, pas même au moment de ma mort, qui ne tarderait pas...

D'un mouvement désespéré, M. de Chandoré leva les bras vers le ciel et, d'une voix rauque:

Ô mon Dieu! s'écria-t-il, voilà donc nos enfants, et voilà ce qui nous attend, nous, vieillards! Notre existence entière s'est passée à veiller sur eux, nous avons été à genoux devant toutes leurs fantaisies, ils ont été notre souci le plus cher et notre meilleure espérance; de même que nous leur avons donné notre vie jour à jour, nous voudrions leur donner notre sang goutte à goutte, ils sont tout pour nous et nous nous croyons aimés!... Pauvres fous! Un jour, un jeune homme passe, insoucieux, rieur, l'œil brillant et quelques mots d'amour aux lèvres, et c'est fini, notre enfant n'est plus à nous, notre enfant ne nous connaît plus... Meurs en ton coin, vieillard...

Et succombant à son émotion, de même que le chêne touché par la hache, le vieux gentilhomme chancela et s'affaissa lourdement sur son fauteuil.

Ah! c'est affreux, murmura Mlle Denise, c'est affreux ce que tu dis là, grand-père, toi, douter de moi!

Elle s'était agenouillée, elle pleurait, et ses larmes roulaient sur les mains du vieux gentilhomme.

À cette sensation, il se dressa, et tentant un dernier effort:

Malheureuse! reprit-il, et si Jacques était coupable, et si, lorsque tu paraîtras, il te faisait l'aveu de son crime...

Mlle Denise secoua la tête.

C'est impossible, dit-elle, et cependant, si cela était, je devrais être punie comme lui, car je sens que, s'il l'eût voulu, j'aurais été sa complice...

Elle est folle! soupira M. de Chandoré en retombant sur son fauteuil, elle est folle!

Mais il était vaincu, et le lendemain, à cinq heures du soir, le cœur déchiré d'une horrible douleur, il descendait la rue de la Rampe, donnant le bras à sa petite-fille.

Mlle Denise avait choisi la plus simple et la plus sombre de ses toilettes, et le petit sac qu'elle portait au bras renfermait non pas seize, mais vingt mille francs en or.

Comme de raison, il avait fallu mettre dans la confidence Mme de Boiscoran, tantes Lavarande et maître Folgat, et, à la profonde stupeur de M. de Chandoré, personne n'avait risqué une objection.

Jusqu'à la rue de la prison, le grand-père et sa petite-fille n'échangèrent pas une parole. Mais là:

Je vois madame Blangin sur sa porte, bon papa, dit Mlle Denise, faisons bien attention...

Ils approchaient; Mme Blangin salua.

Allons, le moment est venu, dit la jeune fille. À demain, bon papa, et surtout rentre bien vite et ne t'inquiète pas.

Et, rejoignant la femme du geôlier, elle disparut dans l'intérieur de la prison.

X

La prison, à Sauveterre, c'est le château situé tout en haut de la vieille ville, au milieu d'un quartier pauvre et presque désert.

Très important autrefois, le château de Sauveterre a été démantelé lors du siège de La Rochelle, et il n'en reste plus que des débris maladroitement restaurés, des remparts dont les fossés ont été comblés, une porte surmontée d'un beffroi, une chapelle convertie en magasin militaire, et enfin deux tours massives reliées par un immense bâtiment dont le rez-de-chaussée est voûté. Rien de moins triste que ces ruines entourées d'un mur tapissé de lierre, et jamais on ne soupçonnerait leur destination sans le soldat qui, nuit et jour, monte à l'entrée sa faction monotone.

Des ormes séculaires ombragent les vastes cours, et sur les plates-formes, et dans les crevasses des murailles, il fleurit assez de ravenelles et de lilas de terre pour faire la joie de cent prisonniers.

Mais les prisonniers manquent à cette poétique prison. «C'est une cage sans oiseaux», dit parfois le geôlier d'un ton mélancolique. Il en profite pour cultiver des légumes le long des préaux, et l'exposition est si favorable qu'il est toujours le premier, à Sauveterre, à cueillir des petits pois. Il en a de même profitéavec l'autorisation de l'administrationpour s'attribuer dans une des tours un joli logement, qui se compose de deux pièces au rez-de-chaussée et d'une chambre à l'étage supérieur, où on arrive par un étroit escalier pratiqué dans l'épaisseur du mur.

C'est dans cette chambre que la geôlière, avec la promptitude de la peur, entraîna Mlle Denise.

La pauvre jeune fille suffoquait, tant son cœur violemment battait dans sa poitrine, et, à peine entrée, elle se laissa tomber sur une chaise.

Jésus Dieu! s'écria la geôlière, vous trouvez-vous donc mal, ma chère demoiselle! Attendez, je descends vous quérir du vinaigre...

C'est inutile, fit Mlle Denise d'une voix faible; restez près de moi, ma bonne Colette, restez!

Forte et robuste commère de quarante-cinq ans, brune comme le pain bis, avec un épais duvet noir à la lèvre supérieure, Mme Blangin s'appelait Colette.

Pauvre demoiselle, reprit-elle, cela vous semble drôle de vous trouver ici.

Oui, très drôle, assurément. Mais où est donc votre mari?

En bas, à faire le guet, mademoiselle. Il ne tardera pas à monter.

Bientôt, en effet, un pas pesant retentit dans l'escalier, et Blangin apparut, pâle et l'œil trouble, comme un homme qui vient de courir un grand danger.

Ni vu ni connu, dit-il, personne ne se doute de rien. Je ne craignais que ce mauvais chien de factionnaire, et juste comme mademoiselle arrivait, j'ai réussi à l'attirer derrière le mur en lui offrant la goutte. Je commence à croire que je ne perdrai pas ma place.

Mlle de Chandoré prit cette phrase pour une mise en demeure.

Eh! qu'importe votre place, dit-elle, affectant une gaieté bien loin de son âme, puisqu'il est convenu que je vous en assure une meilleure...

Et, ouvrant son sac, elle déposait sur la table les rouleaux qu'il contenait.

Ah! c'est l'or! fit Blangin, dont l'œil étincela.

Oui. Chacun de ces rouleaux contient mille francs, et en voici seize...

Une tentation irrésistible contractait les traits du geôlier.

On peut voir? interrogea-t-il.

Certes, répondit la jeune fille, vérifiez...

Elle se trompait. Blangin songeait bien à vérifier, vraiment! Ce qu'il voulait, c'était repaître sa vue de cet or, l'entendre sonner, le manier.

D'un geste fiévreux, il déchira les enveloppes et se mit à faire tomber les pièces en cascades sur la table, et, à mesure que le tas grossissait, ses lèvres blêmissaient et la sueur perlait à ses tempes.

Tout cela est à moi! fit-il avec un rire stupide.

Oui, à vous, répondit Mlle Denise.

Je ne me figurais pas ce que pouvaient faire seize mille francs. Comme c'est beau, l'or! Regarde donc, ma femme.

Mais la geôlière détournait la tête. Elle était aussi âpre au gain que son mari, et plus émue peut-être, mais elle était femme, elle savait dissimuler.

Ah! chère demoiselle, reprit-elle, jamais mon homme ni moi ne vous aurions demandé de l'argent pour vous rendre service, si nous n'avions à songer qu'à nous! Mais nous avons des enfants...

Votre devoir est de vous préoccuper de vos enfants, dit Mlle Denise.

Je sais bien que seize mille francs, c'est une grosse somme... Mademoiselle regrette peut-être de nous donner tant d'argent...

Je le regrette si peu, interrompit la jeune fille, que j'ajouterais volontiers quelque chose encore.

Et elle montrait un des quatre rouleaux restés dans son sac.

Alors, en effet, au diable la place! s'écria Blangin. (Et grisé par la vue et le contact de l'or:) Vous êtes ici chez vous, mademoiselle, poursuivit-il, et la prison et le geôlier sont à vos ordres. Que désirez-vous? Parlez. J'ai neuf prisonniers, sans compter monsieur de Boiscoran et Cheminot. Voulez-vous que je leur donne la clef des champs?

Blangin!... fit sévèrement la femme.

Quoi! Ne suis-je pas le maître de lâcher les prisonniers?

Avant de faire le fier, attends d'avoir rendu à mademoiselle le service qu'elle attend de toi.

C'est juste.

Alors, insista la prudente geôlière, cache cet argent qui nous trahirait.

Et, tirant de l'armoire un bas de laine, elle le tendit à son mari qui y glissa les seize mille francs, moins une douzaine de pièces qu'il garda dans sa poche pour avoir sous la main une preuve matérielle de sa fortune nouvelle.

Et quand ce fut fait, et quand le bas, plein à craquer, fut remis au fond de l'armoire sous une pile de linge:

Maintenant, descends, commanda la geôlière à son mari. On peut encore venir, et si tu n'allais pas ouvrir dès qu'on frappera, cela donnerait des soupçons.

Époux bien dressé, Blangin obéit sans réplique, et aussitôt la geôlière entreprit de distraire Mlle Denise. Elle espérait bien, disait-elle, que sa chère demoiselle lui ferait l'honneur d'accepter quelque chose. Cela la soutiendrait et, d'ailleurs, l'aiderait à passer le temps, car il n'était que sept heures, et ce ne serait qu'après dix que Blangin pourrait la conduire sans danger à la cellule de M. de Boiscoran.

Mais j'ai dîné, objectait Mlle Denise, je n'ai besoin de rien.

L'autre n'en insistait que plus fort. Elle se rappelait bien, Dieu merci, les goûts de sa chère demoiselle, et elle lui avait préparé un bouillon exquis et une crème incomparable. Et, tout en parlant, elle dressait la table, ayant mis dans sa tête que, dût Mlle Denise en périr, elle mangerait, ce qui est d'ailleurs une tradition de Saintonge. Du moins, les fastidieux empressements de cette femme eurent cet avantage qu'ils empêchèrent Mlle Denise de s'abandonner à ses douloureuses pensées.

La nuit était venue. Neuf heures sonnèrent, puis dix. Puis on entendit le pas de la ronde qui allait relever les factionnaires.

Un quart d'heure après, Blangin reparut, portant une lanterne et un énorme trousseau de clefs.

J'ai envoyé coucher Cheminot, dit-il, mademoiselle peut venir.

Mlle Denise était déjà debout.

Allons, dit-elle simplement.

Et, à la suite du geôlier, elle traversa d'interminables corridors, puis une immense salle voûtée où les pas retentissaient comme dans une église, puis une longue galerie.

Enfin, montrant une porte massive dont les fentes laissaient filtrer quelques rayons de lumière:

C'est là! dit Blangin.

Mais Mlle Denise lui prit le bras, et d'une voix à peine distincte:

Attendez un moment, dit-elle.

C'est qu'elle était près de succomber à tant d'émotions successives. C'est qu'elle sentait ses jambes fléchir et ses yeux se voiler. Son âme gardait toujours son admirable énergie, mais la chair échappait à sa volonté et lui manquait, en quelque sorte.

Êtes-vous malade? interrogea le geôlier. Que faites-vous?

Elle demandait à Dieu de lui donner du courage et des forces. Et, sa prière achevée:

Entrons, dit-elle.

Et, avec un grand bruit de clefs et de verrous, Blangin ouvrit la porte de Jacques de Boiscoran.

Ce n'était déjà plus les jours, c'était les heures que comptait Jacques de Boiscoran depuis qu'il était au secret.

Il avait été écroué le vendredi matin, juin, et on était au mercredi soir, . Il y avait donc cent trente-deux heures que, selon la terrible expression d'Ayrault, il avait été «vivant, rayé du monde des vivants et muré dans la tombe». Aussi, chacune de ces cent trente-deux heures avait-elle pesé sur son front autant qu'un mois entier. Aussi, en le voyant pâle et amaigri, les cheveux et la barbe en désordre, les yeux brillants de fièvre comme des charbons mal éteints, eût-on eu peine à reconnaître l'heureux et insoucieux châtelain de Boiscoran, ce Benjamin de la destinée, à qui toujours tout avait souri, ce fier et sceptique garçon qui, du haut de son passé, défiait l'avenir.

C'est que de tous les supplices imaginés par les sociétés obligées de se défendre, il n'en est pas de plus effroyable que «le secret». C'est qu'il n'en est pas qui, plus promptement, détrempe les énergies, désarticule les volontés et réduise les plus indomptables organisations.

C'est qu'il n'est pas de lutte plus émouvante que la lutte qui s'établit entre un prévenu innocent ou coupable, et un juge inexorable ou clément; où l'on voit un homme sans défense se débattre contre un autre homme armé d'un pouvoir discrétionnaire.

Si les grandes douleurs n'avaient pas leur pudeur, Mlle Denise se serait informée de Jacques. Rien ne lui était plus facile. Et si elle se fût informée, elle eût appris par

Blangin, qui gardait et épiait M. de Boiscoran, et par la geôlière qui préparait ses repas, par quelles phases il avait passé depuis son arrestation.

Anéanti sur le premier moment, il n'avait pas tardé à réagir, et, le vendredi et le samedi, il s'était montré tranquille et plein de confiance, causeur et presque gai.

Le dimanche lui avait été fatal. Conduit à Boiscoran entre deux gendarmes pour la levée des scellés, il avait été, le long du chemin, accablé d'injures et de malédictions par des gens qui l'avaient reconnu, et il était rentré mortellement triste.

Pendant toute la journée du lundi, il avait été torturé par le juge d'instruction, et après six heures d'interrogatoire, quand on lui avait apporté son dîner, il avait dit que sa santé n'y résisterait pas, et qu'autant vaudrait le tuer tout de suite.

Le mardi, il avait reçu la lettre de Mlle Denise et y avait répondu. C'avait été pour lui le sujet d'une extrême agitation, et, pendant une partie de la nuit, Frumence Cheminot l'avait vu se promener dans sa cellule avec les gestes et les imprécations incohérentes d'un fou.

Il espérait un mot pour le mercredi. Ce mot n'étant pas venu, il était tombé dans une torpeur glacée dont M. Galpin-Daveline n'avait pas pu le tirer. Il n'avait rien pris de la journée qu'une tasse de bouillon et un peu de café. Et, le juge parti, il s'était accoudé à sa table, en face de la fenêtre, et il y était resté immobile comme une statue, les lèvres pendantes, le regard hébété, si profondément enfoncé dans ses rêveries qu'il ne s'était pas dérangé quand on lui avait monté de la lumière.

C'est ainsi qu'il était encore, quand, un peu après dix heures, il entendit grincer les verrous de sa porte. Déjà il était assez au fait de la prison pour en connaître les usages. Il savait à quelles heures on lui apportait ses repas, à quel moment Cheminot venait mettre en ordre sa cellule, et quand enfin il devait s'attendre à voir paraître le juge d'instruction.

La nuit venue, il s'appartenait jusqu'au lendemain. Donc, une visite si tardive annonçait immanquablement un événement insolitela liberté, peut-être, cette visiteuse qu'implorent tous les prisonniers. Aussi se dressa-t-il. Et dès qu'il distingua dans l'ombre le rude visage de Blangin:

Que me veut-on? demanda-t-il vivement. Blangin salua. C'était un geôlier poli.

Monsieur, répondit-il, je vous amène une personne...

Et s'effaçant, il livra passage à Mlle Denise, ou plutôt il la poussa dans la chambre, car elle semblait avoir perdu la faculté de se mouvoir.

Une personne..., répétait M. de Boiscoran. Mais le geôlier ayant élevé sa lanterne, le malheureux reconnut sa fiancée.

Vous! s'écria-t-il, ici!

Et il se rejeta en arrière, tremblant d'être dupe d'un rêve, d'être le jouet d'une de ces effrayantes hallucinations qui précèdent la folie et qui se fixent dans les cerveaux malades comme les orfraies au milieu des ruines.

Denise! murmura-t-il encore. Denise!

Quand il se fût agi, non de sa vie, elle n'y pensait pas, mais de la vie de Jacques, la pauvre jeune fille n'eût pu articuler une parole, tant l'émotion serrait sa gorge et contractait ses lèvres.

Le geôlier répondit pour elle:

Oui, fit-il, mademoiselle de Chandoré...

À cette heure, dans ma prison!

Elle avait quelque chose d'important à vous communiquer, elle est venue me trouver...

Ô Denise, balbutia Jacques, amie incomparable!

Et j'ai consenti, poursuivait Blangin d'un ton paterne, à l'introduire secrètement... C'est une grande faute que je commets, si cela venait à se savoir!... Mais on a beau être geôlier, on a un cœur comme tout le monde! Si je dis cela à monsieur, c'est que mademoiselle oublierait peut-être de le prévenir... Si le secret n'était pas bien gardé, je perdrais ma place, et je ne suis qu'un pauvre homme, j'ai femme et enfants...

Vous êtes le meilleur des hommes! s'écria M. de Boiscoran, bien éloigné de soupçonner le prix de la sensibilité de Blangin, et le jour où je serai libre, je vous prouverai, mon brave, que vous n'avez pas obligé des ingrats!

Bien à votre service, monsieur, fit modestement le geôlier.

Mais peu à peu, Mlle Denise reprenait possession d'elle-même.

Laissez-nous, mon ami, dit-elle doucement à Blangin.

Et dès qu'il se fut retiré, sans laisser à M. de Boiscoran le temps de prononcer une parole:

Jacques, murmura-t-elle, mon grand-père m'a dit qu'en venant à vous, seule, en secret, la nuit, je m'exposais à diminuer votre affection pour moi et à amoindrir votre estime...

Ah!... vous ne l'avez pas cru!...

Mon grand-père a plus d'expérience que moi, Jacques... Pourtant je n'ai pas hésité, me voici, et j'aurais bravé bien d'autres périls, parce qu'il s'agit de votre honneur qui est le mien, de votre vie qui est la mienne, de notre avenir, de notre bonheur, de toutes nos espérances ici-bas!

Une joie délirante avait comme transfiguré le visage du prisonnier.

Grand Dieu! s'écria-t-il, un tel moment rachèterait des années de tortures!

Mais Mlle Denise s'était juré, en venant, que rien ne la détournerait de son œuvre.

J'en atteste la mémoire de ma mère, Jacques, continua-t-elle, jamais une seconde je n'ai douté de votre innocence.

Le malheureux eut un geste désolé.

Vous! dit-il, mais les autres, mais monsieur de Chandoré...

Serais-je donc ici, s'il vous croyait coupable!... Mes tantes et votre mère sont aussi sûres de vous que je le suis moi-même.

Et mon père? Vous ne m'en parlez pas dans votre lettre...

Votre père est resté à Paris, pour le cas où il y aurait quelque démarche à faire.

Jacques de Boiscoran secouait la tête.

Je suis en prison à Sauveterre, murmura-t-il, accusé d'un crime atroce, et mon père reste à Paris... Est-ce donc vrai qu'il ne m'a jamais aimé! J'ai toujours été un bon fils, cependant, et jamais, jusqu'à cette catastrophe effroyable, il n'a eu à se plaindre de moi. Non, mon père ne m'aime pas...

Mlle Denise ne pouvait le laisser s'égarer ainsi.

Écoutez-moi, Jacques, interrompit-elle, écoutez pourquoi je risque cette démarche si grave et qui me coûte tant! C'est au nom de tous nos amis que je viens, au nom de maître Folgat, cet avocat de Paris que votre mère a amené, et que vous ne connaissez pas, et aussi au nom de maître Magloire, en qui vous avez tant de confiance. Tous sont d'accord. Vous avez adopté un système affreux. Vous obstiner à vous taire, c'est courir volontairement aux abîmes. Entendez bien ce que je vous dis: si vous attendez, pour vous disculper, que l'instruction soit close, vous êtes perdu. Le jour où la chambre des mises en accusation sera saisie du procès, c'est en vain que vous parlerez. Il sera trop tard. Et vous irez, vous, innocent, grossir la liste déplorable des erreurs judiciaires...

C'est en silence, et le front penché vers la terre, comme pour en dérober la pâleur, que Jacques de Boiscoran avait écouté Mlle de Chandoré.

Et dès qu'elle s'arrêta, palpitante:

Hélas! murmura-t-il, tout ce que vous venez de me dire, je me l'étais déjà dit.

Et vous vous êtes tu!

Je me suis tu.

Ah! c'est que vous ne soupçonnez pas le danger que vous courez, Jacques, c'est que vous ne savez pas...

Il l'interrompit d'un geste. Et d'une voix sourde:

Je sais, prononça-t-il, que c'est l'échafaud que je risque... ou le bagne.

Mlle Denise était pétrifiée d'horreur. Pauvre jeune fille! Elle s'était imaginée qu'elle n'aurait qu'à paraître pour triompher de l'obstination de M. de Boiscoran, et que dès qu'elle l'aurait entendu elle serait rassurée. Et au lieu de cela!

Malheureux! s'écria-t-elle, ces épouvantables idées vous sont venues, et vous persisteriez à garder le silence!

Il le faut.

C'est impossible... Vous n'avez pas réfléchi!

Pas réfléchi!... répéta-t-il. (Et plus bas:) Que croyez-vous donc que j'aie fait, depuis cent trente mortelles heures que je suis seul dans cette prison, seul en face d'une accusation terrible et des plus effroyables éventualités...

Voilà le malheur, Jacques, vous avez été dupe de votre imagination! Qui ne l'eût été, à votre place! Maître Folgat me le disait hier encore: il n'est pas d'homme qui, après quatre jours de secret, ait tout son sang-froid. La douleur et la solitude sont de mauvaises conseillères. Jacques, revenez à vous, écoutez vos amis les plus chers dont ma voix vous transmet les conseils... Jacques, votre Denise vous en conjure, parlez...

Je ne puis.

Pourquoi?

Elle attendit quelques secondes, et comme il ne répondait pas:

Le premier des devoirs, insista-t-elle, non sans une nuance d'amertume, n'est-il donc pas, quand on est innocent, de faire éclater son innocence?

D'un mouvement désespéré, le prisonnier étreignait son front de ses mains crispées. Se penchant vers Mlle Denise, si près qu'elle sentit son souffle dans ses cheveux:

Et quand on ne peut pas, dit-il, quand on ne peut pas faire éclater son innocence!

Elle recula, pâle comme pour mourir, chancelant à ce point d'être réduite à s'appuyer au mur, et fixant sur Jacques de Boiscoran des regards où montaient toutes les épouvantes de son âme.

Que dites-vous, mon Dieu! balbutia-t-elle.

Il riait, le malheureux, de ce rire sinistre qui est la dernière expression du désespoir.

Je dis, répondit-il, qu'il est de ces circonstances fatales qui confondent la raison, de ces coïncidences inouïes qui feraient douter de soi. Je dis que tout m'accuse, que tout m'accable, que tout témoigne contre moi. Je dis que si j'étais à la place de Galpin-Daveline, et qu'il fût à la mienne, j'agirais certainement comme lui!

C'est de la démence! s'écria Mlle de Chandoré.

Mais Jacques de Boiscoran ne l'entendit pas. Toutes les amertumes des jours passés lui remontaient à la gorge; il s'animait, ses joues s'empourpraient.

Et toujours plus vite, en phrases haletantes:

Faire éclater son innocence! poursuivait-il. Ah! c'est aisé à conseiller... Mais comment?... Non, je ne suis pas coupable, mais un crime a été commis, et pour ce crime il faut un coupable à la justice! Si ce n'est pas moi qui ai tiré sur monsieur de Claudieuse et mis le feu au Valpinson, qui donc est-ce?... Où étiez-vous, me dit-on, au moment de l'attentat? Où j'étais?... Est-ce que je puis le dire! Me disculper, c'est accuser! Et si je me trompais!... Et si, ne me trompant pas, j'étais incapable de démontrer la réalité de mes accusations!... Est-ce que le meurtrier, est-ce que l'incendiaire n'a pas pris toutes ses mesures pour échapper au châtiment et le faire retomber sur ma tête! J'étais averti! Il est des haines qui méditent de ces vengeances exécrables!... Ah! si on savait, si on pouvait prévoir!... Comment lutter!... Et moi, qui le premier jour me disais: une telle imputation ne saurait m'atteindre, c'est un nuage que d'un souffle je dissiperai! Misérable fou! Le nuage est devenu avalanche et je puis être écrasé!... Je ne suis ni un enfant, ni un lâche, et j'ai toujours marché droit aux fantômes... J'ai mesuré le péril, il est immense! Mlle Denise frissonnait.

Qu'allons-nous devenir! s'écria-t-elle.

Cette fois, M. de Boiscoran l'entendit, et il eut honte de sa faiblesse. Mais avant qu'il réussît à maîtriser son trouble:

Qu'importe, reprit la jeune fille, ces considérations vaines! Au-dessus des calculs les plus habiles et des systèmes les mieux combinés, il y a la vérité, invincible, immuable! Il faut dire la vérité, Jacques, sans arrière-pensée, sans restrictions, sans détours...

Ce n'est plus possible! murmura l'infortuné.

Elle est donc bien affreuse?

Elle est invraisemblable.

Ce n'est pas sans effroi que Mlle Denise le considérait. Elle ne retrouvait en lui ni l'expression de son visage, ni son regard, ni le timbre de sa voix. Elle s'approcha, et lui prenant la main entre ses petites mains blanches:

Mais à moi, fit-elle, à moi, votre amie, vous pouvez la dire, cette vérité!

Il tressaillit, et reculant:

À vous moins qu'à tout autre! s'écria-t-il. (Et comprenant ce que cette réponse avait d'affligeant:) Trop pur est votre esprit, ajouta-t-il, pour de si honteuses intrigues. Je ne veux pas que sur votre robe de noces rejaillisse une tache de cette boue où l'on m'a précipité!

Fut-elle dupe? Non, mais elle eut ce courage de sembler l'être.

Soit, poursuivit-elle, mais cette vérité, il vous faudra la dire tôt ou tard...

Oui, à maître Magloire.

Eh bien! Jacques, ce que vous lui diriez, écrivez-le-lui, voici des plumes et de l'encre, je porterai fidèlement votre lettre.

Il est des choses qu'on n'écrit pas, Denise! Elle se sentait vaincue, elle comprenait que rien ne ferait plier cette volonté glacée; et cependant:

Mais si je vous suppliais, Jacques, reprit-elle, au nom de notre passé et de notre avenir, au nom de cet amour unique et éternel que vous me juriez...

Voulez-vous donc, interrompit-il, rendre mille fois plus atroces encore mes heures de prison! Voulez-vous m'enlever ce qu'il me reste encore de forces et de courage! N'avez-vous plus en moi aucune confiance! Ne sauriez-vous me faire crédit de quelques jours encore...

Il s'arrêta. On frappait à la porte; et presque aussitôt:

Le temps passe! cria Blangin par le guichet, je voudrais être en bas quand on relèvera les factionnaires! Je joue gros jeu... je suis un père de famille...

Éloignez-vous, Denise, dit Jacques vivement, éloignez-vous... La pensée qu'on vous surprendrait ici m'est odieuse.

Combien elle courait peu de risques d'être surprise, Mlle de Chandoré avait payé pour le savoir. Pourtant elle ne résista pas.

Elle tendit son front à Jacques qui l'effleura de ses lèvres et, plus morte que vive et se tenant aux murs, elle regagna la chambrette du geôlier. On lui avait préparé un lit, elle s'y jeta toute habillée et elle y resta, aussi immobile que si elle eût été morte, plongée dans un anéantissement qui lui enlevait jusqu'à la faculté de souffrir.

Il faisait grand jour, il était huit heures, quand elle se sentit tirée par le bras.

Chère demoiselle, lui disait la geôlière, le moment serait bien propice pour vous esquiver. On s'étonnera peut-être de vous voir seule dans les rues, mais on se dira que vous revenez de la messe de sept heures.

Sans mot dire, Mlle Denise sauta à terre, et en un tour de main elle eut réparé le désordre de sa toilette. Puis, comme Blangin, inquiet, venait voir si elle se décidait à partir:

Tenez, lui dit-elle en lui donnant un des rouleaux de mille francs restés dans son sac, ceci est pour que vous vous souveniez de moi si j'avais encore besoin de vous.

Et, rabattant sa voilette sur son visage, elle sortit.

XI

Le baron de Chandoré avait eu, en sa vie, une nuit terrible, dont il avait compté les secondes au pouls de son fils agonisant. La veille au soir, les médecins lui avaient dit: «S'il passe cette nuit, il peut être sauvé.» Au jour, il avait rendu le dernier soupir.

Eh bien! c'est à peine si, pour le vieux gentilhomme, cette nuit fatale avait eu plus d'angoisses que celle-ci, passée tout entière hors de la maison par Mlle Denise. Il savait bien que Blangin et sa femme étaient de braves gens, malgré leur avarice et leur âpreté au gain; il savait bien que Jacques de Boiscoran était un homme d'honneur. N'importe!... Toute la nuit, son vieux valet de chambre l'entendit se promener de long en large dans sa chambre, et dès sept heures du matin, il était sur le seuil de la porte, interrogeant d'un œil inquiet le lointain de la rue.

Vers sept heures et demie, maître Folgat vint le rejoindre, mais c'est à peine s'il lui souhaita le bonjour, et certainement il n'entendit rien de tout ce que lui dit l'avocat pour le rassurer.

Jusqu'à ce qu'enfin:

La voilà! s'écria le vieillard.

Il ne se trompait pas. Mlle Denise venait de tourner le coin de la rue de la Rampe. Elle remontait avec une hâte fiévreuse, comme si elle eût senti que ses forces étaient à bout et qu'il lui en resterait bien juste assez pour arriver.

C'est avec une sorte de joie farouche que grand-père Chandoré se jeta au-devant d'elle et qu'il la serra entre ses bras en répétant:

Ô Denise, ô ma fille bien-aimée, comme j'ai souffert, comme tu as tardé!... Mais tout est oublié, viens, viens vite!

Et il l'entraîna, il la porta plutôt, dans le salon, et il l'assit mollement sur une causeuse. Il s'agenouilla ensuite près d'elle, riant de bonheur. Mais dès qu'il lui eut pris les mains:

Tes mains sont brûlantes! s'écria-t-il. Tu as la fièvre...

Il la regarda. Elle venait de relever son voile.

Tu es pâle comme la mort, continua-t-il, tu as les yeux rouges et gonflés...

J'ai pleuré, bon papa, répondit-elle doucement.

Pleuré!... Pourquoi?

Hélas! je n'ai pas réussi!

Comme s'il eût été mû par un ressort, M. de Chandoré se dressa.

Par le saint nom de Dieu! s'écria-t-il, on n'a jamais rien ouï de pareil depuis que le monde est monde!... Quoi! tu es allée, toi, Denise de Chandoré, le trouver dans sa prison, tu l'as supplié...

Et il est resté inflexible, oui, bon papa. Il ne parlera pas avant la fin de l'instruction.

C'est que nous nous étions trompés, ce garçon n'a ni cœur ni âme...

Péniblement, Mlle Denise s'était soulevée.

Ah! ne l'accuse pas, bon papa, interrompit-elle, ne l'accuse pas. Il est si malheureux!

Enfin, que dit-il, pour ses raisons?

Il dit que la vérité est tellement invraisemblable que certainement on refusera de le croire, et qu'il se perdrait s'il parlait tant qu'il est au secret et privé de l'assistance d'un défenseur. Il dit que son horrible situation est le résultat d'une exécrable vengeance. Il dit qu'il croit connaître le coupable, et que, puisqu'il y est réduit, pour se défendre il accusera...

Témoin silencieux jusqu'à ce moment, maître Folgat s'approcha.

Êtes-vous bien sûre, mademoiselle, interrogea-t-il, que monsieur de Boiscoran se soit exprimé ainsi?

Oh! très sûre, monsieur, et je vivrais des milliers d'années que je n'oublierais ni l'expression de son regard, ni le timbre de sa voix...

M. de Chandoré ne permit pas qu'on l'interrompît davantage.

Mais à toi, reprit-il, à toi, chère fille, Jacques a dû dire quelque chose de plus précis.

Rien.

Tu ne lui as donc pas demandé ce qu'est cette vérité si invraisemblable?

Oh, si!...

Eh bien?

Il s'est écrié que c'était à moi surtout qu'il ne pouvait pas la dire, que j'étais la dernière personne du monde à qui il la dirait...

Cet homme mériterait d'être brûlé à petit feu! gronda M. de Chandoré. (Puis, à haute voix:) Et tout cela, chère fille, interrogea-t-il, ne te paraît pas bien extraordinaire, bien étrange?

Tout cela me semble affreux...

J'entends... Mais que penses-tu de la conduite de Jacques?

Je pense, bon papa, que s'il agit ainsi, c'est qu'il ne peut agir autrement. Jacques est un homme trop supérieur par l'intelligence et par le courage pour s'abuser grossièrement. Étant seul à savoir, il est seul bon juge de la situation. Plus que personne je dois respecter ses raisons...

Mais le vieux gentilhomme ne se croyait pas obligé de les respecter, lui, et cette réponse résignée de sa petite-fille achevant de l'exaspérer, il allait lui dire toute sa pensée, lorsqu'elle se leva, non sans effort.

Je suis brisée, bon papa, fit-elle d'une voix expirante, permets-moi, je te prie, de regagner ma chambre...

Elle quitta le salon, en effet; M. de Chandoré la suivit jusqu'à la porte, et il y resta jusqu'à ce qu'il l'eût vue monter l'escalier au bras de sa femme de chambre.

Revenant alors à maître Folgat:

On me la tuera, monsieur! s'écria-t-il, avec une explosion de colère et de désespoir effrayants chez un homme de cet âge. J'ai vu dans ses yeux, à travers ses larmes, le regard qu'avait sa mère, quand après la mort de son mari, de mon fils, elle me disait: «Je n'y survivrai pas.» Elle n'y a pas survécu, en effet... Et alors, moi, vieillard, je suis resté seul avec cette enfant qui peut-être avait en elle le germe du mal affreux qui a emporté sa mère. Seul!... et voilà vingt ans que je retiens mon haleine pour écouter si elle respire toujours du même souffle égal et pur...

Vous vous alarmez à tort, monsieur..., commença maître Folgat.

Grand-père Chandoré secoua la tête.

Non, dit-il, mon enfant est peut-être frappée au cœur. Ne venez-vous donc pas de la voir, plus blanche que la cire, et d'entendre sa voix, sans vie et sans chaleur!... Mon Dieu! de quelle faute me punissez-vous en mes enfants! Par pitié, rappelez-moi à vous avant celle qui est la joie de ma vie! Et ne rien pouvoir pour conjurer le malheur! Vieillard inepte et stupide! Ah! ce Jacques de Boiscoran!... S'il était coupable cependant!... Si cet homme que Denise aime était un assassin! Ah! le misérable! j'achèterais la place du bourreau pour qu'il périsse de mes mains!...

Profondément ému, maître Folgat arrêta du geste M. de Chandoré.

N'accablez pas monsieur de Boiscoran, alors que tout l'accable, monsieur, prononça-t-il. De nous tous, c'est encore lui le plus cruellement éprouvé, car il est innocent.

Le croyez-vous toujours?

Plus que jamais. Si peu qu'il ait parlé, il en a dit assez à mademoiselle Denise pour me démontrer la justesse de mes conjectures et me prouver que j'avais touché du doigt le point précis...

Quand?

Le jour où nous sommes allés ensemble à Boiscoran, monsieur le baron...

M. de Chandoré parut chercher.

Je ne me rappelle pas..., commença-t-il.

Et cependant, insista l'avocat, vous êtes sorti pour permettre au vieil Antoine, que j'interrogeais, de me répondre plus librement...

C'est juste! interrompit M. de Chandoré, c'est très juste! Et alors vous supposez...

Je crois que mon point de départ était exact, oui, monsieur. Quant à chercher comment, c'est ce que je ne ferai pas. Monsieur de Boiscoran nous dit que la vérité est invraisemblable, j'en serai donc pour mes conjectures. Seulement, puisque nous voici les mains liées et réduits à attendre la fin de l'instruction, j'en profiterai pour questionner des gens du pays, qui me répondront peut-être mieux qu'Antoine. Vous avez parmi vos amis des personnes qui doivent être bien informées, monsieur Séneschal, le docteur Seignebos...

Pour ce dernier, maître Folgat ne devait pas avoir longtemps à attendre, car au moment où son nom était prononcé, il le criait au domestique, dans le corridor:

C'est moi, Seignebos, le docteur Seignebos! Et presque aussitôt, il entra comme une trombe dans le salon.

Il y avait alors quatre jours que le docteur Seignebos n'avait paru rue de la Rampe. Car il n'était pas venu reprendre lui-même le rapport et les grains de plomb qu'il avait confiés à maître Folgat; il les avait envoyé chercher par son domestique, s'excusant sur l'importance et la multiplicité de ses occupations.

Il est de fait que ces quatre jours, il les avait autant dire passés à l'hôpital, en compagnie d'un sien confrère, médecin au chef-lieu, mandé par le parquet pour procéder, «conjointement avec le docteur Seignebos», à l'examen de l'état mental de Cocoleu.

Et c'est cette expertise qui m'amène! s'écria-t-il, dès en entrant, c'est cette expertise qui, si nous n'y mettons bon ordre, est en train d'enlever à monsieur de Boiscoran sa plus belle et sa plus sûre chance de salut.

Après ce que venait de leur rapporter Mlle Denise, ni M. de Chandoré ni maître Folgat n'attachaient une grande importance à l'état de Cocoleu.

Ce mot de salut leur fit pourtant dresser l'oreille. Il n'y a pas de circonstance indifférente, dans un procès criminel.

Il y a donc du nouveau, docteur? demanda l'avocat.

Le médecin commença par fermer soigneusement les portes, et posant sur la table sa canne et son chapeau à larges bords:

Non, il n'y a rien de nouveau, répondit-il. On continue, comme par le passé, à vouloir perdre monsieur de Boiscoran, et, pour y parvenir, on ne recule devant aucune manœuvre.

On... qui, on? demanda M. de Chandoré. Dédaigneusement, le docteur haussa les épaules.

En êtes-vous vraiment encore à vous le demander, monsieur? répondit-il. Les faits, cependant, parlent assez haut. Du reste, écoutez. Dans notre département, comme dans plusieurs autres, on trouve, j'ai la douleur de l'avouer, un certain nombre de médecins qui ne sont pas à la hauteur de leur grande mission et qui, même, pour parler net, sont des ânes bâtés!

Si grave que fût la situation, maître Folgat avait quelque peine à réprimer un sourire, tant le docteur avait de singulières façons.

Mais il est un de ces ânes, poursuivait-il, qui, pour l'épaisseur du sabot et la longueur des oreilles, dépasse de beaucoup tous les autres. Eh bien! c'est celui-là que le parquet a trié sur le volet et m'a adjoint.

Sur ce chapitre, il était prudent de brider la verve du docteur Seignebos.

Bref?... interrogea M. de Chandoré.

Bref, monsieur, mon docte confrère est absolument persuadé que sa mission de médecin légiste consiste uniquement à opiner du bonnet et à dire amen à toutes les antiennes de la prévention. «Cocoleu est idiot!» déclare péremptoirement monsieur Galpin-Daveline. «Il l'est ou doit l'être», répond mon docte confrère. «S'il a parlé lors du crime, c'est par suite d'une inspiration d'en haut», reprend le juge d'instruction. «Évidemment, conclut le confrère, il y a eu inspiration d'en haut.» Car enfin, voilà la conclusion du rapport de ce savant docteur: Cocoleu est un idiot qui a été providentiellement illuminé par un éclair de raison. Il ne l'a pas écrit en propres termes, mais c'est tout comme.

Il avait retiré ses lunettes d'or, et il les essuyait avec une sorte de rage.

Mais votre opinion à vous, docteur? demanda maître Folgat.

D'un geste solennel, M. Seignebos rajusta ses lunettes, et froidement:

Mon avis, répondit-il, et je l'ai longuement développé dans mon rapport, mon avis est que Cocoleu n'est pas idiot.

M. de Chandoré tressauta, tant la proposition lui parut monstrueuse. Il connaissait Cocoleu, lui. Il l'avait vu traîner par les rues de Sauveterre, pendant les dix-huit mois que ce misérable était resté en traitement chez le docteur.

Quoi! Cocoleu ne serait pas idiot? répétait-il.

Non, déclara péremptoirement M. Seignebos, et, pour en acquérir la certitude, il n'y a qu'à l'examiner. A-t-il la face large et plate, la bouche démesurée, la peau jaune et tannée, les lèvres épaisses, les dents cariées et les yeux louches? Sa tête déformée se balance-t-elle d'une épaule à l'autre, trop lourde pour le cou? Sa taille est-elle difforme, sa colonne vertébrale déviée? Lui trouvez-vous un ventre volumineux et lâche, les mains lourdes et épaisses pendant sur les hanches, les jambes gauches, les articulations d'une épaisseur insolite?... Messieurs, ce sont là les caractères principaux de l'idiot. Les apercevez-vous chez Cocoleu? Moi je vois un gaillard qui a une santé de fer, adroit de ses mains, qui grimpe comme un singe sur les arbres pour y dénicher des nids et qui franchit des fossés de dix pieds... Certes, je ne prétends pas qu'il ait une intelligence normale, mais je soutiens qu'il faut le classer parmi ces imbéciles chez qui certaines autres facultés, en quelque sorte plus essentielles...

Si maître Folgat écoutait avec toutes les marques d'un puissant intérêt, il n'en était pas de même de M. de Chandoré.

Entre un idiot et un imbécile..., commença-t-il.

Il y a un abîme! s'écria M. Seignebos. (Et tout de suite, avec une volubilité torrentielle:) L'imbécile, poursuivit-il, garde encore des fragments d'intelligence. Il sait parler, exprimer ses sensations, traduire ses besoins. Il associe des idées, compare ses impressions, se souvient, acquiert de l'expérience. Il est capable de ruse et de dissimulation. Il hait, il aime ou il craint. S'il n'est pas toujours sociable, il est toujours accessible aux suggestions d'autrui. On arrive aisément à exercer sur lui une domination absolue. L'inconsistance de ses desseins est caractéristique, et cependant il est souvent d'une obstination inexpugnable et peut s'attacher à une idée avec une opiniâtreté extraordinaire. Enfin, les imbéciles, précisément à cause de cette demi-lucidité, sont fréquemment dangereux. C'est parmi eux que se trouvent presque tous ces misérables monomanes que la société est obligée de séquestrer, faute de savoir comment refréner leurs instincts...

Très bien! approuva maître Folgat, qui trouvait peut-être là les éléments d'une plaidoirie, très bien...

Le docteur s'inclina.

Tel est Cocoleu, prononça-t-il. S'ensuit-il que je l'estime responsable de ses actes? Non, certes. Mais il s'ensuit que je puis voir en lui un faux témoin stylé pour perdre un honnête homme.

Il était clair qu'un tel système ne plaisait pas à M. de Chandoré.

Autrefois, docteur, fit-il, vous ne disiez pas cela...

Je disais même précisément le contraire, monsieur, répondit, non sans dignité, M. Seignebos. Je n'avais pas assez étudié Cocoleu, et j'ai été sa dupe, il ne m'en coûte pas de l'avouer. Mais, de mon aveu précisément, je tirerai une preuve de l'astuce et de la perversité obstinées de ces demi-idiots, et de leur aptitude à poursuivre un dessein. Après un an d'expériences, j'ai renvoyé Cocoleu en déclarant et en croyant certes qu'il était incurable. La vérité est qu'il ne voulait pas être guéri. Les campagnards, ces fins et soupçonneux observateurs, ne s'y sont pas trompés, eux. Presque tous vous diront que Cocoleu est bien plus malin que bête. C'est exact. Il a constaté qu'en exagérant son imbécillité, qui, je le répète, existe, il gagnerait de pouvoir vivre sans travailler, et il l'a exagérée. Installé chez monsieur de Claudieuse, il a eu l'art de montrer juste assez d'intelligence pour se rendre plus supportable et s'attirer un meilleur traitement, sans toutefois être astreint à aucune besogne.

En un mot, fit M. de Chandoré, toujours incrédule, Cocoleu serait un grand comédien...

Assez grand pour m'avoir trompé, oui, monsieur, répondit le docteur. (Et s'adressant à maître Folgat:) Tout cela, reprit-il, je l'avais dit à mon docte confrère avant de le conduire à l'hôpital. Nous y avons trouvé Cocoleu plus que jamais obstiné dans le mutisme dont n'avait jamais pu le tirer monsieur Galpin-Daveline. Tous nos efforts pour lui arracher un mot ont échoué, bien qu'il fût très évident pour moi qu'il comprenait. Je voulais recourir à certains artifices fort licites, selon moi, qu'on emploie pour découvrir les simulateurs, mon confrère s'y est opposé et a été encouragé dans sa résistance, je ne sais de quel droit, par le juge d'instruction. Alors j'ai demandé qu'on fît venir madame de Claudieuse, et qu'on la priât d'interroger Cocoleu, puisqu'elle a le talent de le faire parler... Monsieur Daveline ne l'a pas permis. Et voilà où nous en sommes...

Il arrive tous les jours que deux médecins chargés d'une expertise médico-légale diffèrent totalement de sentiment. La justice aurait fort à faire si elle prétendait les mettre d'accord. Elle nomme donc simplement un troisième expert dont l'opinion décide. Ainsi allait-il arriver, nécessairement, pour le cas de Cocoleu.

Et non moins nécessairement, concluait le docteur Seignebos, le parquet, qui m'a adjoint un premier âne, m'en adjoindra un second. Ils s'entendront comme baudets en foire, et je serai atteint et convaincu d'ignorance et de présomption.

Si donc il se présentait chez M. de Chandoré, ajoutait-il, c'est qu'il avait à réclamer un coup d'épaule. Il demandait que les familles de Boiscoran et de Chandoré missent en branle toutes leurs relations et fissent jouer toutes leurs influences pour obtenir qu'une commission de médecins étrangers au pays, et parisiens s'il était possible, fût chargée d'examiner Cocoleu et de se prononcer sur son état mental.

À des hommes éclairés, disait-il, je me fais fort de démontrer que l'imbécillité de ce triste sujet est en partie simulée, et que son mutisme obstiné n'est qu'un système pour s'éviter des réponses compromettantes.

Mais ni M. de Chandoré ni maître Folgat ne répondirent tout d'abord. Ils méditaient.

Notez, insista M. Seignebos, choqué de leur silence, notez, je vous prie, que si mon opinion triomphe, comme je suis en droit de l'espérer, l'affaire prend aussitôt une tournure nouvelle.

Eh! oui, assurément, les bases de l'accusation pouvaient, par suite, se trouver en quelque sorte déplacées, et c'était là ce qui préoccupait si fort maître Folgat.

Et c'est ce qui fait, commença-t-il, que je me demande s'il ne sera pas plutôt nuisible qu'utile à monsieur de Boiscoran de démontrer la fourberie de Cocoleu...

Le docteur Seignebos bondit.

Je voudrais, parbleu, savoir...

Rien de si simple, répondit l'avocat. L'idiotie de Cocoleu est peut-être le plus grave embarras de la prévention et le plus solide argument de la défense. Que peut répondre monsieur Galpin-Daveline, lorsque monsieur de Boiscoran lui reproche de baser une accusation capitale sur les propos incohérents d'un malheureux privé de toute intelligence, et par suite irresponsable?

Ah! permettez!... s'écria M. Seignebos. Mais M. de Chandoré ne perdait pas une syllabe.

Permettez vous-même, docteur, interrompit-il.

Cet argument de l'imbécillité de Cocoleu est celui que vous avez invoqué dès le premier jour, et qui vous paraissait, disiez-vous, si décisif qu'il n'était pas besoin d'en chercher un autre...

Avant que le médecin eût trouvé une réplique maître Folgat poursuivit:

Qu'il soit établi, au contraire, que Cocoleu a véritablement conscience de ses paroles, et tout change, et la prévention est en droit, de par un arrêt de la Faculté, de dire à monsieur de Boiscoran: «Il n'y a plus à nier, vous avez été vu, voilà un témoin.»

Il fallait que ces considérations frappassent bien vivement M. Seignebos, car il demeura court dix bonnes secondes, essuyant d'un air pensif ses lunettes d'or. Allait-il donc avoir nui à Jacques de Boiscoran en prétendant le servir? Mais il n'était pas homme à douter longtemps de soi.

Je ne discuterai pas, messieurs, reprit-il d'un ton sec. Je vous adresserai seulement une question: oui ou non, croyez-vous à l'innocence de Jacques de Boiscoran?

Nous y croyons absolument, répondirent M. de Chandoré et maître Folgat.

Alors, messieurs, nous ne courons, ce me semble, aucun risque à essayer de démasquer un misérable garnement.

Tel n'était pas l'avis du jeune avocat.

Démontrer que Cocoleu a conscience de ce qu'il dit, reprit-il, serait funeste, si l'on ne réussissait pas à prouver en même temps qu'il a menti et que son accusation lui a été suggérée. Peut-on le prouver? Est-il un moyen d'établir que, s'il s'obstine à ne répondre à aucune question, c'est qu'il redoute les conséquences de son faux témoignage?... Le docteur n'en voulut pas écouter davantage.

Arguties d'avocat, que tout cela! s'écria-t-il assez peu poliment. Je ne connais qu'une chose, moi, la vérité...

Elle n'est pas toujours bonne à dire, murmura l'avocat.

Si, monsieur, toujours! riposta le médecin, toujours et quand même, et quoi qu'il puisse arriver. Je suis l'ami de monsieur de Boiscoran, mais je suis encore plus l'ami de la vérité. Si Cocoleu est un misérable fourbe, comme j'en ai la conviction, notre devoir est de le démasquer.

Ce que ne disait pas M. Seigneboset peut-être ne se l'avouait-il pas, c'est que c'était entre Cocoleu et lui une affaire personnelle. Cocoleu l'avait joué, pensait-il, et lui avait été l'occasion d'une averse de quolibets dont il avait cruellement souffert, sans qu'il y parût. Démasquer Cocoleu, c'était prendre sa revanche et renvoyer à ses ennemis le ridicule dont ils l'avaient accablé.

Ainsi, reprit-il, mon parti est pris, et quoi que vous décidiez, messieurs, je vais dès aujourd'hui me mettre en campagné, pour obtenir, s'il est possible, la nomination d'une commission.

Il serait peut-être prudent, objecta maître Folgat, de réfléchir avant de rien faire, de consulter maître Magloire...

Je n'ai pas besoin des consultations de maître Magloire, quand le devoir parle.

Vous nous accorderez bien vingt-quatre heures... Le docteur Seignebos fronçait les sourcils en broussaille.

Pas une heure! s'écria-t-il, et je me rends de ce pas chez monsieur Daubigeon, le procureur de la République!

Sur quoi, reprenant son chapeau et sa canne, il salua et sortit, aussi mécontent que possible, sans daigner répondre à grand-père Chandoré qui lui demandait des nouvelles de M. de Claudieuse, dont la situation, d'après ce qui se disait en ville, loin de s'améliorer empirait de jour en jour.

Le diable emporte le vieil original! s'écria M. de Chandoré avant même que le médecin eût quitté le corridor. (Puis, s'adressant à maître Folgat:) Bien que je doive convenir, ajouta-t-il, que vous avez un peu froidement accueilli les grandes nouvelles qu'il nous apportait.

C'est précisément parce qu'elles sont terriblement graves, répondit l'avocat, que j'aurais voulu qu'il me laissât le temps de réfléchir. Cocoleu jouant l'imbécillité, ou du moins exagérant son inintelligence!... c'est la confirmation de ce que disait hier monsieur de Boiscoran à mademoiselle Denise. C'est la preuve d'un odieux guet-apens, d'une exécrable vengeance longuement méditée et préparée. Là est le nœud de l'affaire, évidemment...

M. de Chandoré tombait de son haut.

Quoi! s'écria-t-il, telle est votre opinion, et vous avez hésité à appuyer les démarches de Seignebos, qui est un brave homme, décidément...

Le jeune avocat hochait la tête.

Si je tenais à gagner vingt-quatre heures, c'est que je crois indispensable de consulter monsieur de Boiscoran. Pouvais-je dire cela à monsieur Seignebos? Avais-je le droit de lui livrer le secret de mademoiselle Denise?

C'est juste, murmura M. de Chandoré, c'est juste...

Mais pour écrire à M. de Boiscoran, l'assistance de Mlle Denise était indispensable, et ce n'est que dans l'après-midi qu'elle reparut, très pâle encore, mais armée, visiblement, d'une énergie nouvelle.

Maître Folgat lui dicta les questions à poser au prisonnier, elle se hâta de les traduire, et, vers les quatre heures, la lettre fut portée au greffier Méchinet.

Le lendemain soir, la réponse arriva.

Le docteur Seignebos doit avoir raison, mes chers amis, écrivait Jacques. Je n'ai que trop de raisons d'être sûr que l'imbécillité de Cocoleu est en partie simulée et que sa déposition lui a été suggérée. Cependant, je vous en prie, ne faites aucune démarche pour provoquer une nouvelle enquête médicale. La moindre imprudence peut me perdre. Au nom du ciel, attendez pour agir la fin de l'instruction, qui est prochaine maintenant, d'après ce que me dit Daveline...

C'est en famille que fut lue cette réponse, et sa concision résignée arracha à Mme de Boiscoran un cri de désespoir.

Lui obéirons-nous donc! s'écria-t-elle, lorsqu'il est évident qu'il se perd, le malheureux, en s'obstinant ainsi...

Mlle Denise se leva.

Seul juge de la situation, prononça-t-elle, Jacques a le droit de commander, et notre devoir est d'obéir... J'en appelle à maître Folgat.

Du geste le jeune avocat approuvait.

Tout ce qui était possible a été fait, dit-il. Maintenant, il ne reste plus qu'à attendre.

XII

Depuis la nuit fameuse de l'incendie du Valpinson, Sauveterre ne s'ennuyait plus. Sauveterre avait sur le tapis, désormais, palpitant d'un intérêt toujours renouvelé, intarissable, fécond en discussions et en conjectures, un sujet de conversation: l'affaire Boiscoran. «Où en est l'affaire?» se demandaient les gens qui s'abordaient.

Aussi, lorsque M. Galpin-Daveline se rendait du Palais à la prison et qu'il remontait de son pas solennel et roide la rue Nationale, vingt bourgeoises embusquées derrière leurs rideaux cherchaient à surprendre sur son visage les secrets de l'instruction. Elles n'y surprenaient que l'empreinte des plus cuisants soucis, et une pâleur de jour en jour plus visible. De sorte qu'elles se disaient: «Vous verrez que ce pauvre monsieur Galpin finira par attraper la jaunisse.»

Si triviale que fût l'expression, elle traduisait exactement les sensations de l'ambitieux magistrat. Cette affaire de Boiscoran lui était devenue comme une de ces plaies vives, dont rien ne saurait calmer l'incessante irritation.

J'en ai perdu le sommeil, disait-il au procureur de la République.

L'excellent M. Daubigeon, qui avait toutes les peines du monde à modérer les ardeurs de son zèle, ne le plaignait que médiocrement.

À qui la faute! répondait-il. Mais on veut parvenir, et les soucis suivent de près la fortune croissante:

Crescentem sequitur cura pecuniam, Majorumque fames...

Eh! je n'ai fait que mon devoir! s'écriait le juge d'instruction, et ce serait à recommencer que j'agirais de même.

Pourtant, chaque jour lui éclairait d'une lumière plus crue la fausseté de sa situation. L'opinion publique, tout en étant hostile à M. de Boiscoran, était bien loin de lui être favorable, à lui, Daveline. On croyait généralement à la culpabilité de Jacques, et on appelait sur lui toute la rigueur des lois; mais, d'un autre côté, on s'étonnait que M. Galpin-Daveline eût accepté cette mission si cruelle de juge d'instruction. Ce fait d'instruire contre un ancien ami, de rechercher les preuves de ses crimes, de le pousser vers la cour d'assises, c'est-à-dire au bagne ou à l'échafaud, avait comme un reflet de trahison qui révoltait les consciences.

Rien qu'à la façon dont les gens lui rendaient son salut, ou même l'évitaient, le magistrat pouvait se rendre compte du sentiment dont il était l'objet.

Sa colère contre Jacques en redoublait, et, par contre, son inquiétude.

Il avait reçu, c'est vrai, des félicitations du procureur général, mais est-on jamais sûr de l'issue d'une instruction tant que le coupable n'a pas avoué? Certes, les charges qui s'élevaient contre Jacques étaient trop accablantes pour que la décision de la chambre des mises en accusation fût douteuse. Mais, au-dessus de la chambre des mises en accusation, il y a le jury.

Et, en somme, mon cher, objectait le procureur de la République, vous n'avez pas un seul témoin oculaire. Et, comme le dit Loisel en ses Maximes du droit coutumier:

Un seul œil a plus de crédit
Que deux oreilles n'ont d'audivi.
Témoin qui l'a vu est meilleur
Que cil qui a ouy, et plus seur...
J'ai Cocoleu, interrompit M. Daveline, que les éternelles citations de M. Daubigeon avaient le don d'exaspérer.

Les médecins ont donc décidé qu'il n'est pas idiot?

Non. Monsieur Seignebos est toujours seul de son avis.

Alors, du moins, Cocoleu consent à répéter son témoignage?

Non.

C'est donc comme si vous n'aviez personne. Eh! oui, M. Daveline ne le comprenait que trop.

De là ses angoisses.

Plus il étudiait son prévenu, plus il lui trouvait une attitude énigmatique et menaçante qui ne présageait rien de bon.

Aurait-il un alibi? pensait-il. Tiendrait-il en réserve, pour le dernier moment, quelqu'un de ces moyens imprévus qui démolissent tout l'échafaudage de la prévention et couvrent de ridicule le magistrat instructeur!

Lorsque de telles idées lui venaient, si invraisemblables qu'elles fussent, elles faisaient perler des gouttes de sueur à ses tempes, et il traitait comme un nègre son pauvre greffier Méchinet.

Et ce n'était pas tout. Si retiré qu'il vécût depuis cette affaire, bien des échos lui arrivaient encore de la rue de la Rampe. Certes, il était à mille lieues d'imaginer qu'on y eût des intelligences avec son prévenu, et des intelligences, qui plus est, nouées et servies par Méchinet, par son propre greffier. Il eût haussé les épaules, si on fût venu lui dire que Mlle Denise avait passé une nuit dans la prison et rendu une visite à Jacques. Mais il lui revenait toujours quelque chose des espérances et des projets des parents et des amis de Jacques, et ce n'est pas sans une secrète terreur qu'il se les représentait puissants par la fortune et par l'honorabilité, appuyés par de hautes relations, aimés et estimés de tous.

Il savait que près de Mlle Denise se groupaient des hommes intelligents et dévoués, grand-père Chandoré, M. Sénéschal, le docteur Seignebos, maître Magloire, et, enfin, cet avocat que la marquise de Boiscoran avait amené de Paris, maître Folgat.

Et Dieu sait ce qu'ils tenteraient, pensait-il, pour soustraire le coupable à l'action de la justice.

Aussi peut-on dire que jamais instruction ne fut conduite avec tant d'ardeur passionnée, avec un zèle si méticuleux. Chacun des points acquis à la prévention fut pour M. Galpin-Daveline le sujet d'une laborieuse enquête. En moins de quinze jours, soixante-sept témoins défilèrent dans son cabinet. Il fit comparaître le quart de la population de Bréchy. Il eût cité le pays entier, s'il eût osé.

Inutiles efforts! Après des semaines d'investigations enragées, l'instruction restait au même point, le mystère demeurait aussi impénétrable. Le prévenu n'avait pas dissipé une seule des charges écrasantes qui pesaient sur lui, mais le juge n'avait pas recueilli une preuve nouvelle à ajouter aux preuves qu'il avait réunies dès le premier jour.

Il fallait en finir cependant.

Par une chaude après-midi de juillet, les bourgeoises de la rue Nationale crurent remarquer que M. Daveline était plus soucieux encore que d'ordinaire. Elles ne se trompaient pas. Après une longue conférence avec le procureur de la République et le président du tribunal, le juge d'instruction avait pris son parti.

Arrivé à la prison, il se fit conduire à la cellule de Jacques de Boiscoran, et là, voilant son émotion d'une roideur plus grande:

Ma pénible mission touche à sa fin, monsieur, commença-t-il, l'instruction dont j'étais chargé va être close. Dès demain, les pièces de la procédure, avec un état des pièces servant à conviction, seront transmises à monsieur le procureur général, pour être soumises à la chambre d'accusation.

Jacques ne sourcilla pas.

Bien! fit-il simplement.

N'avez-vous rien à ajouter, monsieur? insista le juge.

Rien, sinon que je suis innocent.

C'est à peine si M. Daveline réussit à réprimer un mouvement d'impatience.

Alors, prouvez-le, fit-il. Alors, détruisez les charges qui vous accusent, qui vous accablent, qui font que pour moi, pour la justice, pour tout le monde vous êtes coupable. Alors, parlez, expliquez votre conduite...

Obstinément, Jacques garda le silence.

Votre résolution est bien arrêtée, reprit encore le juge, vous ne voulez rien dire?

Je suis innocent!

Ce n'était pas la peine d'insister, M. Galpin-Daveline le comprit.

À dater de ce moment, monsieur, dit-il, votre secret est levé. Vous pourrez recevoir, au parloir de la prison, les visites de votre famille. Le défenseur que vous désignerez sera admis dans votre cellule pour conférer avec vous...

Enfin! s'écria Jacques avec une explosion de joie. (Et tout de suite:) M'est-il permis, demanda-t-il, d'écrire à monsieur de Chandoré?

Oui, répondit le juge, et si vous voulez écrire immédiatement, mon greffier se chargera de faire parvenir votre lettre ce soir même.

À l'instant même Jacques de Boiscoran profita de l'occasion, et il eut vite fini, car le billet qu'il écrivit et qu'il remit à Méchinet n'avait que ces deux lignes:

J'attends maître Magloire demain matin, à neuf heures.

J.

Du jour où ils avaient compris qu'une fausse démarche pouvait avoir les plus funestes conséquences, les amis de Jacques de Boiscoran s'étaient scrupuleusement abstenus. À quoi bon des démarches, d'ailleurs!

Sur sa seule requête, le docteur Seignebos avait été en partie exaucé, et le parquet avait désigné pour décider de l'état mental de Cocoleu un médecin de Paris, un aliéniste célèbre. C'est un samedi que M. Seignebos vint tout triomphant annoncer rue de la Rampe cette heureuse nouvelle. Dès le mardi suivant, il revenait, blême de colère, raconter son échec.

Il y a des ânes à Paris comme ailleurs! s'écriait-il, d'une voix à faire vibrer les vitres du salon Chandoré, ou plutôt, en ce temps d'égoïsmes trembleurs et de servilités avides, les hommes indépendants sont aussi introuvables à Paris qu'en province! J'attendais un savant inaccessible à toutes les considérations mesquines; on m'envoie un farceur qui serait désolé d'être désagréable à messieurs du parquet... Ah! la surprise est cruelle! (Et toujours, comme de coutume, tracassant ses lunettes d'or:) J'étais informé, poursuivait-il, de l'arrivée du confrère de la capitale, et j'étais allé, de ma personne, l'attendre au chemin de fer. Le train arrive, et immédiatement je distingue mon homme dans la foule. Belle tête, bien encadrée de cheveux grisonnants, œil fin, lèvre gourmande et narquoise... C'est lui, me dis-je. Hum! il avait bien un peu la mise d'un freluquet, beaucoup de décorations à la boutonnière, des favoris taillés comme les buis de mon jardin, et au lieu de fidèles lunettes, un binocle impertinent... mais nul n'est parfait. Je m'approche, je me nomme, nous échangeons une poignée de main, je l'invite à déjeuner; il accepte, et bientôt nous voilà à table, lui rendant bonne justice à mon vin de Bordeaux, moi lui exposant méthodiquement l'affaire. Le repas fini, il veut voir Cocoleu; nous nous rendons à l'hôpital, et là, tout de suite, après un seul coup d'œil: «Ce garçon, s'écrie-t-il, est tout bonnement le plus complet type d'idiot que j'aie vu de ma vie!...» Un peu déconcerté, j'entreprends de lui réexpliquer l'affaire; il refuse de m'écouter. Je le supplie de revoir Cocoleu; il m'envoie promener. Blessé, je lui demande alors comment il explique le témoignage si net de cet idiot, la nuit du crime. Il me répond en chantonnant qu'il ne l'explique pas. Je veux discuter, il me plante là pour se rendre au tribunal... Et savez-vous où il dînait, le soir même? À l'hôtel, avec notre confrère du chef-lieu. Et là, ils rédigeaient, de concert, un rapport qui boucle Cocoleu dans la plus parfaite imbécillité qui se puisse rêver... (Il se promenait à grands pas par le salon et, sans rien écouter, il continuait:) Mais le sieur Galpin aurait tort de chanter victoire! Tout n'est pas dit! On ne se débarrasse pas comme cela du docteur Seignebos... J'ai dit que Cocoleu est un ignoble fourbe, un misérable simulateur, un faux témoin, je le prouverai. Boiscoran peut compter sur moi... (Il s'interrompit sur ces mots, et se plantant devant maître Folgat:) Et si je dis que Boiscoran peut compter sur moi, ajouta-t-il, c'est que j'ai mes raisons. Il m'est venu de singuliers soupçons, monsieur l'avocat, très singuliers...

Maître Folgat, Mlle Denise et la marquise de Boiscoran le pressaient de s'expliquer, mais il déclara que le moment n'était pas venu encore, et que, d'ailleurs, il n'était pas assez sûr... Et il s'échappa, jurant qu'il était très pressé, ayant abandonné ses malades depuis quarante-huit heures et étant attendu par la comtesse de Claudieuse, dont le mari allait de mal en pis.

Quels soupçons peut avoir ce vieil original? demandait encore grand-père Chandoré, une heure après le départ du médecin.

Maître Folgat eût pu répondre que ces soupçons vraisemblablement n'étaient autres que les siens, mais plus précis alors et appuyés sur des indices positifs.

Mais à quoi bon dire cela, puisque toute investigation était interdite, puisqu'un seul mot imprudemment prononcé pouvait donner l'éveil? À quoi bon troubler d'espérances peut-être aussitôt déçues la morne tristesse de ces longues journées qui, l'une après l'autre, s'écoulaient à attendre le bon plaisir de M. Galpin-Daveline.

Déjà, à ce moment, les nouvelles de Jacques de Boiscoran étaient devenues plus rares. Les interrogatoires n'ayant lieu qu'à d'assez longs intervalles, Méchinet était quelquefois jusqu'à quatre ou cinq jours sans apporter de lettre.

C'est la plus intolérable des agonies..., ne cessait de répéter Mme de Boiscoran.

L'heure du dénouement allait sonner.

Mlle Denise se trouvait seule au salon, un après-midi, lorsqu'elle crut reconnaître dans le vestibule la voix du greffier.

Précipitamment, elle sortit. Elle ne s'était pas trompée.

Ah! l'instruction est terminée! s'écria-t-elle, comprenant bien qu'il ne fallait rien moins que ce grave événement pour décider Méchinet à se montrer en plein jour rue de la Rampe.

En effet, mademoiselle, répondit le brave garçon, et c'est sur l'ordre de monsieur Daveline que je vous apporte ce billet de monsieur de Boiscoran...

Elle le prit, elle le lut d'un coup d'œil et, oubliant tout, à demi folle de joie, elle courut à son grand-père et à maître Folgat, criant en même temps à un domestique d'aller bien vite chercher maître Magloire.

Moins d'une heure plus tard, le premier avocat de Sauveterre arrivait, et quand on lui eut remis le billet qui le mandait:

J'ai promis mon assistance à monsieur de Boiscoran, dit-il d'un ton embarrassé, elle ne lui fera pas défaut... Je serai demain près de lui à l'ouverture de la prison, et je viendrai vous rendre compte de notre entrevue.

On ne put lui rien tirer de plus; il était visible qu'il ne croyait pas à l'innocence de son client. Dès qu'il fut sorti:

Jacques est fou, s'écria M. de Chandoré, de confier sa défense à un homme qui doute ainsi de lui!

Maître Magloire est un honnête homme, bon papa, dit Mlle Denise, s'il pensait compromettre Jacques, il se retirerait.

Pour cela, oui, maître Magloire était un honnête homme, et encore assez accessible aux sentiments tendres pour que l'idée lui fût affreuse de revoir prisonnier, accusé d'un crime odieux, et accusé justement, pensait-il, un homme qu'il avait aimé et que, malgré tout, il aimait encore.

Il n'en dormit pas de la nuit, et chacun put remarquer sa mine soucieuse lorsqu'il traversa la ville le lendemain matin, pour se rendre à la prison.

Blangin, le geôlier, le guettait.

Ah! venez vite, monsieur, lui cria-t-il, le prévenu est fou d'impatience!

Lentement, et avec un sourd battement de cœur, le célèbre avocat gravit l'étroit escalier. Il traversa la longue galerie. Blangin lui ouvrit une porte... Il était dans la cellule de Jacques de Boiscoran.

Enfin, vous voilà! s'écria le malheureux jeune homme en se jetant au cou de maître Magloire. Enfin, je vois un visage ami et je presse une main loyale! Ah! j'ai cruellement souffert, si cruellement que je m'étonne que ma raison ait résisté! Mais vous voici, vous êtes près de moi, je suis sauvé!

Si l'avocat se taisait, c'est qu'il était effrayé des ravages de la douleur sur la physionomie si noble et si intelligente de Jacques. C'est qu'il s'épouvantait du désordre de ses traits, de l'éclat délirant de ses yeux, du rire convulsif qui pinçait ses lèvres.

Malheureux! murmura-t-il enfin.

Jacques se méprit, et il devait se méprendre au sens de cette exclamation. Il recula, plus blanc que le plâtre du mur.

Vous me croyez coupable! s'écria-t-il.

Je crois, mon pauvre ami, que tout vous accuse..., répondit l'avocat.

Une expression d'indicible désespoir contracta le visage de Jacques.

En effet, interrompit-il, avec un éclat de rire terrible, il faut que les charges soient bien accablantes, puisqu'elles ont convaincu mes amis les plus chers. Aussi, pourquoi me suis-je tu, le premier jour?... L'honneur! Effroyable duperie!... Et cependant, victime d'une inconcevable vengeance, je me tairais encore, s'il ne s'agissait que de la vie. Mais il y va de mon honneur, de l'honneur des miens, de la vie de Denise... Je parlerai. À vous, Magloire, je dirai la vérité, je puis me disculper d'un mot... (Et saisissant le poignet de maître Magloire, et le serrant à le briser:) D'un mot, fit-il d'une voix sourde, je vais tout vous expliquer: j'étais l'amant de la comtesse de Claudieuse.

XIII

Moins affreusement troublé, Jacques de Boiscoran eût reconnu combien sagement il avait été inspiré en choisissant, pour se confier à lui, le célèbre avocat de Sauveterre.

Un étranger, maître Folgat, par exemple, l'eût écouté sans sourciller, n'eût vu dans la révélation que le fait lui-même et ne lui eût donné que son impression personnelle. Par maître Magloire, au contraire, il eut l'impression du pays entier. Et maître Magloire, en l'entendant déclarer que la comtesse de Claudieuse avait été sa maîtresse, eut un geste de réprobation et s'écria:

C'est impossible!

Du moins, Jacques ne fut pas surpris. Il avait été le premier à dire qu'on refuserait de le croire quand il avouerait la vérité, et cette conviction n'avait pas peu contribué à retenir les aveux sur ses lèvres.

C'est invraisemblable, je le sais, dit-il, et cependant cela est...

Des preuves! interrompit maître Magloire.

Je n'ai pas de preuves.

L'expression attristée et bienveillante du visage de l'avocat de Sauveterre venait de changer du tout au tout. Il y avait de l'étonnement et de l'indignation dans le regard obstiné qu'il fixait sur le prisonnier.

Il est de ces choses, reprit-il, qu'il est bien téméraire d'avancer, lorsqu'on n'est pas à même de les prouver. Réfléchissez...

Ma situation me commande de tout dire.

Pourquoi avoir tant attendu?

J'espérais qu'on m'épargnerait cette horrible extrémité...

Qui, on?

Madame de Claudieuse.

De plus en plus, maître Magloire fronçait les sourcils.

Je ne suis pas suspect de partialité, prononça-t-il. Le comte de Claudieuse est peut-être le seul ennemi que j'aie en ce pays, mais c'est un ennemi acharné, irréconciliable. Pour m'empêcher d'arriver à la Chambre et m'enlever des voix, il est descendu à des actes peu dignes d'un galant homme. Je ne l'aime point. Mais la justice m'oblige à déclarer hautement que je considère la comtesse de Claudieuse comme la plus haute, la plus pure et la plus noble manifestation de la femme, de l'épouse, de la mère de famille...

Un sourire amer crispait les lèvres de Jacques.

Et cependant j'étais son amant, dit-il.

Quand? Comment? Madame de Claudieuse habitait le Valpinson, vous habitiez Paris.

Oui, mais tous les ans madame de Claudieuse venait passer le mois de septembre à Paris, et je venais plusieurs fois à Boiscoran.

Il est bien difficile que, d'une telle intrigue, il n'ait pas transpiré quelque chose.

C'est que nous avons su prendre nos précautions.

Et personne, jamais, ne s'est douté de rien?

Personne...

Mais Jacques s'irritait, à la fin, de l'attitude de maître Magloire. Il oubliait qu'il n'avait que trop prévu les flétrissants soupçons auxquels il se voyait en butte.

Pourquoi toutes ces questions? s'écria-t-il. Vous ne me croyez pas? Soit. Laissez-moi du moins essayer de vous convaincre. Voulez-vous m'écouter?

Maître Magloire attira une chaise et, s'y plaçant, non à la façon ordinaire, mais à cheval et croisant les bras sur le dossier:

Je vous écoute, dit-il.

Livide, l'instant d'avant, la face de Jacques de Boiscoran était devenue pourpre. La colère flambait dans ses yeux. Être traité ainsi, lui! Jamais les hauteurs de M. Galpin-Daveline ne l'avaient offensé autant que cette condescendance froidement dédaigneuse de maître Magloire. La pensée de lui commander de sortir traversa son esprit. Mais après?... Il était condamné à vider jusqu'à la lie le calice des humiliations. Car il fallait se sauver, avant tout, se retirer de l'abîme.

Vous êtes dur, Magloire, prononça-t-il d'un ton de ressentiment à grand-peine contenu, et vous me faites impitoyablement sentir l'horreur de ma situation. Oh! ne vous excusez pas! À quoi bon!... Laissez-moi parler, plutôt...

Il fit au hasard quelques pas dans sa cellule, passant et repassant la main sur son front, comme pour y rassembler ses souvenirs.

Puis, d'un accent plus calme:

C'est, commença-t-il, dans les premiers jours du mois d'août , à Boiscoran, où j'étais venu passer quelques semaines près de mon oncle, que, pour la première fois, j'ai aperçu la comtesse de Claudieuse. Le comte de Claudieuse et mon oncle étaient alors au plus mal, toujours au sujet de ce malheureux cours d'eau qui traverse nos propriétés, et un ami commun, monsieur de Besson, s'était mis en tête de les réconcilier et les avait décidés à se rencontrer chez lui à dîner. Mon oncle m'avait emmené avec lui. La comtesse avait accompagné son mari. Je venais d'avoir vingt ans, elle en avait vingt-six. En la voyant, je restai béat d'admiration. Il me semblait que jamais encore je n'avais rencontré une femme si parfaitement belle et gracieuse, ni contemplé un si charmant visage, des yeux si beaux, un sourire si doux. Elle ne parut pas me remarquer je ne lui adressai pas la parole, et cependant je sentis en moi comme un pressentiment que cette femme jouerait un rôle dans ma vie, et un rôle fatal... Même, l'impression fut si vive qu'en sortant de la maison où nous avions dîné, je ne pus me retenir d'en dire quelque chose à mon oncle. Il se mit à rire et me répondit que je n'étais qu'un nigaud, et que si jamais mon existence était troublée par une femme, ce ne serait pas par la comtesse de Claudieuse.

»En apparence, il avait mille fois raison. À peine pouvait-on imaginer un événement qui, de nouveau, me rapprochât de la comtesse. La tentative de réconciliation de monsieur de Besson avait complètement échoué, madame de Claudieuse vivait au Valpinson, je repartais le surlendemain pour Paris... Je partis cependant préoccupé, et le souvenir du dîner de monsieur de Besson palpitait encore dans mon esprit, quand à un mois de là, à Paris, me trouvant à une soirée chez monsieur de Chalusse, le frère de ma mère, il me sembla reconnaître madame de Claudieuse...

»C'était bien elle. Je la saluai. Et voyant, à la façon dont elle me rendait mon salut, qu'elle me reconnaissait, je m'approchai tout tremblant, et elle me permit de m'asseoir près d'elle. Elle m'apprit qu'elle était à Paris pour un mois, comme tous les ans, chez son père, le marquis de Tassar de Bruc. Elle était venue à cette soirée à son corps défendant et ne s'y amusait guère, détestant le monde. Elle ne dansait pas, je restai à causer avec jusqu'au moment où elle se retira...

»J'étais amoureux fou en la quittant, et cependant je ne cherchai pas à la revoir... C'était encore le hasard qui nous réunit. Un jour que j'avais affaire à Melun, arrivant à la gare comme le train allait partir, je n'eus que le temps de me jeter dans le wagon le plus rapproché de l'entrée. Dans ce wagon était madame de Claudieuse! Elle me dit, et je ne retins que cela de tout ce qu'elle me dit, qu'elle se rendait à Fontainebleau chez une de ses amies avec laquelle, chaque semaine, elle passait le mardi et le samedi. Le plus ordinairement, elle prenait le train de neuf heures... C'était un mardi, et, pendant les trois jours qui suivirent, se livrèrent en moi les plus étranges combats. J'étais passionnément épris de la comtesse, et cependant elle me faisait peur...

»Mais ma mauvaise étoile l'emporta, et le samedi suivant, à neuf heures, j'arrivais à la gare de Lyon. Madame de Claudieuse, elle me l'a avoué depuis, m'attendait. M'apercevant, elle me fit un signe, et, lorsqu'on ouvrit les portes, j'allai me placer dans le même compartiment qu'elle...

Déjà, depuis un moment, maître Magloire s'agitait sur sa chaise avec tous les signes de la plus extrême impatience. N'y tenant plus, à la fin:

C'est trop invraisemblable! s'écria-t-il. Jacques de Boiscoran ne répondit pas tout d'abord. À remuer ainsi les cendres de son passé, il frissonnait, troublé d'émotions indicibles. Il était comme frappé de stupeur de sentir monter à ses lèvres le secret, si longtemps enseveli au plus profond de son cœur, de ses amours éteintes.

Il avait aimé, après tout, et il avait été aimé. Et il est de ces sensations poignantes qui jamais plus ne se renouvellent et que rien ne saurait effacer. L'attendrissement le gagnait, des larmes mouillaient ses yeux... Pourtant, comme le célèbre avocat de Sauveterre répétait son exclamation et disait encore:

Non, ce n'est pas croyable!

Je ne vous demande pas de me croire, mon ami, dit Jacques doucement, je vous demande seulement de m'écouter. (Et réagissant de toute son énergie contre la torpeur qui l'envahissait:) Ce voyage à Fontainebleau, reprit-il, décida de notre destinée. Bien d'autres le suivirent. Madame de Claudieuse passait la journée chez son amie, et moi j'usais les longues heures à errer dans la forêt. Mais nous nous retrouvions le soir à la gare. Nous nous jetions dans un coupé que je faisais garder depuis Lyon, et nous rentrions ensemble à Paris, et je l'accompagnais en voiture jusqu'à la rue de la Ferme-des-Mathurins, où demeurait le marquis de Tassar de Bruc, son père... Puis enfin, un soir, elle sortit bien de chez son amie de Fontainebleau à l'heure ordinaire... mais elle ne rentra chez son père que le lendemain...

Jacques! interrompit maître Magloire, révolté comme s'il eût entendu un blasphème, Jacques!

M. de Boiscoran ne broncha pas.

Oh! je sais, dit-il, je sens ce que doit vous paraître ma conduite, Magloire. Vous pensez qu'il n'est point d'excuses pour l'homme qui trahit la confiance de la femme qui s'est abandonnée à lui! Attendez avant de me juger. (Et d'un accent plus ferme:) Alors, poursuivit-il, je m'estimais le plus heureux des hommes, et mon cœur se gonflait de vanités malsaines en songeant qu'elle était à moi, cette femme si belle, et dont la pure renommée planait bien au-dessus de toutes les calomnies.

»Je venais de nouer autour de mon cou une de ces cordes fatales que la mort seule peut trancher, et, insensé que j'étais, je me félicitais. Peut-être m'aimait-elle véritablement alors. Elle ne calculait pas, du moins, et, bouleversée par la seule, par l'unique passion de sa vie, elle me découvrait son âme jusqu'en ses plus sombres profondeurs... Alors, elle ne songeait pas encore à se mettre en garde contre moi et à m'asservir à toutes ses volontés, et elle me disait le secret de son mariage, de ce mariage qui autrefois avait stupéfié le pays.

»Ayant donné sa démission, le marquis de Bruc, son père, n'avait pas tardé à se lasser de son oisiveté et à s'irriter de la médiocrité de sa fortune. Il s'était lancé dans des spéculations hasardeuses; il avait perdu tout ce qu'il possédait et compromis jusqu'à son honneur. Désespéré, dévoré de regrets et de craintes, il songeait au suicide, lorsque tomba chez lui à l'improviste un de ses anciens camarades de promotion, le comte de Claudieuse. En un moment d'expansion, monsieur de Tassar de Bruc avoua tout, et l'autre lui jura de l'arracher à cet abîme de honte. C'était beau et grand, cela. Il devait en coûter une somme considérable. Et ils sont rares, les amis d'enfance capables de si ruineux dévouements.

»Malheureusement, le comte de Claudieuse ne sut pas rester le héros qu'annonçait le début. Ayant vu mademoiselle Geneviève de Tassar de Bruc, il fut ébloui de sa beauté; épris d'une de ces passions que rien n'entrave, oubliant qu'elle n'avait que vingt ans et qu'il allait en avoir cinquante, il fit comprendre à son ami qu'il était toujours disposé à lui rendre le service promis, mais... qu'il voulait en échange la main de mademoiselle Geneviève.

»Le soir même, le gentilhomme ruiné entrait dans la chambre de sa fille, et, les larmes aux yeux, lui exposait l'horrible situation. Elle n'hésita pas. "Avant tout, dit-elle à son père, sauvons l'honneur que votre mort ne rachèterait pas. Monsieur de Claudieuse est un fou cruel d'oublier qu'il a trente ans de plus que moi. De ce moment, je le méprise et je le hais. Dites-lui que je suis prête à devenir sa femme."

»Et comme son père, éperdu de douleur, s'écriait que jamais le comte n'accepterait un tel consentement: "Oh! soyez tranquille, lui répondit-elleà ce qu'elle m'a dit, du moins, je saurai m'exécuter de bonne grâce, et votre ami ne fera pas un marché de dupe. Mais je sais ma valeur, et si grand que soit le service qu'il vous rend, rappelez-vous que vous ne lui devez rien..."

»À moins de quinze jours de là, en effet, mademoiselle Geneviève avait laissé soupçonner au comte de Claudieuse qu'elle pouvait l'aimer, et, un mois plus tard, elle devenait sa femme. Le comte, de son côté, avait dépassé ses promesses et déployé la plus habile délicatesse pour que nul ne soupçonnât la ruine de monsieur de Tassar de Bruc. Il lui avait remis deux cent mille francs pour arranger ses affaires, il avait reconnu à sa jeune femme une dot de cinquante mille écus, qui n'avait pas été versée, et, enfin, il s'était engagé à servir à monsieur et madame de Bruc, leur vie durant, dix mille livres de rentes. Plus de la moitié de sa fortune y avait passé...

Maître Magloire, alors, ne songeait plus à protester. Roide sur sa chaise, les pupilles dilatées par la stupeur, tel qu'un homme qui se demande s'il veille ou s'il est le jouet d'un rêve.

C'est inconcevable, murmurait-il, c'est inouï!...

Jacques, lui, s'animait peu à peu.

Voilà, poursuivait-il, ce que madame de Claudieuse me racontait aux premières heures d'enivrement. Et c'est posément qu'elle me le racontait, froidement, et comme une chose toute naturelle. "Et certes, disait-elle, monsieur de Claudieuse n'a jamais eu à regretter le marché qui me livrait à lui. S'il a été généreux, j'ai été loyale. Mon père lui doit la vie, mais je lui ai donné des années d'un bonheur qui n'était plus fait pour lui. S'il n'a pas eu l'amour, il en a eu la comédie divine, et des apparences plus délicieuses que la réalité."

»Et, comme je ne savais pas dissimuler mon étonnement: "Seulement, ajoutait-elle en riant, j'apportais au marché une restriction mentale. Je me réservais de prendre, quand elle passerait à ma portée, ma part de bonheur ici-bas. Cette part, c'est vous, Jacques. Et ne croyez pas qu'aucun remords me trouble. Tant que mon mari se croira heureux, je serai dans les termes du contrat..."

»Ainsi elle parlait, en ce temps, Magloire, et un homme plus expérimenté eût été effrayé... Mais j'étais un enfant, mais je l'aimais de toute mon âme et de toute ma chair, j'admirais son génie et je m'éprenais de ses sophismes...

»Une lettre du comte de Claudieuse nous éveilla de notre songe. Imprudente pour la première et la dernière fois de sa vie, la comtesse était restée à Paris trois semaines de plus qu'il n'était convenu, et son mari inquiet parlait de venir la chercher. "Il faut rentrer au Valpinson, me dit-elle, car il n'est rien que je ne sacrifie à la renommée que j'ai su me faire. Ma vie, la vôtre, la vie de ma fille, je sacrifierais tout, sans hésiter, à ma réputation d'honnête femme." Nous étions alorsah! les dates sont restées dans ma mémoire comme dans du bronze, nous étions, dis-je, au octobre. "Je ne saurais, me dit-elle, rester plus d'un mois sans vous voir. D'aujourd'hui en un mois, c'est-à-dire le novembre, à trois heures précises, trouvez-vous dans le bois de Rochepommier, au carrefour des Hommes-Rouges... J'y serai..."

»Et elle partit, me laissant plongé dans une extase qui m'empêchait de souffrir de notre séparation. La pensée que j'étais aimé d'une telle femme m'emplissait d'un orgueil excessif, et qui m'évita, je puis l'avouer, bien des écarts. L'ambition me mordait au cœur, en songeant à elle. Je voulais travailler, me distinguer, conquérir une supériorité quelconque... Je veux qu'elle soit fière de moi, me disais-je, honteux de n'être rien à mon âge que le fils d'un père riche.

Dix fois déjà, maître Magloire s'était soulevé sur sa chaise, et ses lèvres avaient remué comme s'il allait présenter une objection. Mais il s'était engagé, vis-à-vis de lui-même, à ne pas interrompre, et de son mieux il tenait parole.

Cependant, continuait Jacques, l'époque fixée par madame de Claudieuse approchait. Je partis pour Boiscoran, et au jour dit, un peu après l'heure indiquée, j'arrivais au carrefour des Hommes-Rouges. Si j'étais ainsi en retard, ce dont j'étais désolé, c'est que je connaissais fort imparfaitement les bois de Rochepommier, et que l'endroit choisi par la comtesse, pour notre rendez-vous, est situé au plus épais des futaies.

»Le temps était d'une rigueur extraordinaire pour la saison. Il était tombé beaucoup de neige, la veille, les sentiers étaient tout blancs, et une bise âpre secouait les flocons dont les arbres étaient chargés. De loin, j'aperçus la comtesse de Claudieuse, marchant avec une sorte d'impatience fébrile dans un étroit espace où le terrain était sec et abrité du vent par d'énormes blocs de rochers. Elle portait une robe de soie grenat, très longue, un manteau de drap garni de fourrure et une toque de velours pareil à sa robe.

»En trois bonds, je fus près d'elle. Mais elle ne sortit pas la main de son manchon, pour me la tendre, et sans me permettre de m'excuser de mon retard: "Quand êtes-vous arrivé à Boiscoran? me demanda-t-elle d'un ton sec.Hier soir.Quel enfant vous faites! s'écria-t-elle en frappant du pied. Hier soir!... Et sous quel prétexte?Je n'ai pas besoin de prétexte pour venir visiter mon oncle.Et il n'a pas été surpris de vous voir tomber chez lui, en cette saison, par un temps pareil?Mais... si, un peu", répondis-je niaisement, incapable que j'étais de lui dissimuler la vérité. Son mécontentement redoublait. "Et ici, reprit-elle, comment êtes-vous ici? Vous connaissiez donc ce carrefour?Non, je me le suis fait indiquer.Par qui?Par un des domestiques de mon oncle, et même ses renseignements étaient si peu clairs que je me suis trompé de chemin..." Elle me regarda en souriant d'un sourire tellement ironique que je m'arrêtai. "Et tout cela vous paraît simple! interrompit-elle. Vous croyez qu'on va trouver tout naturel à Boiscoran de vous voir arriver comme une bombe, et tout de suite vous mettre en quête du carrefour des Hommes-Rouges? Qui sait si l'on ne vous a pas suivi! qui sait si derrière quelqu'un de ces arbres il n'y a pas deux yeux qui nous épient!" Et comme, en parlant, elle regardait autour d'elle avec la plus vive expression d'inquiétude, je ne pus me retenir de lui dire: "Que craignez-vous? Ne suis-je pas là!..."

»Il me semble voir encore le coup d'œil dont elle me toisa. "Je n'ai peur de rien, entendez-vous, me dit-elle, de rien au monde... que d'être, je ne dirai pas compromise, mais seulement soupçonnée. Il me plaît d'agir comme j'agis, il me convient d'avoir un amant. Mais je ne veux pas qu'on le sache. C'est si on savait ce que je fais que je ferais mal. Entre ma réputation et ma vie, ce n'est pas ma vie que je choisirais. À ce point que si je devais être surprise avec vous, j'aimerais mieux que ce fût par mon mari que par un étranger. Je n'ai nulle affection pour monsieur de Claudieuse, et je ne lui pardonnerai jamais notre mariage, mais il a sauvé l'honneur de mon père, je dois garder le sien intact. Il est mon mari, d'ailleurs, le père de ma fille, je porte son nom, je prétends qu'il soit respecté. Je mourrais de douleur, de honte et de rage, s'il me fallait donner le bras à un homme qu'accueilleraient des sourires mal dissimulés. Les femmes sont lâchement stupides, qui ne comprennent pas que, sur elles, rejaillit en mépris le ridicule bêtement injuste dont elles n'ont pas su préserver l'homme qu'elles ont trahi. Non, je n'aime pas monsieur de Claudieuse, Jacques, et je vous adore... Mais entre vous et lui, rappelez-vous que je ne balancerais pas une seconde et que, pour lui épargner l'ombre d'un soupçon, dût mon cœur s'en briser, c'est le sourire aux lèvres que je sacrifierais votre vie et votre honneur..." Je voulais répliquer. "Assez, fit-elle. Chaque minute que nous passons ici est une imprudence de plus. De quel prétexte allez-vous colorer votre voyage à Boiscoran?Je ne sais, répondis-je.Il faut emprunter de l'argent à votre oncle, une certaine somme, pour payer des dettes. Il se fâchera peut-être, mais s'expliquera votre soudaine passion de voyage au mois de novembre. Allons, adieu..." Étourdi, confondu: "Quoi! m'écriai-je, sans nous revoir, ne fût-ce que de loin...À ce voyage, répondit-elle, ce serait une insigne folie. Attendez, cependant... Restez à Boiscoran jusqu'à dimanche.

Votre oncle ne manque jamais la grand-messe; accompagnez-le. Mais prenez garde, soyez maître de vous, surveillez vos yeux. Une imprudence, une faiblesse, et je vous mépriserais... Maintenant, il faut nous quitter. Vous trouverez à Paris une lettre de moi..."

Jacques s'arrêta sur ces mots, cherchant sur le visage de maître Magloire un reflet de ses impressions et de ses pensées. Mais le célèbre avocat demeurant impassible, il soupira et reprit:

Si je suis entré dans de tels détails, Magloire, c'est qu'il faut que vous sachiez quelle femme est madame de Claudieuse, pour comprendre sa conduite. Elle ne me prenait pas en traître, vous le voyez; elle m'éclairait de ses mains l'abîme où je devais rouler... Hélas! loin de m'effrayer, les côtés sombres de ce caractère étrange exaltaient ma passion. J'admirais ses airs impérieux, sa bravoure et sa prudence, son absence de toute morale qui contrastait si étrangement avec sa terreur de l'opinion. Celle-là, me disais-je avec une fierté imbécile, celle-là est une femme forte.

»Elle dut être contente de moi, à la grand-messe de Bréchy, car je sus même me défendre d'un tressaillement en la voyant et en la saluant, et en passant près d'elle, si près que ma main frôla sa robe. Je lui obéis d'ailleurs scrupuleusement. Je demandai six mille francs à mon oncle, qui me les donna en souriant, car c'était le plus généreux des hommes, mais qui me dit en même temps: "Je me doutais bien que ce n'était pas uniquement pour courir les bois de Rochepommier que tu étais venu à Boiscoran."

»Cette futile circonstance devait encore contribuer à redoubler mon admiration pour madame de Claudieuse. Comme elle avait su prévoir l'étonnement de mon oncle, alors que moi, je n'y avais pas songé! Elle a le génie de la prudence, pensais-je.

»Oui, en effet, elle l'avait, et celui du calcul aussi, et je ne tardai pas à en avoir une preuve. En arrivant à Paris, j'avais trouvé une lettre d'elle, qui n'était qu'une longue paraphrase de ses recommandations au carrefour des Hommes-Rouges. Cette lettre fut suivie de plusieurs autres, qu'elle me recommandait de garder pour l'amour d'elle, et qui toutes avaient à l'un des angles un numéro d'ordre.

»La première fois que je la revis: "Pourquoi ces numéros? lui demandai-je.Mon cher monsieur Jacques, me répondit-elle, une femme doit toujours savoir combien elle a écrit de lettres à son amant... Jusqu'à ce moment, vous avez dû en recevoir neuf..."

»Cela se passait au mois de mai , à Rochefort, où elle était allée pour assister à la mise à l'eau d'une frégate, où je m'étais rendu sur son ordre, et où nous avions pu dérober quelques heures. Comme un niais je me mis à rire de cette idée de comptabilité épistolaire, et je n'y pensai plus. J'avais alors bien d'autres préoccupations. Elle m'avait fait remarquer que le temps passait, malgré les tristesses de notre séparation, et que le mois de septembre, son mois de liberté, serait bientôt arrivé. En serions-nous réduits, comme l'année précédente, à ces voyages de Fontainebleau, si périlleux malgré nos précautions?... Pourquoi ne pas se procurer une maison isolée dans un quartier désert?... Chacun de ses désirs était un ordre. La générosité de mon oncle était inépuisable. J'achetai une maison...

Enfin, à travers les explications de Jacques de Boiscoran, une circonstance apparaissait, qui allait peut-être devenir un commencement de preuve. Aussi, maître Magloire tressaillit-il, et vivement:

Ah! vous avez acheté une maison? interrompit-il.

Oui, une jolie maison, avec un grand jardin, rue des Vignes, à...

Et elle vous appartient encore?

Oui.

Vous en avez les titres, par conséquent. Jacques eut un geste désolé.

Ici encore, dit-il, la fatalité est contre moi. Il y a toute une histoire au sujet de cette maison.

Plus promptement qu'elle s'était éclaircie, la physionomie de l'avocat de Sauveterre se rembrunit.

Ah! il y a une histoire, fit-il, ah! ah!...

J'étais à peine majeur, reprit Jacques, lorsque je voulus acheter cette maison. Je craignis des difficultés, j'eus peur que mon père n'en apprît quelque chose; enfin, je tins à me hausser jusqu'à la prudence savante de madame de Claudieuse. Je priai donc un de mes amis, un gentleman anglais, sir Francis Burnett, de faire cette acquisition à son nom. Il y consentit volontiers. Et l'acte, une fois passé et enregistré, il me le remit en même temps qu'une contre-lettre qui constatait mes droits...

Eh bien! mais alors...

Oh! attendez. Je n'emportai pas ces titres dans le logement que j'occupais chez mon père. Je les déposai dans le tiroir d'un meuble de ma maison de Passy. Quand la guerre éclata, je ne songeai pas à les reprendre. J'avais quitté Paris avant l'investissement, vous le savez, puisque je commandais une compagnie de mobiles du département. Pendant les deux sièges, ma maison fut successivement occupée par des gardes nationaux, par des soldats de la Commune et par les troupes régulières. Lorsque je rentrai, je retrouvai bien les quatre murs troués par les obus, mais tous les meubles avaient disparu et mes titres avec eux...

Et sir Francis Burnett?...

Il a quitté la France au moment de l'invasion, et j'ignore ce qu'il est devenu. Deux de ses amis d'Angleterre auxquels j'ai écrit m'ont répondu, l'un qu'il devait être en Australie, l'autre qu'il le croyait mort.

Et vous n'avez fait aucune démarche pour vous assurer la propriété d'un immeuble qui vous appartient légitimement?

Aucune, jusqu'à présent.

C'est-à-dire, que, selon vous, il y aurait à Paris une maison sans propriétaire, oubliée de tout le monde, même du percepteur...

Pardon! Les contributions ont toujours été fort justement acquittées, et pour tout le quartier, le propriétaire, c'est moi. C'est sur la personnalité qu'il y a erreur. Je me suis emparé sans façon de celle de mon ami. Pour les voisins, pour les fournisseurs des environs, pour les ouvriers et les entrepreneurs que j'ai employés, pour le tapissier et pour le jardinier, je suis sir Francis Burnett. Allez demander Jacques de Boiscoran, rue des Vignes, on vous répondra: «Connais pas.» Demandez sir Burnett, on vous dira: «Ah! très bien!» et on vous tracera mon portrait.

C'est d'un air peu convaincu que maître Magloire branlait la tête.

Alors, fit-il, vous dites que madame de Claudieuse est allée dans cette maison de Passy.

Plus de cinquante fois en trois ans.

Cela étant, on l'y connaît.

Non.

Cependant...

Paris n'est pas Sauveterre, Magloire, et on n'y est pas exclusivement préoccupé de ce que fait, dit ou pense le voisin. La rue des Vignes est fort déserte, et la comtesse prenait, pour venir et pour partir, les plus habiles précautions...

Soit, j'admets cela pour l'extérieur. Mais à l'intérieur? Vous aviez bien quelqu'un pour garder et entretenir cette maison que vous n'habitiez pas, et pour vous servir quand vous y veniez.

J'avais une servante anglaise...

Eh bien! cette fille doit connaître madame de Claudieuse.

Jamais elle ne l'a seulement entrevue.

Oh!...

Lorsque la comtesse devait venir, ou quand elle sortait, ou quand nous voulions nous promener dans le jardin, j'envoyais cette fille aux courses. Je l'ai envoyée jusqu'à Orléans, pour nous débarrasser d'elle vingt-quatre heures. Le reste du temps, nous nous tenions à l'étage supérieur, et nous nous servions nous-mêmes...

Visiblement, maître Magloire était au supplice.

Vous devez vous abuser, reprit-il. Les domestiques sont curieux, et se cacher d'eux, c'est irriter leur curiosité jusqu'à la folie. Cette fille doit vous avoir épié. Cette fille doit avoir trouvé le moyen de voir la femme que vous receviez. On peut l'interroger. Est-elle toujours à votre service?

Non. Elle m'a quitté lors de la guerre.

Pour aller?...

En Angleterre, je suppose.

De sorte qu'il faut renoncer à la retrouver.

Je le crois.

Renonçons-y donc. Mais votre valet de chambre?... Le vieil Antoine avait toute votre confiance; ne lui avez-vous jamais rien dit?

Jamais. Une seule fois je l'ai fait venir rue des Vignes, et encore était-ce parce qu'en glissant dans l'escalier, je m'étais foulé le pied.

De sorte qu'il vous est impossible de prouver que madame de Claudieuse est allée à la maison de Passy. Vous n'avez ni une preuve, ni un témoin de sa présence.

J'ai eu des preuves autrefois. Elle avait apporté divers menus objets à son usage, ils ont disparu pendant la guerre...

Ah! oui, fit maître Magloire, toujours la guerre... elle répond à tout.

Jamais aucun des interrogatoires de M. Galpin-Daveline n'avait été aussi pénible à Jacques de Boiscoran que cette série de questions rapides trahissant une désolante incrédulité.

Ne vous ai-je pas dit, Magloire, reprit-il, que madame de Claudieuse avait le génie de la circonspection? Il est aisé de se cacher quand on peut jeter l'argent sans compter. Est-il possible que vous me fassiez un crime de n'avoir pas de preuves à fournir! Le devoir d'un homme d'honneur n'est-il pas de tout faire au monde pour préserver de l'ombre d'un soupçon la réputation de la femme qui s'est fiée à lui! J'ai fait mon devoir, et quoi qu'il advienne, je ne m'en repens pas. Pouvais-je prévoir des événements inouïs? Pouvais-je prévoir qu'un jour fatal viendrait, où ce serait moi, Jacques de Boiscoran, qui dénoncerais la comtesse de Claudieuse et qui en serais réduit à chercher contre elle des preuves et des témoins!

Le célèbre avocat de Sauveterre détournait la tête. Et, au lieu de répondre:

Continuez, Jacques, dit-il d'une voix altérée, continuez...

Surmontant le découragement qui le gagnait:

C'est le septembre , reprit Jacques de Boiscoran, que, pour la première fois, madame de Claudieuse entra dans cette maison de Passy achetée et décorée pour elle, et, pendant cinq semaines qu'elle resta à Paris cette année-là, elle vint presque tous les jours y passer quelques heures.

»Elle jouissait chez ses parents d'une indépendance absolue, presque sans contrôle. Elle confiait à sa mère, la marquise de Tassar de Bruc, sa fillecar elle n'avait qu'une fille, à cette époque, et elle était libre de sortir et d'aller où bon lui semblait. Lorsqu'elle voulait une liberté plus grande, elle allait visiter son amie de Fontainebleau, et, à chaque fois, elle gagnait vingt-quatre ou quarante-huit heures sur le voyage. De mon côté, pour ne pas être gêné par les obligations de la famille, j'étais ostensiblement parti pour l'Irlande, et j'étais venu me fixer à demeure rue des Vignes.

»Ces cinq semaines passèrent comme un rêve, et cependant je dois dire que la séparation ne me fut pas aussi douloureuse que je l'aurais supposé. Non que le prisme fût brisé! Mais j'ai toujours trouvé humiliant d'être obligé de se cacher. Je commençais à me lasser de cette existence de précautions incessantes, et il me tardait un peu d'abandonner la personnalité de mon ami Francis Burnett et de reprendre la mienne. Nous nous étions bien jurés, d'ailleurs, madame de Claudieuse et moi, de ne jamais rester un mois sans passer quelques heures ensemble, et elle avait imaginé divers expédients pour nous voir sans danger.

»Un malheur de famille vint précisément, à cette époque, servir nos projets. Le frère aîné de mon père, cet oncle indulgent qui m'avait donné de quoi acheter ma maison de Passy, mourut en me léguant toute sa fortune. Propriétaire de Boiscoran, j'allais désormais avoir des raisons sérieuses d'habiter le pays et d'y venir, en tout cas sans que personne s'inquiétât de ce que j'y venais faire.

Milton Keynes UK
Ingram Content Group UK Ltd.
UKHW051137120923
428521UK00009B/409